MON PREMIER
DICTIONNAIRE
FRANÇAIS

LES ❖ VILLES ❖ PRINCIPALES ❖

la façade occidentale

1. la tour
2. le clocher
3. la rose
4. le portail
5. la flèche
6. les vitraux
7. le parvis
8. le quai

NOTRE-DAME DE PARIS

PLANCHE A   LA CATHÉDRALE

MON PREMIER DICTIONNAIRE FRANÇAIS

par

PHILIP LINKLATER, B.A.

Officier d'Académie

Illustrations de l'Auteur

UNIVERSITY OF LONDON PRESS LTD

UNIVERSITY OF LONDON PRESS LTD
ST PAULS HOUSE WARWICK LANE LONDON EC4

FIRST EDITION   1949
SEVENTH IMPRESSION   1966

Printed & Bound in England for the UNIVERSITY OF LONDON PRESS LTD
by HAZELL WATSON & VINEY LTD, Aylesbury, Bucks

PRÉFACE

Dans l'espoir de faciliter le travail de nos collègues, nous soumettons aux professeurs de français des écoles anglaises ce petit dictionnaire préparatoire.

Le livre est destiné aux classes moyennes, mais nous espérons que les élèves de cinquième année le trouveront à la portée de leurs besoins. Il pourra utilement préparer à l'usage d'un vrai dictionnaire français, type Larousse, et nous osons croire qu'il sera d'un maniement assez facile pour remplacer avantageusement les dictionnaires de poche.

Il se peut également que les étudiants adultes trouvent dans ce petit ouvrage un moyen agréable de renouveler leurs connaissances en français.

Le **vocabulaire** est nécessairement limité et présente d'inévitables lacunes que nous regrettons vivement : néanmoins, le livre comprend quelque 5000 mots qui formeront pour n'importe quel étudiant un important vocabulaire de base. Comme nous avons omis à dessein les mots de forme anglaise (tout en nous en servant dans les définitions), le contenu réel du volume s'étend peut-être à 10,000 mots. On y trouvera, aussi, quelques mots curieux et pittoresques (tels que **fourmilier, pieuvre, scaphandrier,** etc.) que nous avons ajoutés pour éveiller l'intérêt des élèves moins studieux.

Les **explications** sont aussi brèves que possible : tantôt l'image tient lieu de commentaire, tantôt une petite phrase prend la place d'une définition. Malgré notre désir de garder au volume son caractère de livre français, nous avons délibérément admis un petit pourcentage d'explications en anglais (imprimées en caractères italiques), partout où l'explication en français aurait pu jeter de la confusion dans l'esprit du jeune élève. Nous reconnaissons que cet **emploi de l'anglais** s'accorde mal avec le but même de l'ouvrage, mais nous le considérons comme un sacrifice à la simplicité, dont les professeurs d'esprit pratique reconnaîtront la quasi-nécessité. Nous avons également cru bon de changer quelquefois l'**ordre** strictement **alphabétique** pour grouper ensemble les mots de même famille.

Les **illustrations** forment au moins un tiers du volume et constitueront sans doute pour les jeunes lecteurs la partie la plus attrayante. Il y a huit planches en couleurs, et les mille gravures distribuées dans le texte comprennent un nombre important de tableaux synthétiques, consacrés chacun un sujet spécial (les **coiffures,** les **insectes,** les **outils** etc.). Ces tableaux sont en général d'un sérieux irréprochable : par contre, nous avons tâché de rendre les images légèrement amusantes, tout en évitant autant que possible la caricature trop poussée. De temps à autre, notre jeune fils Richard nous a facilité la besogne avec son crayon enjoué d'adolescent.

Le format de l'ouvrage n'a pas toujours permis de disposer ces illustrations en face des mots auxquels elles correspondent, mais la curiosité d'esprit de nos élèves y portera aisément remède.

Quant à la **prononciation** figurée, à laquelle nous avons apporté les soins les plus consciencieux, nous suivons la tendance actuelle en employant pour nos transcriptions les caractères de l'Association phonétique internationale, dont on trouvera l'alphabet détaillé aux pages x et xi de l'introduction. Le dictionnaire de MM. Michaëlis et Passy a longtemps fait autorité en cette matière, mais nous avons souvent consulté, pour ce travail délicat, des ouvrages plus modernes. Le traité du docteur Martinon (Comment on prononce le français : Librairie Larousse) nous a servi de critérium dans les cas embarrassants.

Le compilateur reconnaît sa dette envers l'œuvre magistrale de Littré, qu'il a trouvée tout à fait indispensable. Il cite aussi avec gratitude le dictionnaire moins connu, mais fort intéressant, de Napoléon Landais, dont la douzième édition fut publiée à Paris en 1854.

Pour conclure, il désire remercier tous ceux qui ont aidé à l'élaboration de ce modeste volume, particulièrement Mr. Henry Brown et tout le personnel courtois et bienveillant de *Little Paul's House*. Il veut aussi exprimer sa reconnaissance envers son collègue au lycée Sloane de Londres, Monsieur N. Van Nhan, qui, par ses suggestions et conseils, a beaucoup ajouté à la précision du livre. Ses remerciements sont aussi dus à Monsieur R. Dupraz et à Monsieur R. Raby pour avoir bien voulu entreprendre la lecture ingrate des épreuves.

LONDON, W.   P. L.

TO THE STUDENT

How to use this book

The main purpose of this vocabulary is to help you to think in French and to prepare you, in your later studies, for the intelligent use and enjoyment of a standard French dictionary, like Le Petit Larousse.

It will probably be your first French reference book and we naturally expect you to find it difficult: indeed, to many, it will seem not only difficult, but irritatingly impossible. You will ask yourself indignantly what point there can be in looking for the meaning of a French word in French! and you will put the book aside and look up the all-too-easy English equivalent in some other volume. But if you have the courage to persevere, to force yourself to make the intellectual effort this little book demands, you will be surprised how quickly you will fall into the way of it and how interesting, yes, and fascinating, the use of such a vocabulary can become.

The range of words you have to deal with is not great : some 8000 in all, but they have been selected with care, and we believe they constitute a very useful basic vocabulary. There are, of course, regrettable omissions; you will not find there the many-syllabled adverbs in **-ment** *(like* **probablement,** *probably); and nouns like* **avarice,** *adjectives like* **volumineux** *or verbs like* **limiter,** *sufficiently close to the English form to be readily understood, have been deliberately left out. The remaining body of words should, however, be ample for travel and conversation, and your reading will have to be difficult indeed if it goes far beyond the boundaries of such a word-list.*

We have attempted to explain these words in (roughly) five ways:

(1) *by a sketch, which you will probably recognise;*

(2) *by another and simpler word (e.g. un* **défaut,** *une imperfection);*

(3) *by a definition of extreme simplicity (e.g. un* **bambin,** *un petit enfant);*

(4) *by a sentence in which the use of the word is very clear (e.g. une* **ville.** *Paris est une grande ville); and occasionally,*

(5) *by giving a word of opposite meaning, when such a word is easy to grasp (e.g. un* **bruit.** *Le contraire est le* **silence***). This last method is not very scholarly, but there are times when it can be illuminating.*

Finally, when all such possibilities are exhausted, and we feel in our hearts that explanation in French would be complicated and confusing, we give, regretfully, the English rendering. But do not fall into the bad habit of expecting this concession, which will check your ability to think in French and delay any real mastery of the language.

The whole purpose of this book is to help you to dispense with English in your French reading, but even so, certain fundamental words must be fully understood before even a beginning can be made. We suggest therefore, as your first step, the learning by heart of the following words: they occur over and over again in all dictionary definitions:

un **arbre**, *a tree*	un **bâtiment**, *a building*
une **boisson**, *a drink*	une **espèce** de, *a kind of*
un **état**, *state or condition*	une **étendue**, *a stretch (of)*
une **étoffe**, *a (woven) material*	un **habitant**, *an inhabitant*
un **outil**, *a tool*	un **ouvrier**, *a workman*
une **partie**, *a part*	une **pièce**, *a room (sometimes!)*
un **récipient**, *a receptacle*	un **terrain**, *piece of land*
celui qui, *one who*	**de nouveau**, *again*
devenir, *to become*	**rendre**, *to make*

*These words well and truly memorized, you should next revise your grammar rules, the simple parts of verbs, how adverbs are formed, etc. All that you have already learned about word-changes should come under the closest revision. Words can look very unfamiliar in their feminine or plural spelling; it is often difficult for the young student to realize, for example, that **beau, bel, belle, beaux** and **belles** are all variants of the same word, or that **maux** is the plural of **mal**. Remember, therefore, that a French word can have several forms and a dictionary may give only one of them and be sure that you have found the basic form, stripped of all additional e's and s's before you begin to look up the word. You may thereby save yourself time, trouble and unnecessary disappointment.*

The diagram on the next page can, perhaps, be of help to you: it gives the principal changes undergone by French nouns in forming their feminine and plural. We have used nouns as being easy to illustrate, but we remind you that adjectives change in exactly the same way, and that—as always in French—there are plenty of exceptions.

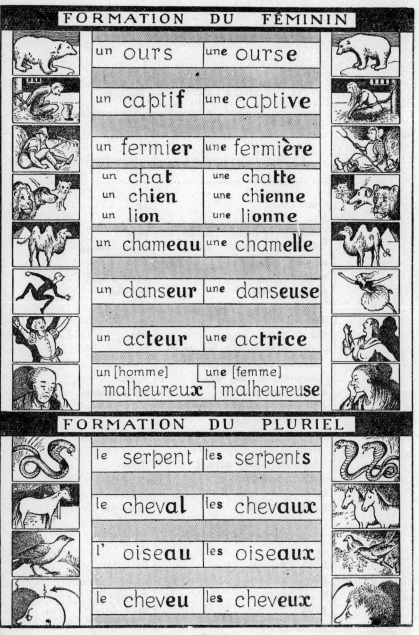

FORMATION DU FÉMININ

un ours	une ourse
un captif	une captive
un fermier	une fermière
un chat	une chatte
un chien	une chienne
un lion	une lionne
un chameau	une chamelle
un danseur	une danseuse
un acteur	une actrice
un [homme] malheureux	une [femme] malheureuse

FORMATION DU PLURIEL

le serpent	les serpents
le cheval	les chevaux
l' oiseau	les oiseaux
le cheveu	les cheveux

ALPHABET PHONÉTIQUE

(caractères de l'Association phonétique internationale)

Signe phonétique	Orthographe normale	Transcription phonétique
a	ch**a**t	ʃa
ɑ	**â**ne	ɑːn
	[Considérez aussi : p**a**sser, et les formes: tr**oi**s ; p**oê**le]	pɑse trwɑ—pwɑːl
ã	**am**ple ; **an**cre	ãːpl—ãːkr
	empire ; **en**fant	ãpiːr—ãfã
	p**aon** ; **Ca**en	pã—kã
b	**b**al	bal
d	**d**atte	dat
e	bl**é**	ble
	[Considérez aussi : l**es**, et les terminaisons du verbe : donn-**er, -é, -ez, -ai**]	le dɔne
ɛ	m**è**re ; m**ê**me	mɛːr—mɛːm
	n**ei**ge	nɛːʒ
	[Considérez aussi : ch**er** ; p**aix** ; siffl**et** et les terminaisons du verbe : donn-**ais, -ait, -aient**]	ʃɛːr—pɛ—siflɛ dɔnɛ
ɛ̃	d**aim** ; p**ain**	dɛ̃—pɛ̃
	important ; v**in**	ɛ̃pɔrtã—vɛ̃
	R**eim**s ; pl**ein**	rɛ̃ːs—plɛ̃
	[Considérez aussi le groupe -**ien** dans ch**ien** etc.]	ʃjɛ̃
ə	d**e**	də
f	**f**ils ; **Ph**ilippe	fis—filip
g	**g**are ; **gu**erre	gaːr—gɛːr
i	s**i** ; Ch**y**pre	si—ʃipr
j	**y**eux	jø

x

Signe phonétique	Orthographe normale	Transcription phonétique
	[Considérez aussi : bien ; soleil ; bataille]	bjɛ̃—sɔlɛːj—batɑːj
k	car : quart ; coq ; kilo	kaːr—kaːr—kɔk—kilo
l	lit	lɪ
m	ma	ma
n	neuf	nœf
ɲ	campagne	kɑ̃paɲ
o	au ; beau ; fossé ; côte	o—bo—fose—koːt
ɔ	olive ; folle ; cotte	ɔliːv—fɔl—kɔt
	[exceptionnellement (avec m) rhum ; muséum]	rɔm—myzeɔm
ɔ̃	tombe ; ton	tɔ̃ːb—tɔ̃
ø	peu	pø
œ	peur ; œuf	pœːr—œf
œ̃	un parfum	œ̃ parfœ̃
p	part	paːr
r	rat	ra
s	si ; poisson	sɪ—pwasɔ̃
	cité ; ça	site—sa
	[exceptionnellement : portion etc.]	pɔrsjɔ̃
t	ton ; thon	tɔ̃—tɔ̃
u	vous	vu
y	vu	vy
	[exceptionnellement : j'ai eu ; j'eus ; j'eusse]	ʒey—ʒy—ʒys
v	vite ; wagon	vit—vagɔ̃
w	oui	wi
	[Considérez aussi : oiseau : poêle]	wazo—pwɑːl
ɥ	lui	lɥi
z	rose , gaz	roːz—gɑːz
ʃ	château ; shako	ʃato—ʃako
ʒ	jardin ; large	ʒardɛ̃—larʒ

Le signe (ː) placé après une voyelle signifie que la voyelle est longue.

ABRÉVIATIONS

(p. 2) = voir page 2
(pl. A) = voir la planche coloriée A
(c. craindre) = se conjugue comme le verbe craindre
(se conj. c. craindre) = se conjugue comme le verbe craindre
pl. = pluriel
v. = verbe

Le petit disque noir (•) renvoie à une image

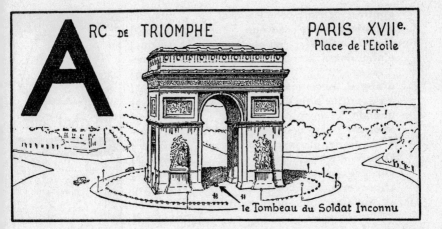

[Le petit disque noir (•) renvoie à une image]

un **a,** première lettre de l'alphabet [a]
à, préposition indiquant (1) la direction: Je vais à Paris;
    (2) la situation: Je demeure à Londres [a]
à bientôt ! = j'espère vous revoir bientôt [abjɛ̃to]
à jamais, pour toujours [aʒamɛ]
un **abaissement,** diminution, humiliation [abɛsmɑ̃]
abaisser v. diminuer, humilier [abɛse]
abandonner v. quitter définitivement [abɑ̃dɔne]
un **abat-jour** • (p. 2) un **abat-voix** • (p. 68) [aba-ʒuːr, -vwa]
un **abattement,** découragement [abatmɑ̃]
un **abattoir,** endroit où l'on tue les bœufs, les moutons etc. [abatwaːr]
abattre v. (1) démolir; (2) tuer; (3) décourager [abatr]
s'abattre v. tomber
abattu (1) jeté à terre; (2) triste, découragé [abaty]
une **abbaye** • (p. 2) [abei]
un **abbé,** un prêtre   une **abbesse,** une religieuse [abe—abɛs]
un **abécédaire,** petit livre pour apprendre l'alphabet [abesedɛːr]
une **abeille,**• insecte qui fait le miel (p. 2) [abɛːj]
abêtir v. rendre bête, stupide [abɛtiːr]
un **abêtissement,** état de stupidité [abɛtismɑ̃]
un **abîme,**• un grand trou, un gouffre (p. 2) [abiːm]
abîmer v. détruire, gâter [abime]
aux abois, se dit du cerf (*stag*) attaqué par les chiens [ozabwa]
un **aboiement,** un **aboîment,** cri du chien [abwamɑ̃]
aboyer v. crier comme un chien [abwaje]

I

abolir *v.* détruire complètement [abɔliːr]

abondamment, beaucoup [abɔ̃damɑ̃]

un **abonné,** celui qui s'est abonné [abɔne]

s'abonner *v.* prendre un **abonnement** (*season-ticket*) [sabɔne—abɔnmɑ̃]

d'abord, au commencement [dabɔːr]

au premier abord, à première vue [abɔːr]

les **abords,** les environs immédiats

aborder *v.* (1) accoster; (2) arriver à; (3) attaquer (en parlant d'un bateau) [abɔrde]

aboutir à *v.* conduire à [abutiːr]

abréger *v.* rendre plus court [abreʒe]

abreuver *v.* faire boire [abrœve]

un **abreuvoir,** source, mare ou rivière où l'on mène boire les bêtes [abrœvwaːr]

un **abri** • (1) refuge contre le danger; (2) cabine du mécanicien dans une locomotive (p. 37) [abri]

un **abricot,** espèce de prune jaune. L'arbre s'appelle un **abricotier** [abriko—abrikɔtje]

abriter, *v.* protéger, cacher [abrite]

abruti, extrêmement stupide [abryti]

une **absinthe,** une boisson amère [apsɛ̃ːt]

absolument, complètement [apsɔlymɑ̃]

absoudre *v.* pardonner complètement [apsudr] absolvant; absous (absoute); j'ai absous j'absous; —; j'absoudrai; que j'absolve

s'abstenir *v.* ne pas faire [sapstəniːr]

abstrait. Un nom abstrait indique une qualité comme la grandeur, la stupidité etc. [apstrɛ]

un **acajou,** bois rouge et très dur [akaʒu]

acariâtre,• désagréable [akarjaːtr]

accablant, très fatigant [akablɑ̃]

un **accablement,** prostration [akabləmɑ̃]

accabler *v.* écraser [akable]

une **accalmie,** moment de calme [akalmi]

accaparer *v.* monopoliser [akapare]

accéder *v.* (1) arriver; (2) consentir [aksede]

au pas **accéléré,** très vite [akselere]

un **accès** (1) entrée; (2) attaque d'une maladie

par accès, par intervalles [aksɛ]

accidenté, irrégulier [aksidɑ̃te]

acclamer *v.* recevoir avec des **acclamations** de joie [aklame—aklamasjɔ̃]

un **abat-jour**

l'**Abbaye** de Westminster

LES ABEILLES

la **reine**

un **rayon** de miel

un **essaim**

une **ruche**

il **tombe** dans l'**abîme**

2

accompagner *v.* aller avec   [akɔ̃paɲe]

accomplir *v.* faire ; finir   [akɔ̃pliːr]

un **accord**, similarité de sentiments   [akɔːr]

d'accord ! = très bien! j'accepte.—Deux personnes sont d'accord quand elles sont du même avis

accorder *v.* donner   [akɔrde]

s'accouder à *v.* mettre les coudes (*elbows*) sur   [sakude]

accourir *v.* arriver très vite   [akuriːr]

accoutumé, habituel   [akutyme]

un **accroc**, (1) déchirure ; (2) obstacle   [akro]

accrocher *v.* mettre sur un crochet   [akrɔʃe]

s'accrocher à *v.* s'attacher à

un **accroissement**, augmentation   [akrwasmã]

accroître *v.* augmenter   [akrwaːtr]

s'accroupir *v.* s'asseoir sur ses talons   [sakrupiːr]

accroupi •   [akrupi]

un **accueil**, une réception   [akœːj]

accueillir *v.* recevoir   [akœjiːr]

acculer *v.* mettre dans une situation désespérée   [akyle]

accuser *v.* *accuse.* **J'accuse réception de** votre lettre = j'ai reçu votre lettre   [akyze]

acerbe, d'un goût acide   [asɛrb]

acéré, qui coupe bien : tranchant   [asere]

un magasin bien **achalandé** est un magasin qui a beaucoup de clients   [aʃalãde]

acharné, furieux; obstiné   [aʃarne]

un **acharnement**, furie; persistance   [aʃarnəmã]

s'acharner *v.* attaquer avec furie; s'obstiner à (faire quelque chose)   [saʃarne]

un **achat** (1) ce qu'on achète (*buys*) dans un magasin; (2) action d'acheter   [aʃa]

s'acheminer *v.* marcher (vers)   [saʃmine]

acheter à (une personne) *v.* obtenir en donnant de l'argent   [aʃte]

un **acheteur**, personne qui achète   [aʃtœːr]

achever *v.* finir   [aʃve]

un **achèvement**, exécution complète   [aʃɛvmã]

une **pierre d'achoppement**, obstacle   [aʃɔpmã]

un **acier**, métal dur et blanc dont on fait les couteaux etc.   [asje]

une
femme
acariâtre

un négrillon
accroupi

un
acteur

il a
reçu
une nouvelle affolante:
il est
affolé

l'affût
d'un canon

3

acquérir *v.* obtenir   [akeriːr]
    acquérant; acquis; (j'ai acquis)
    j'acquiers; j'acquis; j'acquerrai

âcre, piquant au goût; désagréable   [ɑːkr]

une **âcreté,** qualité de ce qui est âcre   [ɑkrəte]

un **acte** (1) action; (2) document   [akt]

un **acteur,**• une **actrice** (p. 3)   [aktœːr—aktris]

un **actionnaire,** personne qui possède des **actions**
    (*shares*) dans une compagnie commerciale etc.
                  [aksjɔnɛːr—aksjɔ̃]

actuel (**actuelle**) présent   [aktɥɛl]

actuellement, en ce moment   [aktɥɛlmɑ̃]

une **addition** (1) opération d'arithmétique.
    (2) Après un repas au restaurant, le garçon
    présente l'addition (= la note)   [adisjɔ̃]

admettre *v.* recevoir; accepter comme vrai (se
    conj. comme mettre)   [admɛtr]

un **adolescent,** un jeune homme   [adɔlesɑ̃]

s'adonner à *v.* Il s'adonne à la lecture = il lit
    tout le temps   [sadɔne]

un **adorateur,** une **adoratrice,** personne qui adore,
    qui aime excessivement   [adɔra-tœːr, -tris]

adossé à, le dos placé contre   [adose]

adoucir *v.* rendre plus doux   [adusiːr]

une **adresse** (1) indication de la maison où on
    demeure; (2) dextérité   [adrɛs]

adroit, habile   [adrwɑ]

advenir *v.* arriver (c. venir)   [advəniːr]

aérer *v.* ventiler; donner de l'air à   [aere]

affaiblir *v.* rendre faible. Le nom dérivé de ce
    verbe est (un) **affaiblissement**
                  [afɛ-bliːr, -blismɑ̃]

affairé, occupé   [afere]

les **affaires,** *business*   [afɛːr]

un **affaissement,** ruine complète   [afɛsmɑ̃]

s'affaisser *v.* tomber (en ruines)   [safese]

affamé, qui a faim   [afame]

une **affiche,** papier qu'on fixe au mur pour annoncer
    quelque chose. Le verbe **afficher** = (1) fixer
    une affiche; (2) montrer   [afiʃ—afiʃe]

affilé, qui coupe bien   [afile]

affliger *v.* désoler, vexer, causer de l'**affliction**
                  [afliʒe—afliksjɔ̃]

il **s'agenouille**

un **agent**
de police

les **agrafes**

une **aigrette**

la tête
d'un
paon

l'œil (le chas)

une **aiguille**

le **fil**

une **pelote**

4

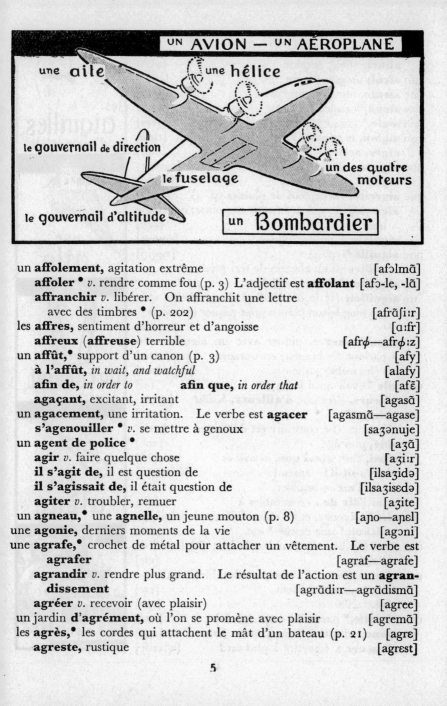

UN AVION — UN AÉROPLANE

une aile   une hélice

le gouvernail de direction

le fuselage   un des quatre moteurs

le gouvernail d'altitude

un Bombardier

un **affolement**, agitation extrême [afɔlmã]

affoler • *v.* rendre comme fou (p. 3) L'adjectif est **affolant** [afɔ-le, -lã]

affranchir *v.* libérer. On affranchit une lettre
avec des timbres • (p. 202) [afrãʃiːr]

les **affres**, sentiment d'horreur et d'angoisse [ɑːfr]

affreux (**affreuse**) terrible [afrɸ—afrɸːz]

un **affût,**• support d'un canon (p. 3) [afy]

à l'affût, *in wait, and watchful* [alafy]

afin de, *in order to*   **afin que,** *in order that* [afɛ̃]

agaçant, excitant, irritant [agasã]

un **agacement,** une irritation. Le verbe est **agacer** [agasmã—agase]

s'agenouiller • *v.* se mettre à genoux [saʒənuje]

un **agent de police** • [aʒã]

agir *v.* faire quelque chose [aʒiːr]

il s'agit de, il est question de [ilsaʒidə]

il s'agissait de, il était question de [ilsaʒisedə]

agiter *v.* troubler, remuer [aʒite]

un **agneau,**• une **agnelle,** un jeune mouton (p. 8) [aɲo—aɲɛl]

une **agonie,** derniers moments de la vie [agɔni]

une **agrafe,**• crochet de métal pour attacher un vêtement. Le verbe est
agrafer [agraf—agrafe]

agrandir *v.* rendre plus grand. Le résultat de l'action est un **agran-dissement** [agrãdiːr—agrãdismã]

agréer *v.* recevoir (avec plaisir) [agree]

un jardin **d'agrément,** où l'on se promène avec plaisir [agremã]

les **agrès,**• les cordes qui attachent le mât d'un bateau (p. 21) [agrɛ]

agreste, rustique [agrɛst]

un **agriculteur,** un fermier [agrikyltœːr]
aux **aguets,** à l'affût [ozagɛ]
ahuri, affolé, stupide [ayri]
un **aïeul,** un grand-père [ajœl]
une **aïeule,** une grand'mère [ajœl]
les **aïeux,** les ancêtres [ajø]
un **aigle,**• grand oiseau de proie (pl. F) [ɛgl]
un **aiglon,** le petit de l'aigle [ɛglɔ̃]
aigre, acide [ɛːgr]
une **aigreur,** acidité [ɛgrœːr]
aigrir v. rendre acide [ɛgriːr]
une **aigrette,**• ornement de plumes (p. 4) [ɛgrɛt]
aigu (**aiguë**) qui se termine en pointe; qui coupe
    bien [ɛgy]
aiguiser v. rendre aigu [egɥize]
une **aiguille** • (p. 4) [egɥiːj]
les **aiguilles** (d'un chemin de fer) *points*
les **aiguilles** • d'une pendule
un **aiguillon** (1) le dard (*sting*) d'une abeille etc.;
    (2) long bâton pointu pour piquer les bœufs
                                                [egɥijɔ̃]
aiguillonner v. piquer avec un aiguillon (en
    parlant des bœufs); encourager [egɥijɔne]
un **ail** (les **aulx**) *garlic* [aːj—lezo]
une **aile** • (voir aussi p. 137) [ɛl]
ailleurs, *elsewhere*; **d'ailleurs,** *besides* [ajœːr]
un **aimant** • [emɑ̃]
aimer v.   Le contraire est **détester** [eme]
aîné, plus âgé [ene]
ainsi, *thus*; **ainsi que,** *as well as* [ɛ̃si]
ainsi soit-il! amen! [ɛ̃siswatil]
avoir l'**air** = sembler
avoir l'**air de** = ressembler à [ɛːr]
un **airain,** bronze, et les objets faits de ce métal: un
    clairon,• une cloche • etc. [ɛrɛ̃]
une **aire** (1) lieu où l'on bat le blé; (2) le nid de
    l'aigle [ɛːr]
une **aise,** confort.   **à l'aise,** confortable(ment)
aise, heureux, content [ɛːz]
aisé, facile [ɛze]
une **aisselle,**• partie du corps (pl. G) [ɛsɛl]
un **ajonc,** arbuste à fleurs jaunes: *gorse* [aʒɔ̃]
ajourner v. remettre à plus tard [aʒurne]

les
aiguilles
d'une pendule

les **plumes**

une
aile

un aimant

une
alène

il est **alité**

6

ajouter *v.* *to add* ⌊aʒute⌋

ajuster *v.* arranger ⌊aʒyste⌋

un **albâtre,** marbre blanc et presque transparent
dont on fait les statues ⌊albɑːtr⌋

un **alcool,** liquide d'un goût brûlant ⌊alkɔl⌋

alcool à brûler, alcool pour les réchauds •

ne **alcôve,** enfoncement (*recess*) dans une chambre à
coucher, où on met le lit ⌊alkoːv⌋

ne **alène,**• outil de cordonnier ⌊alɛn⌋

aux **alentours,** aux environs ⌊alɑ̃tuːr⌋

ne **algarade,** dispute violente ⌊algarad⌋

ne **algue,**• plante marine (pl. H) ⌊alg⌋

un **aliéné,** un fou ⌊aljene⌋

aligner *v.* mettre en ligne ⌊aliɲe⌋

un **aliment,**• tout ce qu'on mange (**p. 143**) ⌊alimɑ̃⌋

alimenter *v.* nourrir, *feed* ⌊alimɑ̃te⌋

s'aliter • *v.* se mettre au lit ⌊salite⌋

allécher *v.* attirer ⌊aleʃe⌋

ne **allée,**• chemin dans un jardin ⌊ale⌋

alléger *v.* rendre plus léger ⌊aleʒe⌋

alléguer *v.* affirmer, prétexter ⌊alege⌋

allègre, gai, joyeux ⌊alɛːgr⌋

un **Allemand,**• une **Allemande,** habitant de
l'**Allemagne** • ⌊almɑ̃—almɑ̃ːd—almaɲ⌋

aller *v.* *to go* ⌊ale⌋
allant; allé; (je suis allé)
je vais; j'allai; j'irai; que j'aille

allons ! exclamation d'encouragement ⌊alɔ̃⌋

s'en aller *v.* partir ⌊sɑ̃nale⌋

ne **alliance,**• bague de mariage ⌊aljɑ̃ːs⌋

allonger *v.* rendre plus long ⌊alɔ̃ʒe⌋

allumer *v.* mettre le feu à ⌊alyme⌋

ne **allumette** • ⌊alymɛt⌋

à vive allure, rapidement ⌊alyːr⌋

de bon aloi, de bonne qualité ⌊alwa⌋

alors, *then*; **alors que,** *when, while* ⌊alɔːr⌋

ne **alouette,** oiseau chanteur, *lark* ⌊alwɛt⌋

alourdir *v.* rendre plus lourd ⌊alurdiːr⌋

alpestre, alpin ⌊alpɛstr⌋

ne **altération,** changement de bien en mal
⌊alterasjɔ̃⌋

altérer *v.* changer, détériorer ⌊altere⌋

ne **Altesse,** titre d'un prince ⌊altɛs⌋

une **allée**

un **Allemand**

• Berlin

l'**Allemagne**

une **alliance**

une **boîte
d'allumettes**

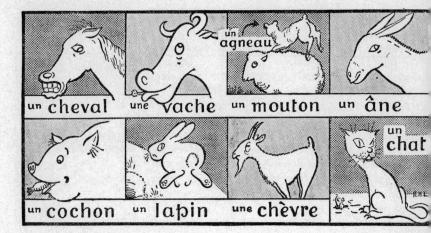

un cheval   une vache   un mouton   un âne   un agneau   un chat

un cochon   un lapin   une chèvre

      altier (**altière**) arrogant [altje—altjɛːr

une **amabilité,** qualité de ce qui est **aimable** [amabilite—emaːbl

      amadouer *v.* flatter, cajoler [amadwe

      amaigrir *v.* rendre maigre [amɛgriːr

un **amaigrissement,** émaciation [amɛgrismɑ̃

une **amande,** fruit de l'**amandier** (*almond-tree*) [amɑ̃ːd—amɑ̃dje

un **amant,** une **amante,** personne qui aime [amɑ̃—amɑ̃ːt

une **amarre,**• corde pour attacher un bateau (p. 10) [amaːr

      amarrer *v.* attacher avec une amarre [amare

un **amas,** un tas, une grande **quantité** [amɑ

      amasser *v.* accumuler [amɑse

une **amazone,** femme à cheval [amazɔn

      sans ambages, directement [sɑ̃zɑ̃baːʒ

une **ambassadrice,** femme d'un **ambassadeur** [ɑ̃basa-dris, -dœːr

      ambigu (**ambiguë**) douteux; à double sens [ɑ̃bigy

un **ambre,** substance résineuse jaune dont on fait le bout des pipes [ɑ̃ːbr

      ambulant, qui va de place en place [ɑ̃bylɑ̃

une **âme,** *soul*   **rendre l'âme** = mourir, expirer [aːm

un **aménagement,** arrangement [amenaʒmɑ̃

      aménager *v.* arranger [amenaʒe

une **amende.** Lorsqu'on va trop vite en auto, on est condamné à payer

      une amende [amɑ̃ːd

      amener (une personne) *v.* Amenez votre sœur ce soir = Venez avec

      votre sœur [amne

      amer (**amère**). La quinine est très amère [amɛːr

une **amertume,** goût amer, sentiment amer [amɛrtym

8

Mon arche de Noé

un singe — un lion — un écureuil — un zèbre

un hérisson — un chameau — un éléphant — un renard

un ours blanc — un fourmilier — les piquants — un porc-épic — un lièvre

un loup — un tigre — une girafe — un kangourou

un hippopotame — un rhinocéros

amerrir *v.* se poser sur l'eau (en parlant d'un hydravion) [ameriːr]

un **ameublement,** tous les meubles • de la maison [amœbləmã]

ameuter le peuple = exciter le peuple à la révolte [amøte]

un **ami,** une **amie,** personne qu'on aime. L'adjectif est **amical** [ami—amikal]

une **amitié,** affection qui unit deux amis [amitje]

un **amiral,** commandant d'une flotte [amiral]

amoindrir *v.* rendre plus petit [amwɛ̃driːr]

amollir *v.* rendre plus mou (*soft*) [amɔliːr]

amonceler *v.* mettre en tas (*heap*) [amɔ̃sle]

un **amoncellement,** tas; quantité [amɔ̃sɛlmã]

en amont (en parlant d'une rivière) du côté de la source [amɔ̃]

une **amorce** (1) (d'une canne à pêche), ce qui attire les poissons; (2) (d'une bombe), ce qui la fait exploser [amɔrs]

amorcer *v.* mettre une amorce à [amɔrse]

un **amour,** grande affection [amuːr]

un **Amour,** Cupidon

amoureux, qui aime beaucoup [amurø]

une **ampoule électrique** • (p. 72) [ɑ̃pul]

un **an;** une **année,** 365 jours [ã—ane]

une année **bissextile** a 366 jours [bisɛkstil]

analogue, similaire [analɔg]

un **ananas,** • fruit des tropiques (pl. C) [anana]

un **anathème,** une malédiction [anatɛːm]

nos **ancêtres,** nos pères [ãsɛːtr]

ancien (**ancienne**) très vieux. Un ancien soldat = soldat qui a quitté le service [ãsjɛ̃—ãsjɛn]

une **ancre** • Le verbe est **ancrer** [ãːkr—ãkre]

un **âne,** • une **ânesse** (p. 8) [ɑːn—ɑnɛs]

un **ânon,** un petit âne [anɔ̃]

une **ânerie,** stupidité, bêtise [ɑnri]

anéantir *v.* annihiler [aneãtiːr]

un **ange** • [ãːʒ]

un **angélus,** son de cloche qui appelle à la prière [ãʒelyːs]

un **Anglais,** une **Anglaise,** habitant de l'**Angleterre** • [ã-glɛ, -glɛːz, -glətɛːr]

10

une **angoisse,** inquiétude extrême [ãgwas]

une **anguille** • [ãgiːj]

animé, plein de vie [anime]

un **anneau** • Le doigt où l'on met une bague s'appelle l'**annulaire** • (p. 153) [a-no, -nylɛːr]

une **année,** 365 jours [ane]

annihiler v. détruire complètement [aniile]

une **annonce,** une proclamation [anɔ̃ːs]

une **anse** • (1) poignée courbée en arc comme celle d'un panier; (2) petit golfe de mer [ãːs]

une **antenne** de T.S.F., *wireless aerial* [ãten]

une **antienne,** chant d'église [ãtjen]

antérieur, contraire de **postérieur** [ãterjœːr]

antipathique, désagréable [ãtipatik]

une **antiquaille,** objet antique de peu de valeur. Un marchand qui vend des objets antiques s'appelle un **antiquaire** [ãti-kaːj, -kɛːr]

un **antre,** une caverne [ãːtr]

un **août,** huitième mois de l'année [u]

un **apache,** • un voleur, un bandit [apaʃ]

apaiser v. calmer [apɛze]

apercevoir v. *to perceive* [apɛrsəvwaːr] apercevant; aperçu; (j'ai aperçu) j'aperçois; j'aperçus; j'apercevrai

un **apéritif,** boisson qu'on prend avant le repas pour se donner de l'appétit [aperitif]

à peu près, presque [apøprɛ]

apitoyer v. exciter la pitié [apitwaje]

aplanir v. rendre uni (*smooth*) [aplaniːr]

aplatir v. rendre plat (*flat*) [aplatiːr]

d'aplomb, vertical [daplɔ̃]

un **apôtre.** Jésus avait 12 apôtres [apoːtr]

apparaître v. se présenter comme une **apparition ;** *to appear* [aparɛːtr—aparisjɔ̃]

un **apparat,** cérémonie, luxe [apara]

un **appareil,** • machine, instrument [aparɛːj]

appareiller v. (d'un bateau) partir [aparɛje]

un **appartement,** *a flat* [apartəmã]

appartenir v. Ce livre m'appartient = ce livre est à moi [apartəniːr]

les **appas,** les charmes, la beauté [apa]

un **appât,** • nourriture attachée à un hameçon pour attirer les poissons [apɑ]

l'**anse** du panier

un **apache**

un **appareil** photographique

l'**appât**

l'**oiseau apprivoisé**

appauvrir *v.* rendre pauvre [apovriːr]

un **appel,** action d'appeler [apɛl]

appeler *v.* nommer; crier [aple]

s'appeler *v.* Je m'appelle Guillaume = mon nom est Guillaume [saple]

un **appentis,** espèce de hangar • [apᾶti]

appétissant, qui excite l'appétit [apetisᾶ]

applaudir *v.* battre des mains: approuver [aplodiːr]

un **applaudissement,** acclamation [aplodismᾶ]

les **appointements,** le salaire [apwɛ̃tmᾶ]

apporter (un objet) *v.* Apportez-moi une tasse de café, s'il vous plaît [aporte]

apprendre *v.* En classe, nous apprenons le français, la géographie etc. [aprᾶːdr]

un **apprenti,** un très jeune ouvrier [aprᾶti]

un **apprentissage,** les années pendant lesquelles on apprend un métier (*trade*) [aprᾶtisaːʒ]

les **apprêts,** les préparatifs [aprɛ]

apprêter *v.* préparer [aprɛte]

apprivoiser • *v.* rendre un animal—et quelquefois un homme—plus docile (p. 11) [aprivwaze]

approfondir *v.* (1) rendre plus profond; (2) étudier (un sujet) [aprofɔ̃diːr]

approvisionner *v.* donner, envoyer des provisions à [aprovisjone]

un **appui,** un support [apɥi]

à hauteur d'appui, *breast-high*

appuyer *v.* supporter [apɥije]

âpre, sévère, rude [aːpr]

une **âpreté,** sévérité [aprəte]

après, *after* [aprɛ]

un (une) **après-midi,** partie du jour [aprɛmidi]

une **aquarelle,** peinture à l'eau [akwarɛl]

un **aqueduc** • [akədyk]

un **aquilon,** vent du nord [akilɔ̃]

une **araignée** • [arɛɲe]

une **arbalète** • [arbalɛt]

un **arbitre,** un juge [arbitr]

un **arbre** • [arbr]

un **arbrisseau** • (p. 13) [arbriso]

un **arbuste,** • petit arbrisseau [arbyst]

un **arc** • (p. 15) [ark]

un **aqueduc**

une **araignée** dans sa **toile**

une **arbalète**

un **arc-boutant**

un **archet**

le **pommeau**

l'**arçon** d'une selle

un **arc-boutant,** ● pilier extérieur qui soutient (*supports*) le mur d'une
    cathédrale etc. [arkbutɑ̃]

un **arceau,** une petite arche [arso]

un **arc-en-ciel,** arc de sept couleurs qu'on voit dans le ciel en temps de
    pluie [arkɑ̃sjɛl]

un **archange,** le chef des anges [arkɑ̃ːʒ]

une **arche** d'un pont [arʃ]

une **arche de Noé** ● (p. 9) [arʃdənɔe]

un **archet** ● On joue du violon avec un archet [arʃɛ]

un **archevêque,** évêque principal. L'Archevêque de Cantorbéry est un
    ecclésiastique important [arʃəvɛːk]

un **archipel,** groupe de plusieurs îles [arʃipɛl]

un **arçon,** ● partie supérieure d'une selle [arsɔ̃]

    ardemment, avec passion, avec **ardeur** [ardamɑ̃—ardœːr]

une **ardoise** ● (p. 14) [ardwaːz]

    ardu, difficile [ardy]

une **arête** de poisson = un os de poisson [arɛːt]

une **arête** d'un toit, ● l'angle supérieur, saillant (p. 14)

un **argent** (1) métal blanc précieux; (2) monnaie de toute espèce [arʒɑ̃]

une **argenterie,** vaisselle d'argent, *silver plate* [arʒɑ̃tri]

un son **argentin,** clair, agréable à entendre [arʒɑ̃tɛ̃]

une **argile,** terre dont on fait la poterie [arʒil]

un **argot,** langage spécial, souvent vulgaire [argo]

un **armateur,** celui qui équipe des bateaux [armatœːr]

une **arme à feu,** pistolet, fusil ou canon [arm]

une **armoire** ● (p. 14)   une **armoire à glace** ● (p. 33) [armwaːr]

    les **armoiries,** les armes d'une famille noble, d'une ville etc. [armwari]

une **armure**  [armyːr]

un **armurier,** celui qui vend des armes [armyrje]

arpenter *v.* (1) mesurer ; (2) parcourir [arpɑ̃te]

arracher *v.* enlever avec violence. Le dentiste arrache les dents; le jardinier arrache les mauvaises herbes [araʃe]

une **arrestation,** action d'arrêter quelqu'un pour le mettre en prison [arɛstasjɔ̃]

un **arrêt,** un jugement [arɛ]

un **arrêt** de tramway, endroit fixe où les voitures s'arrêtent

un **arrêté,** décision du gouvernement [arɛte]

arrêter *v.* (1) stopper (en parlant d'un train) mais (2) on arrête un cheval et (3) le gendarme arrête un voleur [arɛte]

s'arrêter *v.* rester immobile

un peuple **arriéré** = un peuple qui n'est pas très civilisé [arjere]

[**arrière,** *behind, means in compounds the back part of something, or, speaking of relatives, ' great-', as* **arrière-grandpère,** *great-grandfather. Consider:*

une **arrière-boutique,** pièce située derrière la boutique;

une **arrière-cour,** cour derrière la maison;

une **arrière-pensée,** intention cachée;

une **arrière-saison,** fin de l'automne;

un **arrière-train,** partie postérieure d'un véhicule ou d'un animal [arjɛːr]]

arrondir *v.* rendre rond [arɔ̃diːr]

un **arrondissement.** Paris est divisé en 20 arrondissements [arɔ̃dismɑ̃]

un **arrosage,** action d'arroser [arozaːʒ]

arroser *v.* jeter de l'eau sur [aroze]

un **arrosoir** • [arozwaːr]

une **artère** • (voir p. 88) [artɛːr]

un **artisan,** un ouvrier [artizɑ̃]

un **as,** • (1) une carte à jouer (p. 30); (2) aviateur ou sportsman célèbre [ɑːs]

un **ascenseur,** *lift* [asɑ̃sœːr]

un **asile,** refuge [azil]

un **aspirateur** • [aspiratœːr]

assaillir *v.* attaquer [asajiːr]

un **assassinat,** un meurtre [asasina]

14

un **assaut,** une attaque [aso]

un **assaut d'armes,** combat à l'escrime • (p. 78)

un **assentiment,** approbation [asãtimã]

s'asseoir v. se mettre (sur une chaise) [saswaːr]
s'asseyant; assis; (je me suis assis)
je m'assieds; je m'assis; je m'assiérai
[je m'assois; je m'assis; je m'assoirai]

assez, en quantité suffisante [ase]

assidu, qui travaille beaucoup et avec exactitude; zélé [asidy]

assiéger v. faire le siège d'une ville [asjeʒe]

une **assiette** • (p. 143) [asjɛt]

je ne suis pas dans mon assiette = je ne
me porte pas bien

assister v. aider [asiste]

assister à v. être présent à

une **assistance** (1) aide; (2) les gens présents
[asistãːs]

assombrir v. rendre sombre [asɔ̃briːr]

assommant, très ennuyeux ; fatigant [asɔmã]

assommer • v. abattre à coups de massue
(p. 17) [asɔme]

s'assoupir v. s'endormir petit à petit [sasupiːr]

assourdir v. rendre sourd (*deaf*) pour un moment.
Un bruit **assourdissant** est un bruit qui
produit cet effet [asurdiːr—asurdisã]

astiquer v. polir [astike]

un **astre,**• corps céleste (p. 16) [astr]

une **astuce,** une ruse [astys]

astucieux, rusé, malin [astysjø]

un **atelier,** pièce où travaillent les artistes, les
ouvriers etc. [atəlje]

un **athée,** homme qui ne croit pas en Dieu [ate]

un **atout,** carte d'une valeur spéciale dans les parties
de cartes [atu]

un **âtre,** partie de la cheminée où l'on fait le feu [ɑːtr]

atroce, très cruel; horrible [atrɔs]

s'attabler v. se mettre à table [satable]

une **attache,** ce qui sert à attacher [ataʃ]

s'attarder v. se mettre en retard [satarde]

atteindre v. arriver à (c. craindre) [atɛ̃ːdr]

un **attelage,** animaux qui tirent une voiture, une
charrue, un canon etc. [atlaːʒ]

LES ARMES

une massue

le **sauvage**

une épée

un écu

le **chevalier**

un arc

les flèches

le carquois

un **archer**

un abri

dans
les **tranchées**

un
char d'assaut

15

atteler v. attacher (un cheval, un bœuf etc.) à une voiture [atle]

attendre v. rester jusqu'à l'arrivée de [atɑ̃:dr]

en attendant, *meanwhile* [ɑ̃natɑ̃dɑ̃]

attendrir v. rendre plus tendre [atɑ̃dri:r]

attendrissant, très touchant [atɑ̃drisɑ̃]

attendu que, *seeing that* [atɑ̃dykə]

un **attentat,** crime, outrage [atɑ̃ta]

une **attente,** action d'attendre (*wait*) [atɑ̃:t]

une **salle d'attente,** salle de la gare où les voyageurs attendent le train

atterrir v. se poser sur le sol (en parlant d'un avion) [ateri:r]

un **atterrissage,** action d'atterrir [aterisa:ʒ]

un **attirail** de pêche, toutes les choses nécessaires pour pêcher: canne,● filet ● etc. [atirɑ:j]

attirer v. exercer une attraction sur [atire]

attiser v. faire mieux brûler [atize]

un **attrait,** charme, séduction [atrɛ]

attrayant, joli à voir [atrɛjɑ̃]

attraper v. prendre, capturer [atrape]

attrister v. rendre triste [atriste]

au = à + le; **aux** = à + les [o]

une **aubaine,** un avantage inattendu [obɛ:n]

une **aube,** première lumière du jour [o:b]

une **aubépine,** arbre à fleurs blanches ou roses, *hawthorn* [obepin]

une **auberge,** café à la campagne où l'on peut se loger. Le propriétaire s'appelle un **aubergiste** [obɛrʒ—obɛrʒist]

aucun, *any*; **ne . . . aucun,** *no, none* [okœ̃]

aucunement, pas du tout [okynmɑ̃]

un **auditoire,** une assemblée [oditwa:r]

aujourd'hui, ce jour-ci [oʒurdɥi]

une **aumône,** argent donné aux pauvres [omo:n]

un **aune,** un **aulne,** *alder* [o:n]

auparavant, avant [oparavɑ̃]

auprès de, près de [oprɛdə]

une **aurore,** commencement du jour [ɔrɔ:r]

aussi, *also* [osi]

aussitôt, immédiatement [osito]

aussitôt que = **dès que** = *as soon as*

autant, la même quantité [otɑ̃]

LES ASTRES

le **soleil**

le **croissant**
de la **nouvelle
lune**

la **pleine lune**

l'**étoile polaire**

la **constellation**
de la **Grande Ourse**

le ciel **étoilé**

16

un **autel** • d'église (p. 68) [otɛl]
un **auteur,** homme qui écrit des livres [otœːr]
un **autobus** • [otɔbys]
un **autocycle,** une motocyclette [otɔsikl]
un (une) **automne,** 3ème saison de l'année [otɔn]
une **autorisation,** permission [otɔrizasjɔ̃]
   autoriser v. permettre [otɔrize]
   autoritaire, sévère, austère [otɔritɛːr]
   autour, *around* [otuːr]
   autre, différent   **autre part,** ailleurs [oːtr]
   de temps à autre, de temps en temps
   autrefois, aux temps passés [otrəfwa]
   autrement (1) d'une autre manière; (2) sinon
       [otrəmɑ̃]
un **Autrichien,** une **Autrichienne,** habitant de
   l'**Autriche** • (p. 201) [otriʃ, -jɛ̃, -jɛn]
une **autruche,**• oiseau d'Afrique (pl. F) [otryʃ]
   autrui, les autres personnes [otrɥi]
un **auvent,** petit toit au-dessus d'une porte [ovɑ̃]
   en aval, en descendant la rivière [ɑ̃naval]
   avaler • v. [avale]
   [**avant,** *in front of, and in many compounds with the*
    meaning 'fore-', as in
un **avant-bras** • (pl. G) [avɑ̃bra]
un **avant-goût** [avɑ̃gu]]
   en avant ! ordre d'avancer
   avare, qui aime accumuler de l'argent [avaːr]
   avec, *with* [avɛk]
   avenant, agréable [avnɑ̃]
un **avenir,** le temps futur [avniːr]
une **averse,** pluie soudaine et forte [avɛrs]
   avertir v. informer [avɛrtiːr]
un **avertissement,** une notification [avɛrtismɑ̃]
un **aveu,** une confession [avø]
   aveugle, qui a perdu la vue [avœːgl]
   aveugler v. rendre aveugle [avœgle]
   avide, qui désire ardemment [avid]
   avilir v. déshonorer; rendre vil [aviliːr]
un **avion,**• un **aéroplane** (p. 5) [avjɔ̃—aerɔplan]
un **aviron** • [avirɔ̃]
un **avis,** une opinion [avi]
   avisé, prudent [avize]
un **avocat** • [avɔka]

17

PARIS IIe
(Rue Vivienne)

une colonne:
le chapiteau
le fût
la base

le perron

BOURSE

l'entrée du métro   la grille

une **avoine,** grain qu'on donne aux chevaux; *oats*   [avwan]

avoir *v.* to have; ayant; eu [y]; j'ai; j'eus [ʒy]; j'aurai; que j'aie

[*Consider* **avoir soif,** *to have thirst* = *to* BE *thirsty, and then try to make out*
 similarly: **avoir faim; avoir chaud; avoir froid; avoir tort**
 (*wrong*)**; avoir raison** (*reason*)**; avoir sommeil; avoir honte**]

avoir beau + infinitif = faire quelque chose en vain. **Vous avez
 beau parler** = vous parlez en vain

tout votre avoir, tout ce que vous possédez   [avwaːr]

avoisinant, tout près   [avwazinã]

avouer *v.* confesser: faire des aveux   [avwe]

un **avril,** quatrième mois de l'année   [avril]

le **babil,** le **babillage,** le parler des petits enfants. L'adjectif
 est **babillard**   [babi, -jaːʒ, -jaːr]

babiller *v.* parler beaucoup, comme un enfant   [babije]

les **babines,** les lèvres d'un chien ou d'un chat. Après avoir
 bu le lait, le chat se lèche les babines   [babin]

un **bac,** bateau plat pour traverser une rivière   [bak]

une **bâche,**• grosse toile recouvrant une charrette (p. 186)   [baːʃ]

un **badaud,** une personne niaise, simple, curieuse   [bado]

badin, gai, plaisant. Le verbe est **badiner**   [badɛ̃—badine]

bafouer *v.* tourner en ridicule; railler   [bafwe]

une **bagarre,** querelle, tumulte   [bagaːr]

une **bagatelle,** chose triviale, peu importante   [bagatɛl]

un **bagne,** prison pour grands criminels   [baɲ]

une **bague,**• anneau qu'on porte au doigt (p. 147)   [bag]

une **baguette magique,** bâton long et mince que porte un magicien [bagɛt]

un **bahut,** espèce de grand coffre [bay]
une **baie,** petit golfe [bɛ]
une **baie,°** fruit petit et rond (p. 101)
    baigner *v.* laver (dans une baignoire) On se
    baigne ° aussi dans la mer (p. 132) [bɛɲe]
un **baigneur,** personne qui se baigne [bɛɲœːr]
une **baignoire °** [bɛɲwaːr]
un **bâillement,** action de bâiller [bajmɑ̃]
    bâiller *v.* ouvrir la bouche toute grande. On
    bâille lorsqu'on est fatigué [baje]
un **bâillon,** objet qu'on met dans la bouche d'un
    prisonnier pour l'empêcher de crier. Le verbe
    est **bâillonner** [bajɔ̃— bajɔne]
un **bain,** action de se laver le corps entier [bɛ̃]
    baiser *v.* donner un **baiser** (*kiss*) à [bɛze]
une **baisse,** diminution; dépréciation [bɛːs]
    baisser *v.* diminuer; mettre plus bas [bɛse]
    se baisser *v.* se courber (*bend*) vers le sol
une **balafre,** blessure ou cicatrice [balaːfr]
un **balai °** Le verbe est **balayer** [balɛ, -je]
une **balance °** [balɑ̃ːs]
une **balançoire °** [balɑ̃swaːr]
    balbutier *v.* parler avec beaucoup d'hésitation,
    avec difficulté [balbysje]
un **balcon °** (pl. E et p. 204 aussi) [balkɔ̃]
une **baleine,** le plus grand des animaux, habite les
    mers arctiques [balɛn]
une **baliverne,** paroles futiles; *nonsense* [balivɛrn]
un **ballon °** [balɔ̃]
un **ballot,** grand paquet de marchandises [balo]
    ballotter *v.* agiter; *shake about* [balɔte]
un **balustre,** petit pilier d'une **balustrade**
    [balystr—balystrad]
un **bambin,** petit enfant [bɑ̃bɛ̃]
    banal, ordinaire, trivial, commun [banal]
un **bananier,** arbre tropical qui porte des **bananes**
    [bananje—banan]
un **banc,°** siège long et assez bas (p. 68) [bɑ̃]
un **bandeau,** bande d'étoffe qu'on met autour du
    front ou des yeux [bɑ̃do]
    bander *v.* attacher un bandeau [bɑ̃de]
la **banlieue,** environs d'une ville [bɑ̃ljø]
une **bannière,** espèce de drapeau [banjɛːr]

Il se baigne dans
une **baignoire**

le manche à balai
un **balai**

le plateau
le poids
une **balance**

les cordes
le siège
une **balançoire**

un ballon (sphérique)

une **barrière**

bannir *v.* exiler [baniːr]

une **banquette,** banc (dans un compartiment de chemin de fer etc.) [bɑ̃kɛt]

un **banquier,** directeur d'une **banque** [bɑ̃kje—bɑ̃k]

faire **banqueroute,** se dit d'un commerçant qui ne peut pas payer ses dettes [bɑ̃krut]

un **baptême,** sacrement de l'Église [batɛːm]

un **baquet** • [bakɛ]

un **baragouin,** langage impossible à comprendre [baragwɛ̃]

une **baraque,**• un **baraquement,** une hutte (p. 147) [barak, -mɑ̃]

une **barbe** • [barb]

se faire la barbe, se raser

une **barbiche,** une petite barbe [barbiʃ]

barbu, qui a une grande barbe [barby]

un fil de fer **barbelé,** fil (*wire*) garni de pointes [barble]

barboter *v.* marcher dans l'eau [barbɔte]

un **barbouillage,** mauvais tableau [barbujaːʒ]

barbouiller *v.* salir avec de l'encre, des couleurs etc. [barbuje]

bariolé, multicolore [barjɔle]

un **barreau,** petite **barre:** les barreaux d'une cage etc. [baro—baːr]

une **barrière** • (voir p. 19) [barjɛːr]

une **barrique,** un grand tonneau • [barik]

bas, basse, contraire de **haut** [bɑ—bɑːs]

le **bas,** la partie inférieure

une **paire de bas** • (p. 211)

une **bascule,** espèce de grande balance • [baskyl]

un **bas-fond** (1) terrain bas; (2) partie de la mer où l'eau n'est pas profonde [bafɔ̃]

une **basse-cour,** partie de la ferme où vivent les oiseaux domestiques [baskuːr]

une **bassesse,** action abjecte [basɛs]

un **bassin** • (1) partie d'un port; (2) pièce d'eau dans un jardin (p. 208); (3) *basin* [basɛ̃]

un **bât,**• espèce de selle [bɑ]

une **bataille,** grand combat [bataːj]

un enfant **batailleur,**• (p. 24) enfant qui aime à se battre [batajœːr]

le **ballon**

un **baquet**

une **barbe**

un **bât**

le **mulet**

le **singe**

le **bâton**

20

1. ^{la} coque 2. ^{la} quille 3. ^{la} voile
4. ^{le} beaupré 5. ^{le} mât 6. ^{les} agrès

un **batelier,** homme qui conduit un bateau	[batəlje]
un **bâtiment** (1) une maison; (2) un bateau	[batimã]
bâtir v. construire, faire	[batiːr]
un **bâton** • Le verbe est **bâtonner** (= frapper)	[batɔ̃—batɔne]
le **battant** • d'une cloche (p. 40)	[batã]
un **battement,** action de battre; pulsation (du cœur)	[batmã]
battre v. frapper	[batr]

    battant; battu; (j'ai battu)
    je bats; je battis; je battrai; que je batte

battre des mains, applaudir; **battre les cartes,** mêler les cartes
se battre v. combattre; lutter

un **baudet,** un petit âne • (p. 8)	[bodɛ]
un **bavard,** personne qui parle beaucoup	[bavaːr]
bavarder v. parler tout le temps	[bavarde]
un **bavardage,** paroles d'un bavard	[bavardaːʒ]
bayer v. regarder, la bouche ouverte	[beje]
béant, grand ouvert	[beã]
beau, bel (belle) très joli, splendide	[bo—bɛl]
un **beau-père,** *father-in-law* (de même: un **beau-fils,** un **beau-frère,**	
les **beaux-parents**)	[bo-pɛːr, -fis, -frɛːr, -parã]
beaucoup, *much, many*	[boku]
le **beaupré** • d'un bateau, grand mât incliné à l'avant	[bopre]
un **bébé,**• un très jeune enfant (p. 84)	[bebe]
un **bec** • (pl. F); un **bec de gaz** • (p. 72)	[bɛk]
une **bêche,**• outil de jardinier (p. 149) Le verbe: **bêcher**	[bɛːʃ—beʃe]
bouche bée, la bouche ouverte	[buʃbe]

un **beffroi,** une haute tour [befrwɑ]

bégayer *v.* parler mal, avec beaucoup d'hésitation [begeje]

un **bêlement,** le cri du mouton [bɛlmɑ̃]

bêler *v.* crier comme un mouton [bɛle]

une **belette,** petit animal féroce, *weasel* [bəlɛt]

un **Belge,** habitant de la **Belgique** [bɛlʒ, -ik]

un **bélier** • (p. 45) [belje]

les **béquilles**

il joue aux **billes**

un **blaireau**

un **blessé**

une **bobine**

une **belle-mère,** *mother-in-law* (de même: **belle-fille, belle-sœur**) [bɛl-mɛːr, -fiːj, -sœːr]

un **bénéfice,** profit [benefis]

bénin (**bénigne**) indulgent [benɛ̃—beniɲ]

bénir *v.* demander à Dieu qu'il donne sa protection à quelqu'un [beniːr]

un **bénitier,** dans une église, récipient pour l'eau **bénite** (*holy*) [benitje—benit]

une **béquille** • [bekiːj]

un **berceau,** lit d'un bébé [bɛrso]

bercer *v.* balancer doucement un enfant dans un berceau [bɛrse]

une **berge,** bord escarpé d'une rivière [bɛrʒ]

un **berger,** une **bergère,** personne qui garde les moutons [bɛr-ʒe, -ʒɛːr]

une **bergerie** (= un **bercail**) lieu où l'on enferme les moutons [bɛrʒəri—bɛrkaːj]

une **besogne,** un travail [bəzɔɲ]

avoir **besoin** de = manquer de; désirer [bəzwɛ̃]

les **bestiaux,** animaux de la ferme [bɛstjo]

le **bétail,** les bestiaux [betaːj]

une **bête,** un animal [bɛːt]

bête, stupide

une **bêtise,** une action stupide [betiːz]

une **betterave,** • un légume (pl. D) [betraːv]

un **beuglement,** cri du bœuf [bœgləmɑ̃]

beugler *v.* crier comme un bœuf [bœgle]

le **beurre,** • substance jaune qu'on obtient en battant la crème (p. 143) [bœːr]

le **beurrier** • (p. 143) [bœrje]

un **bibelot,** petit objet curieux [biblo]

une **bibliothèque** • (1) collection de livres; (2) meuble où on les met (p. 175) [bibliɔtɛk]

le **couvercle**

une **boîte**

une **biche,** femelle du cerf (*stag*) [biʃ]

une **bicyclette** • [bisiklɛt]

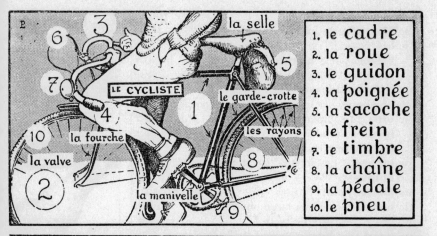

Labels on illustration:
- 3, 6, 7, la selle, LE CYCLISTE, le garde-crotte, 5, 4, 1, les rayons, 10, la fourche, la valve, 2, 8, la manivelle, 9

1. le **cadre**
2. la **roue**
3. le **guidon**
4. la **poignée**
5. la **sacoche**
6. le **frein**
7. le **timbre**
8. la **chaîne**
9. la **pédale**
10. le **pneu**

MA BICYCLETTE — MON VÉLO — MA BÉCANE

bien de, beaucoup de **bien que,** quoique	[bjɛ̃də—bjɛ̃kə]
si bien que, de sorte que, *so that*	[sibjɛ̃kə]
les **biens,** l'argent, la propriété etc. qu'on possède	[bjɛ̃]
le **bien-être,** le confort	[bjɛ̃nɛːtr]
un **bienfait,** une bonne action	[bjɛ̃fɛ]
un **bienfaiteur,** homme qui fait du **bien** (*good*)	[bjɛ̃fɛtœːr]
bientôt, dans un instant	[bjɛ̃to]
la **bière,** une boisson alcoolique	[bjeːr]
une **bière,** un cercueil • (p. 31)	
bigarré, de couleurs variées	[bigare]
un **bijou,**• ornement fait d'or ou de pierres précieuses (p. 148)	[biʒu]
un **bijoutier,** marchand ou fabricant de bijoux	[biʒutje]
une **bille,**• une petite boule	[biːj]
un **billet** (1) ticket; (2) papier-monnaie	[bijɛ]
la **bise,** vent froid du nord	[biːz]
blafard, très pâle, presque blanc	[blafaːr]
une **blague** (1) poche à tabac; (2) plaisanterie	[blag]
blaguer *v.* se moquer de, railler	[blage]
un **blaireau** • (1) animal; (2) petite brosse pour la barbe	[blɛro]
blanc (**blanche**) de la couleur de la neige	[blɑ̃—blɑ̃ːʃ]
blanchâtre, presque blanc	[blɑ̃ʃaːtr]
blanchir *v.* (1) rendre blanc; (2) laver	[blɑ̃ʃiːr]
le **blanchissage,** action de laver le linge	[blɑ̃ʃisaːʒ]
une **blanchisserie,** magasin de la **blanchisseuse** (= la femme qui lave le linge)	[blɑ̃ʃisri—blɑ̃ʃisøːz]

blasé, lassé de tout [blaze]

une **blatte,**● gros insecte noir (p. 112) [blat]

le **blé,** le grain dont on fait le pain [ble]

blême, pâle; **blêmir** v. [blɛm—blɛmiːr]

blesser v. donner une blessure à [blese]

un [homme] **blessé** ● (p. 22) [blese]

une **blessure,** fracture, contusion du corps [blesyːr]

le **bleu,** la couleur bleue, l'**azur** [blø—azyːr]

bleuir v. rendre bleu [bløiːr]

se blottir v. se cacher dans un coin [blotiːr]

une **blouse.** Le facteur ● porte une blouse [bluːz]

une **bobine** de fil ● (p. 22) [bobin]

un **bocage,** un petit bois [bokaːʒ]

un **bocal,** bouteille à large ouverture [bokal]

un **bock,** un verre de bière ● [bok]

un **bœuf** (des **bœufs**) grand animal à cornes [bœf—debø]

boire v. On boit de l'eau quand on a soif
buvant; bu; (j'ai bu)
je bois; je bus; je boirai [bwaːr]

le **bois** ● (1) substance d'un arbre; (2) petite forêt
(p. 186); (3) cornes d'un cerf [bwa]

boisé, où il y a beaucoup d'arbres [bwaze]

une **boisson,** un liquide qu'on boit [bwasɔ̃]

une **boîte** ● (p. 22) [bwaːt]

boiter v. marcher mal [bwate]

boiteux, qui marche mal [bwatø]

bombé,● convexe (p. 92) [bɔ̃be]

bon (**bonne**) *good* [bɔ̃—bɔn]

un **bonbon.** On fait des bonbons de chocolat etc.
et les enfants les aiment beaucoup [bɔ̃bɔ̃]

un **bond,** un saut [bɔ̃]

bondir v. sauter; faire un bond [bɔ̃diːr]

le **bonheur,** joie, félicité, satisfaction [bɔnœːr]

un **bonhomme,** homme aimable et parfois un peu
simple [bɔnɔm]

une **bonne,**● une domestique (p. 84) [bɔn]

une **bonne à tout faire,** une servante

la **bonne-maman,** grand'mère [bɔnmɑ̃mɑ̃]

tout **bonnement,** simplement [bɔnmɑ̃]

la **bonté,** qualité de ce qui est bon [bɔ̃te]

le **bord,** côté; extrêmité; limite [boːr]

le **bordeaux,** un vin léger [bordo]

une **bosse**

un œil poché

l'enfant **batailleur**

le **bouchon**

une **bouteille**

le **boucher**

les cheveux **bouclés**

une **boucle** d'oreille

le **bouclier**

24

borgne, qui n'a qu'un seul œil [bɔrɲ]

ne **borne kilométrique** • (p. 186) [bɔrn]

les **bornes,** les limites [bɔrn]

borné, qui n'est pas intelligent [bɔrne]

borner v. limiter [bɔrne]

un **bosquet,** • petit groupe d'arbres (p. 13) [bɔskɛ]

ne **bosse** • Le chameau a deux bosses [bɔs]

un **bossu,** homme qui a une bosse sur le dos [bɔsy]

ne **botte,** • une **bottine,** • chaussures (p. 35) [bɔt, -in]

ne **botte** • de radis etc.: une certaine quantité de radis etc. liés ensemble (pl. D)

un **bouc,** le mâle de la chèvre • (p. 8) [buk]

ne **bouche,** • partie du visage (pl. G) [buʃ]

ne **bouche à feu,** un canon

ne **bouchée,** la quantité de nourriture qui remplit la bouche [buʃe]

boucher v. fermer (un trou) [buʃe]

un **boucher,** • marchand de viande [buʃe]

la **bouchère,** femme du boucher [buʃɛːr]

ne **boucherie,** • magasin d'un boucher [buʃri]

un **bouchon,** • morceau de liège (cork) pour fermer une bouteille [buʃɔ̃]

un **bouchon de radiateur** • (p. 214)

la **boucle** • d'une ceinture (p. 211) [bukl]

des **boucles d'oreilles** •; une **boucle de cheveux**

les cheveux **bouclés** • [ʃəvøbukle]

un **bouclier** • [buklie]

bouder v. montrer de la mauvaise humeur. L'adjectif est **boudeur** [bude—budœːr]

la **boue,** terre trempée d'eau; mud [bu]

boueux (boueuse) plein de boue [bu-ø, -øːz]

ne **bouée** • [bue]

ne **bouffée** • de vent, de fumée [bufe]

bouffon (bouffonne) comique [bu-fɔ̃, -fɔn]

un **bouge,** une maison petite et sale [buːʒ]

un **bougeoir** • (p. 72) [buʒwaːr]

ne **bougie,** • chandelle de cire (p. 72) [buʒi]

bouger v. remuer, changer de place [buʒe]

la **bouillabaisse,** soupe délicieuse, composée principalement de poissons [bujabɛːs]

bouillir v. to boil [bujiːr]

bouillant; bouilli; (j'ai bouilli)
je bous; je bouillis; je bouillirai

une **bouée**

une **bouffée** de fumée

une **bouilloire**

une **boule**

le **bourreau**

une **bouilloire,**[*] une **bouillotte,** récipient où l'on
fait bouillir de l'eau (p. 25) [bu-jwaːr, -jɔt]

bouillonner *v.* sembler bouillir (en parlant d'un
torrent, d'une rivière) [bujɔne]

le **boulanger** vend du pain [bulɑ̃ʒe]

une **boulangerie,** magasin du boulanger [bulɑ̃ʒri]

une **boule** [*] (p. 25) [bul]

un **boulet,** projectile (d'un canon) [bulɛ]

un **bouleau,** espèce d'arbre, *birch* [bulo]

un **boulevard,**[*] large rue (p. 52) [bulvaːr]

un **bouleversement,** grand désordre, confusion.
Le verbe est **bouleverser** [bulvɛr-səmɑ̃, -se]

un **bouquin,** un vieux livre [bukɛ̃]

un **bouquiniste,** marchand de bouquins [bukinist]

la **bourbe,** boue d'une mare [burb]

un **bourbier,** terrain plein de bourbe [burbje]

un **bourdon** (1) espèce de grosse abeille; (2) grosse
cloche à voix sonore [burdɔ̃]

un **bourdonnement,** murmure [burdɔnmɑ̃]

bourdonner *v.* faire un bruit semblable à celui
d'un bourdon [burdɔne]

un **bourg,** un gros village [buːr]

une **bourgade,** village important [burgad]

un **bourgeois,** homme de classe moyenne, plutôt
riche [burʒwa]

la **bourgeoisie,** la classe moyenne [burʒwazi]

un **bourgeon,** *bud; pimple* [burʒɔ̃]

une **bourrasque,**[*] coup de vent violent [burask]

le **bourreau** [*] exécute les criminels (p. 25) [buro]

bourrer *v.* remplir; gorger [bure]

bourru, désagréable, rude [bury]

une **bourse** (1) porte-monnaie; (2) argent donné
tous les ans à un élève méritant [burs]

la **Bourse** [*] des opérations financières (p. 18)

bousculer *v.* (1) mettre en désordre; (2) pousser
brusquement [buskyle]

une **boussole,** instrument qui indique la direction
du nord [busɔl]

un **bout** (1) extrémité; (2) morceau [bu]

un **bout** de pain, de ficelle, de crayon [*] etc. (p. 48)

tirer **à bout portant** (= le canon du revolver
touchant la victime)

une **bouteille** [*] (p. 24) [butɛːj]

une **bourrasque**

un **bouton**
et une
boutonnière

une paire
de **bretelles**

un **briquet**

un **brochet**

une **boutique,** maison où le **boutiquier** vend des
    marchandises [butik, -je]
un **bouton,**• une **boutonnière** • [bu-tɔ̃, -tɔnjɛːr]
les **boutons de manchette** • (p. 147)
un **bouton de rose** devient fleur
un visage couvert de **boutons** (points rouges)
un **bouvier,** homme qui garde les bœufs [buvje]
un **braconnier,** celui qui prend du gibier • sans la
    permission du propriétaire [brakɔnje]
    braire v. crier comme un âne [brɛːr]
une **braise,** morceau de bois qui brûle [brɛːz]
un **brancard,** une civière • (p. 38) [brãkaːr]
    branler v. osciller, agiter [brãle]
un **bras,**• membre du corps (pl. G) [bra]
une **brasserie,** restaurant; café [brasri]
une **brebis,** la femelle du mouton [brəbi]
une **brèche,** une ouverture [brɛːʃ]
    bref (**brève**) court: le contraire de **long**
    (**longue**) [brɛf—brɛːv]
    brièvement, en quelques mots [briɛvmã]
les **bretelles** • [brətɛl]
un **breuvage,** une boisson [brœvaːʒ]
une **bribe,** un morceau [brib]
une **bride,** partie du harnais • (p. 103) [brid]
    briller v. Le soleil brille [brije]
un **brin,** un tout petit morceau [brɛ̃]
un **briquet** • [brikɛ]
une **brise,** vent léger [briːz]
    briser v. mettre en morceaux [brize]
un **broc,** espèce de grande cruche • [bro]
une **broche** • (1) ornement pour attacher les vête-
    ments (p. 147); (2) verge (*rod*) de fer [brɔʃ]
un **brochet,**• poisson d'eau douce [brɔʃɛ]
la **broderie,** *embroidery;* **broder** v. [brɔ-dri, -de]
une **brosse** • Le verbe est **brosser** [brɔs, -e]
une **brouette** • [bruɛt]
un **brouillard,**• vapeur grise qui se produit au
    mois de novembre [brujaːr]
    brouiller v. mettre en désordre [bruje]
les **broussailles** • [brusaːj]
    brouter v. manger l'herbe [brute]
    broyer v. pulvériser, écraser [brwaje]
un **bruit.** Le contraire est le **silence** [brɥi]

une brosse

une brouette

le brouillard

les broussailles

la maison brûle!

une bulle de savon

27

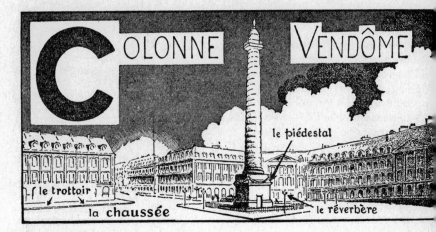

COLONNE VENDÔME

le piédestal

le trottoir

la chaussée

le réverbère

bruyamment, avec bruit	[brɥijamɑ̃]
bruyant, le contraire de **tranquille** ou de **silencieux**	[brɥijɑ̃]
brûler • *v.* détruire par la flamme (p. 27)	[bryle]
une **brume,** un brouillard (surtout, de mer)	[brym]
brumeux (**brumeuse**) voilé de brume	[brymø—brymøːz]
brun (**brune**) de la couleur du chocolat etc.	[brœ̃—bryn]
une **bruyère** (1) *heather*; (2) plaine où pousse la bruyère	[bryjɛːr]
une **bûche,** un gros morceau de bois	[byːʃ]
un **bûcher,** endroit où l'on empile les bûches	[byʃe]
un **bûcheron,**• homme qui abat les arbres (p. 83)	[byʃrɔ̃]
un **buffet** (1) armoire à vaisselle; (2) restaurant de gare	[byfɛ]
un **buisson** • (voir p. 13)	[bɥisɔ̃]
le mauvais élève **fait l'école buissonnière** = il va se promener au lieu d'aller en classe	[bɥisɔnjɛːr]
une **bulle** de savon • (p. 27)	[byl]
la **bure,** étoffe de laine grossière	[byːr]
un **but,** point où l'on espère arriver. Notre équipe (*team*) de football a gagné le match par 5 buts à 3	[byt]
le **butin,** argent, meubles etc. qu'on enlève à l'ennemi	[bytɛ̃]
une **butte,** une petite colline	[byt]
le papier **buvard,** papier qui absorbe l'encre	[byvaːr]
un **buveur,** une **buveuse,** personne qui boit	[byvœːr—byvøːz]

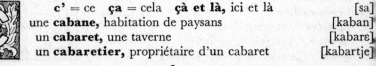

c' = ce **ça** = cela **çà et là,** ici et là	[sa]
une **cabane,** habitation de paysans	[kaban]
un **cabaret,** une taverne	[kabarɛ]
un **cabaretier,** propriétaire d'un cabaret	[kabartje]

28

un **cabestan** • [kabɛstɑ̃]

une **cabine,** chambre à bord d'un bateau [kabin]

un **cabinet,** petite pièce de la maison [kabinɛ]

se **cabrer** • v. (d'un cheval) se dresser sur les pieds de derrière [kɑbre]

le **cacao,** poudre dont on fait le chocolat [kakao]

cacher v. mettre (un objet) où on ne peut pas le trouver [kaʃe]

le **cache-cache,** un jeu où l'on se cache [kaʃkaʃ]

un **cache-nez** • [kaʃne]

en **cachette,** en secret [ɑ̃kaʃɛt]

un **cachot,** une prison petite et noire [kaʃo]

un **cadavre** • (p. 197) [kadɑːvr]

un **cadeau,** un présent [kado]

un **cadenas** • [kadnɑ]

cadet (cadette) plus jeune [ka-dɛ, -dɛt]

le **cadran** • de la pendule (p. 156) [kadrɑ̃]

un **cadran solaire** • [sɔlɛːr]

On met les tableaux dans un **cadre** • (p. 200) [kɑːdr]

le **café** (1) breuvage; (2) petit hôtel; *café* [kafe]

un **cafetier,** homme qui tient un café [kaftje]

une **cafetière** • [kaftjɛːr]

un **cahier** • (p. 188) A l'école, on écrit les dictées et les exercices dans un cahier [kaje]

le lait **caillé,** le lait coagulé [kɑje]

un **caillou,** une petite pierre [kaju]

une **caisse,** une boîte [kɛːs]

la **grosse caisse,** grand tambour.—**Payez à la caisse** (*pay-desk*). La dame qui tient la caisse s'appelle une **caissière** [kɛsjɛːr]

un **caisson,** voiture où l'on met les munitions de guerre [kɛsɔ̃]

un **calcul,** opération d'arithmétique. Le verbe est **calculer** [kalkyl—kalkyle]

une **cale,** intérieur d'un bateau, où l'on met les marchandises [kal]

un **caleçon de bain** • (p. 30) [kalsɔ̃dəbɛ̃]

un **calembour,** jeu de mots, *pun* [kalɑ̃buːr]

un **calice,**• partie d'une fleur (pl. B) [kalis]

à **califourchon** • (p. 30) [kalifurʃɔ̃]

câliner v. flatter, caresser [kɑline]

une **calotte,**• coiffure des prêtres (p. 39) [kalɔt]

un cabestan

un cache-nez

le cheval se cabre

un cadenas

un cadran solaire

une cafetière

LES CARTES À JOUER

1. un **as** de **cœur** 2. le **roi** de **carreau** 3. la **dame** de **trèfle** 4. le **valet** de **pique**

un **cambrioleur,** homme qui pénètre dans une
maison pour voler (p. 215)   [kɑ̃briɔlœːr]
un **camion,** une **camionnette,** automobile employée dans le commerce   [kam-jɔ̃, -jɔnɛt]
un **campagnard** habite la campagne   [kɑ̃paɲaːr]
la **campagne,** le contraire de la **ville**   [kɑ̃paɲ]
à la **campagne,** dans les champs
une **canaille,** personne vile   [kanaːj]
un **canapé,** espèce de sofa   [kanape]
un **canard,** oiseau domestique (p. 146) La
femelle s'appelle une **cane,** le petit du canard,
un **caneton**   [kanaːr—kan—kantɔ̃]
candide, simple, naïf   [kɑ̃did]
un (une) **caniche,** petit chien   [kaniʃ]
un **canif,** petit couteau de poche   [kanif]
une **canne** (p. 164); une **canne à pêche** sert
à prendre les poissons (p. 155)   [kan]
un **canot,** un petit bateau   [kano]
un **canotier,** chapeau de paille (p. 39)   [kanɔtje]
une **cantatrice,** chanteuse d'opéra   [kɑ̃tatris]
le **caoutchouc.** Le pneu de votre bicyclette est
fait de caoutchouc   [kautʃu]
une **capote,** manteau militaire   [kapɔt]
un **capuchon**   [kapyʃɔ̃]
caqueter v. crier comme une poule   [kakte]
car, for = because   [kaːr]
une **carafe,** espèce de bouteille (p. 98)   [karaf]
un **carafon,** petite carafe   [karafɔ̃]
le **carême,** les quarante jours d'abstinence qui
précèdent Pâques (Easter)   [karɛːm]
un **cargo,** bateau qui transporte une **cargaison** de
marchandises   [kargo—kargɛzɔ̃]
carillonner v. sonner (les cloches)   [karijɔne]

il est
à califourchon
sur la branche

un **camion**

un
caleçon de bain

un
capuchon

30

carnassier, carnivore [karnasje]

ne **carnassière,** sac de chasseur [karnasjɛːr]

un **carnet,** petit cahier de poche [karnɛ]

un **carquois,** étui dans lequel l'archer met les flèches • (p. 15) [karkwa]

un **carré,** quadrilatère ayant 4 cotés égaux et 4 angles de 90° [kare]

un **carreau** • (1) la fenêtre est généralement composée de carreaux; (2) on pave quelquefois le plancher de carreaux; (3) une couleur des cartes à jouer [karo]

un **carrefour,** lieu où deux (ou plusieurs) routes se croisent (p. 186) [karfuːr]

ne **carrière** (1) profession; (2) endroit d'où on tire la pierre, le marbre etc. [karjɛːr]

ne **carriole,** petite charrette couverte [karjɔl]

un **carrosse,** voiture d'homme riche. L'ouvrier qui fabrique ces voitures s'appelle un **carrossier** [karos, -je]

ne **carte à jouer** • [kart]

ne **carte géographique** • (p. 188)

le **carton,** espèce de papier très épais [kartɔ̃]

ne **cartouche** • (p. 92) [kartuʃ]

un **cas,** occasion, circonstance; *case* [kɑ]

ne **case** • (1) compartiment d'un damier (p. 53); (2) hutte des nègres [kɑːz]

    caser *v.* placer dans un bon poste [kɑze]

ne **caserne,** grand bâtiment où on loge les soldats [kazɛrn]

un **casque** •; une **casquette** • (p. 39) [kas-k, -kɛt]

un **casse-noisette,** un **casse-noix,** instrument pour casser les noisettes • etc. [kɑːs]

ne **casserole** • [kasrɔl]

ne **cassette,** boîte où l'on met l'argent [kasɛt]

  le **cassis,** fruit (pl. C) [kasis]

un **castor,** animal du Canada [kastɔːr]

un **cauchemar,** un rêve horrible [koʃmaːr]

  causer *v.* parler [koze]

ne **causerie** (1) conversation agréable; (2) petite conférence familière [kozri]

un **causeur,** une **causeuse,** quelqu'un qui parle bien; bavard spirituel [ko-zœːr, -zøːz]

un **cavalier,** homme à cheval (p. 59) [kavalje]

une **casserole**

un **castor**

un **cerceau**

un **cercueil**

un **cerf-volant**

une **cave,**• construction souterraine où l'on met le vin, le charbon etc. (pl. E) [kaːv]

un **caveau,** souterrain construit dans un cimetière, où l'on met les cercueils • [kavo]

ceci, *this*; **cela,** *that* [səsi—səla—sə—sɛt—se]

ce, cet (**cette**) *this, that*; **ces,** *these, those*

céder v. donner; laisser [sede]

un **cèdre,** grand arbre à feuillage sombre [sɛːdr]

ceindre v. entourer [sɛ̃ːdr]

une **ceinture** • (voir p. 211) [sɛtyːr]

un **ceinturon,** ceinture militaire [sɛtyrɔ̃]

célèbre, fameux; très connu [seleːbr]

un **célibataire,** homme non marié [selibatɛːr]

un **cellier,** endroit frais où l'on met le vin [sɛlje]

une **cellule,** petite chambre dans une prison [sɛlyl]

celui, celle, *this one, that one* [səlɥi—sɛl]

ceux, celles, *these, those* [sø—sɛl]

la **cendre,** poudre grise qui reste après qu'on a brûlé du bois, du charbon etc. [sɑ̃ːdr]

un **cendrier,** récipient où l'on dépose les cendres des cigarettes [sɑ̃drie]

censé, supposé [sɑ̃se]

cent = une **centaine** = 100 [sɑ̃, -tɛn]

un **centième,** la centième ($\frac{1}{100}$) partie [sɑ̃tjɛm]

un **centime,** 100 centimes = 1 franc [sɑ̃tim]

un **cep,** un pied (*plant*) de vigne [sɛp]

cependant, pourtant; *however* [səpɑ̃dɑ̃]

un **cerceau,**• jouet d'enfant (p. 31) [sɛrso]

un **cercle,** (1) figure de géométrie, d'où le verbe **cercler**; (2) un club [sɛrkl—sɛrkle]

un **cercueil** • (p. 31) [sɛrkœːj]

un **cerf,** grand animal à cornes rameuses (*branching*) qui habite nos forêts [sɛrf (sɛːr)]

un **cerf-volant** • (p. 31) [sɛrvɔlɑ̃]

une **cerise,**• fruit délicieux (pl. C) L'arbre s'appelle un **cerisier** [sə-riːz, -rizje]

cerner v. entourer; assiéger [sɛrne]

certes, certainement [sɛrt]

le **cerveau,** organe du corps qui occupe la cavité du crâne • [sɛrvo]

la **cervelle,** la substance du cerveau [sɛrvɛl]

sans cesse, continuellement [sɑ̃sɛs]

cesser v. Le contraire est **continuer** [sese]

une **chaise**

un **chaland**

un **chapelet**

un **char**

un **chariot** de ferme

une **armoire à glace**
une **table de toilette**
le lavabo
la **cuvette**
le **pot à eau**
la **descente de lit**
le **lit**
un **édredon**
un **oreiller**
le **drap**
le **traversin**
les **couvertures**
le **matelas**
le **sommier**

NOTRE CHAMBRE À COUCHER

un **chacal,** bête féroce et peureuse qui ressemble un peu au chien [ʃakal]
   chacun (**chacune**) *each, each one* [ʃakœ̃—ʃakyn]
un **chaînon.** Plusieurs chaînons font une **chaîne** • (p. 147) [ʃɛnɔ̃—ʃɛːn]
la **chair,** la partie molle du corps, des fruits etc. [ʃɛːr]
   J'ai la **chair de poule** = j'ai peur (ou froid)
une **chaire** • Le prêtre monte en chaire (p. 68) pour parler au peuple;
   la chaire du professeur fait face à la classe [ʃɛːr]
une **chaise** • une **chaise longue,** espèce de canapé [ʃɛːz—ʃɛzlɔ̃ːg]
un **chaland** • (1) grand bateau plat; (2) un client [ʃalɑ̃]
un **châle,**• longue pièce d'étoffe que les femmes passent sur les épaules
   (p. 91) [ʃɑːl]
un **chalet,** petite maison suisse [ʃalɛ]
la **chaleur,** qualité de ce qui est chaud [ʃalœːr]
   chaleureux (**chaleureuse**) ardent [ʃalœrø—ʃalœrøːz]
une **chaloupe,** petite barque, petit bateau [ʃalup]
un **chameau,**• une **chamelle,** grand animal du désert (p. 9) [ʃa-mo, -mɛl]
le **chamelier,** homme qui conduit un chameau [ʃaməlje]
un **chamois,** animal des montagnes qui ressemble à une chèvre [ʃamwa]
un **champ** de blé; un **champ** de bataille; un **champ** magnétique [ʃɑ̃]
les **champs** = la campagne
   prendre la clef des champs, s'évader; s'enfuir; *bolt*
   donner la clef des champs à quelqu'un, lui donner sa liberté
   champêtre, rustique [ʃɑ̃pɛːtr]
un **champignon,**• plante comestible (voir pl. D) [ʃɑ̃piɲɔ̃]
   chanceler *v.* tituber, trembler, osciller [ʃɑ̃sle]

un **chandelier,** instrument servant à tenir une **chandelle** • (p. 156) [ʃɑ̃dəlje—ʃɑ̃dɛl]

changeant, inconstant [ʃɑ̃ʒɑ̃]

un **changement,** une modification [ʃɑ̃ːʒmɑ̃]

un **chanoine,** prêtre d'une cathédrale [ʃanwan]

une **chanson,** paroles etc. qu'on chante (On dit: une **chanson** de music-hall, MAIS le **chant** des oiseaux. De plus, le **professeur de chant** nous donne une **leçon de chant**) [ʃɑ̃sɔ̃—ʃɑ̃]

une **charnière**

chanter • *v.* (p. 43) [ʃɑ̃te]

un **chanteur,** une **chanteuse,** personne qui chante [ʃɑ̃tœːr—ʃɑ̃tøːz]

chantonner *v.* chanter à voix basse [ʃɑ̃tɔne]

un **chantier,** endroit où l'on construit des bateaux etc. [ʃɑ̃tje]

le soc
une **charrue**

un **chapeau** • (voir p. 39) [ʃapo]

un **chapelier,** fabricant de chapeaux [ʃapəlje]

un **chapelet** • (p. 32) [ʃaplɛ]

le **chapiteau** • d'une colonne (p. 18) [ʃapito]

un **chapitre,** section d'un livre [ʃapitr]

chaque, *each* [ʃak]

un **char** • (p. 32) [ʃaːr]

le **chaume**
une **chaumière**

un **char d'assaut,** • un tank (p. 15)

un **charabia** (1) mauvais français; (2) langage impossible à comprendre [ʃarabja]

le **charbon,** substance noire qu'on brûle dans la cheminée (*grate*) [ʃarbɔ̃]

le **charbonnier** vend du charbon [ʃarbɔnje]

la **charcuterie,** viande de porc [ʃarkytri]

le **chardon,** fleur nationale de l'Écosse • [ʃardɔ̃]

il est **chauve**

charger *v.* On charge un pistolet: on charge une voiture (Le contraire dans les deux cas est **décharger**) [ʃarʒe—deʃarʒe]

une **charge,** ce qu'on met dans le pistolet. Ce qu'on met sur la voiture s'appelle un **chargement** [ʃarʒ—ʃarʒəmɑ̃]

un **chariot** • (p. 32) [ʃarjo]

une **charnière** • [ʃarnjɛːr]

une **chauve-souris**

une **charpente,** *framework.* L'artisan qui fait des charpentes (en bois) s'appelle un **charpentier** [ʃarpɑ̃ːt—ʃarpɑ̃tje]

une **charrette,** voiture à deux roues [ʃarɛt]

un **charretier** conduit une charrette [ʃartje]

le bateau **chaviré**

34

LES CHAUSSURES

des bottes — la semelle — le nœud — les lacets — des bottines — le talon — une paire de souliers — des souliers de damé — des espadrilles — des pantoufles — des sabots

charrier *v.* transporter		[ʃarje]
un **charron,** ouvrier qui fait des charrettes, des roues etc.		[ʃarɔ̃]
une **charrue,**• instrument d'agriculture		[ʃary]
la **chasse,** action de chasser les animaux		[ʃas]
chasser *v.* (1) essayer d'attraper ou de tuer les bêtes sauvages; (2) forcer une personne à quitter (un poste, un emploi)		[ʃase]
un **chasseur,** celui qui chasse		[ʃasœːr]
une **châsse,** boîte où l'on enferme les reliques		[ʃaːs]
un **châssis,** charpente d'une machine etc.		[ʃɑsi]
un **chat,**• une **chatte,** un petit **chaton** (p. 8)		[ʃa—ʃat—ʃatɔ̃]
une **châtaigne,** fruit du **châtaignier** (*chestnut*)		[ʃatɛɲ—ʃatɛɲe]
châtain, de la couleur de la châtaigne		[ʃatɛ̃]
un **château,** grande maison à la campagne		[ʃato]
un **château fort,**• forteresse du moyen âge (p. 186)		[ʃatofɔːr]
un **château de sable** • (p. 132)		
un **châtiment,** punition • (p. 170) Le verbe est **châtier**		[ʃatimɑ̃—ʃatje]
chatouiller *v.* toucher légèrement le cou, la plante des pieds etc. pour faire rire. L'adjectif est **chatouilleux**		[ʃatuje—ʃatujø]
chaud (**chaude**) *hot*		[ʃo—ʃoːd]
une **chaudière,** récipient en métal où l'on fait chauffer l'eau		[ʃodjɛːr]
une **chaudière de locomotive** • (p. 37)		
un **chaudron,** petite chaudière		[ʃodrɔ̃]
le **chauffage,** action ou méthode de chauffer		[ʃofaːʒ]
chauffer *v.* rendre chaud		[ʃofe]
le **chaume** • (1) partie du blé qui reste dans les champs après la moisson•; (2) paille dont on recouvre les toits des chaumières •		[ʃoːm]

35

une **chaumière** * (p. 34) [ʃomjɛːr]
une **chaumine**, petite chaumière [ʃomin]
la **chaussée**,* partie de la rue comprise entre les
    trottoirs (p. 28) [ʃose]
    chausser *v.* mettre une **chaussure** * (p. 35)
        [ʃo-se, -syːr]
une **chaussette** * (p. 211) [ʃosɛt]
    chauve,* qui n'a plus de cheveux (p. 34) [ʃoːv]
une **chauve-souris** * (p. 34) [ʃofsuri]
    blanchi à la chaux, *whitewashed* [ʃo]
    chavirer * *v.* Un bateau chavire quand il se
    renverse dans l'eau (p. 34) [ʃavire]
un **chef**, homme qui dirige une affaire etc. On dit
    un **chef de gare**, un **chef de train** (*guard*),
    un **chef de cuisine** [ʃɛf]
un **chef-d'œuvre**, ouvrage artistique de première
    importance [ʃɛdœːvr]
un **chef-lieu**, ville principale d'un canton [ʃɛfljø]
un **chemin**,* une petite route (p. 186) [ʃəmɛ̃]
  le chemin de fer,* chemin pour les trains
un **chemineau**,* mendiant sur les routes (p. 103)
un **cheminot**, employé de chemin de fer [ʃəmino]
  cheminer *v.* marcher (lentement) [ʃəmine]
la **cheminée** * (pl. E). Dans une chambre, la
    cheminée = (1) l'endroit où l'on fait le feu;
    (2) le manteau sur lequel on place la pendule
    etc. [ʃəmine]
une **chemise** * (p. 211) [ʃəmiːz]
un **chêne**, grand arbre au bois dur, *oak* [ʃɛːn]
une **chenille** * [ʃəniːj]
  cher (**chère**) précieux [ʃɛːr]
  chercher *v.* essayer de trouver [ʃɛrʃe]
la bonne **chère**, la bonne nourriture [ʃɛːr]
  chétif (**chétive**) petit et faible [ʃe-tif, -tiːv]
un **cheval**,* animal domestique (p. 8) [ʃəval]
un **chevalier**,* titre de noblesse donné souvent à
    des hommes distingués (p. 15) [ʃəvalje]
un **chevalet** * [ʃəvalɛ]
les **cheveux** * (voir pl. G) [ʃəvø]
  chevelu, qui a beaucoup de cheveux [ʃəvly]
une **chevelure**, les cheveux [ʃəvlyːr]
le **chevet**, la tête du lit [ʃəvɛ]
une **cheville**,* partie du pied (p. 46) [ʃəviːj]

une **chenille**

un **chevalet**

la mousse

une **chope**

le noir

une **cible**

une **cigale**

LA LOCOMOTIVE

la gare — la guérite à signaux — CABINE 7 — la cheminée — le dôme — la vapeur — le sifflet — l'abri — la chaudière — le fanal — le tampon — le tender — le rail — la roue — la bielle — le foyer

une **chèvre,•** animal domestique (p. 8)	[ʃɛːvr]
un **chevreau,** le petit de la chèvre	[ʃəvro]
le **chèvrefeuille,•** fleur (pl. B)	[ʃɛvrəfœːj]
un **chevrier,** une **chevrière,** personne qui garde les chèvres	[ʃəvr-ie, -ieːr]
chevrotant, tremblotant (en parlant de la voix)	[ʃəvrɔtɑ̃]
chez, dans la maison de, le pays de; parmi; dans; du temps de	[ʃe]
chic, (1) élégant; (2) gentil	[ʃik]
un **chien,•** une **chienne** (p. 141)	[ʃjɛ̃—ʃjɛn]
entre chien et loup, au crépuscule; à la tombée de la nuit	
un **chiffon,** morceau d'étoffe sans valeur	[ʃifɔ̃]
un **chiffre** 1, 2, 3, 4 etc. sont des chiffres	[ʃifr]
une **chimère,** imagination absurde	[ʃimɛːr]
chimérique, imaginaire, fantastique	[ʃimerik]
la **chimie.** En chimie, nous étudions l'oxygène, l'hydrogène, les acides, les métaux etc. L'adjectif est **chimique**	[ʃimi, -k]
un **Chinois,** habitant de la **Chine**	[ʃinwa—ʃin]
une **chinoiserie,** tout ce qui est bizarre, grotesque	[ʃinwazri]
la **chirurgie,** art de guérir (*cure*) des maladies—comme l'appendicite—en pratiquant une opération	[ʃiryrʒi]
le **chirurgien,** docteur qui fait des opérations	[ʃiryrʒjɛ̃]
un **choc,** un coup soudain, une secousse	[ʃɔk]
un **chœur •** (1) groupe de personnes qui chantent; (2) partie de l'église (p. 68)	[kœːr]
choisir v. prendre de préférence	[ʃwaziːr]
un **choix,** action de choisir	[ʃwa]
choir v. tomber	[ʃwaːr]
le **chômage,** cessation de travail. Le verbe est **chômer**	[ʃo-maːʒ, -me]

un **chômeur,** ouvrier qui ne travaille pas [ʃomœːr]

une **chope,**• un grand verre de bière (p. 36) [ʃɔp]

choquer *v.* donner un choc à [ʃɔke]

une **chose,** ce qui existe: objet: *thing* [ʃoːz]

un **chou,**• un **chou-fleur,**• légumes (pl. D)

[ʃu—ʃuflœːr]

une **chouette,** oiseau nocturne qui ressemble beaucoup au hibou • (voir pl. F) [ʃwɛt]

choyer *v.* gâter, flatter, caresser [ʃwaje]

un **chrétien,** une **chrétienne,** personne qui professe la religion du Christ [kret-jɛ̃, -jɛn]

un **chuchotement,** un murmure [ʃyʃɔtmɑ̃]

chuchoter *v.* murmurer; parler bas [ʃyʃɔte]

chut! silence! [ʃyt]

une **chute,** action de tomber [ʃyt]

Chypre, grande île de la Méditerranée, près de la Palestine [ʃipr]

ci, ici [si]

une **cible** • (p. 36) [sibl]

une **cicatrice,** trace laissée sur la peau par une blessure ancienne [sikatris]

le **cidre,** jus fermenté de la pomme [siːdr]

le **ciel,** les **cieux,** le firmament [sjɛl—sjø]

un **cierge,**• grande chandelle (p. 68) [sjɛrʒ]

une **cigale,**• insecte des pays chauds qui fait un bruit strident (p. 36) [sigal]

une **cigogne,**• oiseau à bec long et à longues pattes (pl. F) [sigɔɲ]

le **cil,**• poil des paupières (p. 153) [sil]

une **cime,** un sommet [sim]

un **cimeterre,**• sabre oriental [simtɛːr]

un **cimetière,** terrain où l'on enterre les morts

[simtjɛːr]

cingler *v.* frapper avec un fouet • (p. 89)

cingler *v.* se diriger vers une destination précise (en parlant d'un bateau) [sɛ̃gle]

cinq = 5; **cinquante** = 50 [sɛ̃k—sɛ̃kɑ̃ːt]

une **cinquantaine,** à peu près 50 [sɛ̃kɑ̃tɛn]

le **cirage,**• pâte pour les souliers [siraːʒ]

la **cire** (1) substance produite par les abeilles; (2) produit pour cirer les parquets [siːr]

cirer *v.* faire briller (en parlant du parquet, des bottines etc.) [sire]

la lame recourbée

un **cimeterre**

CIRAGE LION ROUGE

une boîte de **cirage**

les **ciseaux**

une **civière**

l'embouchure

un **clairon**

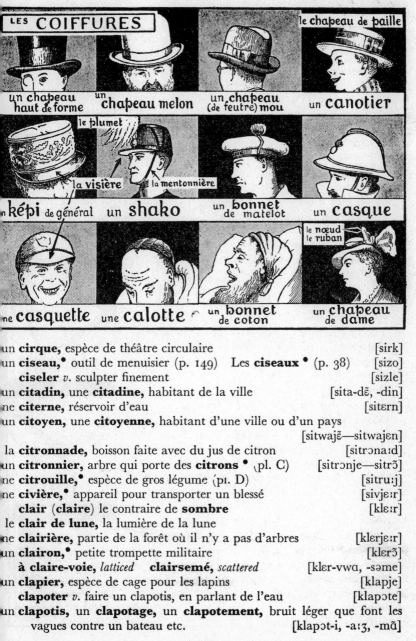

LES **COIFFURES** — le chapeau de paille

un chapeau haut de forme — un chapeau melon — un chapeau (de feutre) mou — un **canotier**

le plumet — la visière — la mentonnière

un **képi** de général — un **shako** — un **bonnet** de matelot — un **casque**

le nœud — le ruban

une **casquette** — une **calotte** — un **bonnet** de coton — un **chapeau** de dame

un **cirque,** espèce de théâtre circulaire [sirk]
un **ciseau,**• outil de menuisier (p. 149) Les **ciseaux** • (p. 38) [sizo]
　ciseler *v.* sculpter finement [sizle]
un **citadin,** une **citadine,** habitant de la ville [sita-dɛ̃, -din]
ne **citerne,** réservoir d'eau [sitɛrn]
un **citoyen,** une **citoyenne,** habitant d'une ville ou d'un pays
[sitwajɛ̃—sitwajen]
　la **citronnade,** boisson faite avec du jus de citron [sitrɔnaːd]
un **citronnier,** arbre qui porte des **citrons** • ,pl. C) [sitrɔnje—sitrɔ̃]
ne **citrouille,**• espèce de gros légume (pι. D) [situruːj]
ne **civière,**• appareil pour transporter un blessé [sivjɛːr]
　clair (**claire**) le contraire de **sombre** [klɛːr]
　le **clair de lune,** la lumière de la lune
ne **clairière,** partie de la forêt où il n'y a pas d'arbres [klɛrjɛːr]
un **clairon,**• petite trompette militaire [klɛrɔ̃]
　à **claire-voie,** *latticed* **clairsemé,** *scattered* [klɛr-vwɑ, -səme]
un **clapier,** espèce de cage pour les lapins [klapje]
　clapoter *v.* faire un clapotis, en parlant de l'eau [klapɔte]
un **clapotis,** un **clapotage,** un **clapotement,** bruit léger que font les
　vagues contre un bateau etc. [klapɔt-i, -aːʒ, -mɑ̃]

une **claque,** coup donné avec le plat de la main [klak]
  claquer des mains, applaudir; **il claquait des dents,** il avait bien froid ou très peur
la **clarté,** le contraire de l'**obscurité** [klarte]
le **clavier** • (voir aussi p. 125) [klavje]
une **clé,** une **clef,** petit instrument pour ouvrir ou fermer une serrure • [kle]
une **clef anglaise,**• outil de cycliste
un **cliché** (1) négatif (d'une photo); (2) expression banale, triviale [kliʃe]
la **clientèle,** les clients d'un magasin [kliãtɛl]
  il cligne de l'œil, il fait un signe (à un ami) en fermant l'œil à demi [kliɲ]
  en un **clin d'œil,** en un instant [klɛ̃dœːj]
  clignoter v. cligner fréquemment [kliɲote]
une **cloche** • [klɔʃ]
une **clochette,** une petite cloche [klɔʃet]
un **clocher,**• tour d'une église (pl. A) [klɔʃe]
  clocher v. marcher en boitant [klɔʃe]
une **cloison,** mur léger, généralement en bois, qui sépare deux pièces de la maison [klwazɔ̃]
un **cloître,** monastère. Le verbe est **cloîtrer,** enfermer dans un monastère [klwaːtr—klwatre]
  clopiner v. marcher **clopin-clopant** (= en boitant un peu) [klɔ-pine, -pɛ̃, -pã]
  clore v. fermer [klɔːr]
  clos (**close**) fermé [klo—kloːz]
un **clos,** terrain cultivé entouré d'un mur
une **clôture,**• barrière, palissade (p. 186) [klotyːr]
un **clou** • Le verbe est **clouer** [klu—klue]
  coasser v. crier, pousser un **coassement,** en parlant d'une grenouille • [koas-e, -mã]
un **coche,** (autrefois) voiture de transport [kɔʃ]
un **cocher,** homme qui conduit une voiture à chevaux [kɔʃe]
une **porte cochère,** grande porte pour les voitures [pɔrtkɔʃɛːr]
un **cochon,**• un porc (p. 8) [kɔʃɔ̃]
une **noix de coco** • [nwadəkoko]
un **cocotier,** palmier qui porte des cocos [kɔkɔtje]
un **cocorico,** le cri du coq [kɔkɔriko]
un **cœur** • [kœːr]
un **coffre,** espèce de boîte [kɔfr]

les **touches**
le **clavier** d'un **piano**

une **clef anglaise**

le **battant**
une **cloche**

des **clous**

une **noix de coco**

un **coffre-fort** * (p. 215) [kɔfrəfɔːr]
une **cognée,** une grande hache * (p. 167) [kɔɲe]
   se cogner v. se heurter, se frapper [kɔɲe]
une **cohue,** grande foule tumultueuse [koy]
une **coiffe,** coiffure de paysanne [kwaf]
   coiffer v. (1) couvrir la tête; (2) arranger les
   cheveux [kwafe]
un **coiffeur** coupe les cheveux [kwafœːr]
une **coiffure** * (1) chapeau, képi etc. (p. 39);
   (2) façon d'arranger les cheveux [kwafyːr]
un **coin** * de la salle (p. 126) [kwɛ̃]
un **coin** * du jardin (pl. B)
un **col,** * un **faux-col,** vêtement (p. 211) [fokɔl]
 le **col,** le cou [kɔl]
 la **colère,** grande irritation [kɔlɛːr]
un **colimaçon,** * mollusque à coquille qu'on trouve
   dans les jardins [kɔlimasɔ̃]
un **colis,** un paquet [kɔli]
 la **colle** * Le verbe est **coller** [kɔl, -e]
un **collet** * (1) partie du veston qui entoure le cou
   (p. 211); (2) piège à lapins etc. [kɔlɛ]
un **collier** * Le cheval et le chien portent un
   collier autour du cou (p. 103); une dame
   porte un collier de perles * (p. 157) [kɔlje]
une **colline,** * élévation de terre (p. 186) [kɔlin]
une **colombe,** * espèce de pigeon (p. 146) [kɔlɔ̃ːb]
un **colombier** * [kɔlɔ̃bje]
une **colonne** * (p. 28) [kɔlɔn]
   colorer; colorier v. to colour [kɔlɔr-e, -je]
un **colporteur** va de maison en maison vendre de
   petits objets [kɔlpɔrtœːr]
   combien? *how much? how many?* [kɔ̃bjɛ̃]
 le **comble** (d'une maison)=le faîte
   sous les combles, sous le toit [kɔ̃ːbl]
   combler v. remplir complètement [kɔ̃ble]
   comestible, bon à manger [kɔmɛstibl]
   comme, *like, as, how* [kɔm]
un **commençant,** celui qui commence [kɔmɑ̃sɑ̃]
   comment, *how, what!* [kɔmɑ̃]
un **commerçant,** homme qui fait du commerce
   [kɔmɛrsɑ̃]
   commettre v. faire (un crime etc.) [kɔmɛtr]
un **commis,** employé dans un bureau [kɔmi]

un **cœur**

la **coquille**

un **colimaçon**

un **pot** de **colle**

un **colombier**

le tiroir

une **commode**

commode, agréable; facile　　　　　[kɔmɔd]

une **commode,**• armoire basse, à tiroirs (p. 41)

commun, ordinaire; vulgaire　　　　[kɔmœ̃]

une **commune,** district administré par un maire

　　　　　　　　　　　　　　　　　[kɔmyn]

comparaître v. paraître devant un tribunal, un
juge etc. (c. connaître)　　　[kɔ̃parɛ:tr]

un **compas** •　　　　　　　　　　　[kɔ̃pa]

un **complet,**• veston, gilet et pantalon　[kɔ̃plɛ]

un **complot,** conspiration ou cabale　　[kɔ̃plo]

comprendre v.　Je comprends le français, mais
je trouve le latin difficile　　[kɔ̃prɑ̃:dr]

compromettre v. mettre (une personne, une
affaire) en péril　　　　　[kɔ̃prɔmɛtr]

l' argent **comptant** = payé tout de suite　[kɔ̃tɑ̃]

un **compte** (1) calcul; (2) *account*　　[kɔ̃:t]

un **compte-rendu,** un rapport　　　[kɔ̃trɑ̃dy]

compter v. calculer　　　　　　　[kɔ̃te]

un **comptoir,**• espèce de longue table dans un
magasin　　　　　　　　　[kɔ̃twa:r]

un **comte,** une **comtesse,** titre de noblesse　[kɔ̃:t]

un **comté,** terre appartenant à un comte　[kɔ̃te]

concevoir v. imaginer; penser　[kɔ̃səvwa:r]

un **concierge,**• portier　　　　　[kɔ̃sjɛrʒ]

conclure v. terminer　　　　　[kɔ̃kly:r]
concluant; conclu; (j'ai conclu)
je conclus; je conclus; je conclurai

un **concombre,**• légume (pl. D)　　[kɔ̃kɔ̃:br]

un **concours** (1) foule; (2) *competition*　[kɔ̃ku:r]

un **conducteur,** une **conductrice,** personne qui
conduit　　　　　　[kɔ̃dyk-tœ:r, -tris]

conduire v. guider, diriger　　　[kɔ̃dɥi:r]
conduisant; conduit; (j'ai conduit)
je conduis; je conduisis; je conduirai

une **conférence,** (1) assemblée ; (2) discours où l'on
traite un sujet littéraire etc.　[kɔ̃ferɑ̃:s]

la **confiance,** *confidence*　　　　[kɔ̃fjɑ̃:s]

une **confidence,** un secret　　　　[kɔ̃fidɑ̃:s]

confier v. donner avec confiance　　[kɔ̃fje]

se **confier à** v. donner sa confiance à

la **confiserie** (1) les bonbons, les sucreries; (2)
magasin du confiseur　　　[kɔ̃fizri]

un **confiseur,** marchand de sucreries　[kɔ̃fizœ:r]

un **compas**

un **complet**

un **comptoir**

notre **concierge**

un pot de **confiture**

confit, conservé dans du sucre [kɔ̃fi]

la **confiture** • de fraises etc. [kɔ̃fityːr]

un **conflit,** une querelle [kɔ̃fli]

un jour de **congé,** un jour de vacances [kɔ̃ʒe]

donner congé à, congédier

congédier v. chasser, renvoyer [kɔ̃ʒedje]

une **connaissance** (1) personne qu'on connaît; (2) *knowledge* [kɔnɛsɑ̃ːs]

un **connaisseur,** un expert [kɔnɛsœːr]

connaître v. contraire d'**ignorer** [kɔnɛːtr]
connaissant; connu; (j'ai connu)
je connais; je connus; je connaîtrai

conquérir v. obtenir par la guerre, avec effort
(se conj. c. acquérir) [kɔ̃keriːr]

une **conquête,** ce qu'on a conquis [kɔ̃kɛːt]

un **conscrit,** un jeune soldat [kɔ̃skri]

un **conseil** (1) assemblée de personnes qui discutent
des questions publiques; (2) opinion donnée à
une personne qui ne sait que faire [kɔ̃sɛːj]

un **conseiller** donne conseil [kɔ̃sɛje]

conseiller v. donner un conseil

la **consigne** (1) ordre donné à une sentinelle;
(2) bureau d'une gare où le voyageur peut
laisser ses bagages [kɔ̃siɲ]

une **consonne.** L'alphabet français se compose de
20 consonnes et de 6 voyelles [kɔ̃sɔn]

constamment, continuellement [kɔ̃stamɑ̃]

constater v. vérifier; déclarer [kɔ̃state]

construire v. faire; bâtir [kɔ̃strɥiːr]
construisant; construit; (j'ai construit)
je construis; je construisis; je construirai

un **conte,** histoire imaginaire [kɔ̃ːt]

conter v. dire; relater [kɔ̃te]

un **conteur** conte (ou écrit) des histoires [kɔ̃tœːr]

contemporain, de la même époque [kɔ̃tɑ̃pɔrɛ̃]

contenir v. renfermer. Le sac contient une
quantité de farine [kɔ̃tniːr]

le **contenu** d'une boîte = ce qu'il y a dedans [kɔ̃tny]

contigu (**contiguë**) tout près [kɔ̃tigy]

le **contour,** la ligne qui, dans un dessin, indique la
forme d'un objet [kɔ̃tuːr]

contraindre v. forcer (c. craindre) [kɔ̃trɛ̃ːdr]

UN CONCERT chez nous

ma sœur chante

son fiancé se met au piano

mon frère joue du violon.

On y entend aussi

le hautbois de mon père : et

le tambour de Toto

contrarier v. vexer ; s'opposer à [kɔ̃trarje]

un **contrat.** Le mariage est un contrat [kɔ̃tra]

contre, *against* [*In many compounds beginning with* **contre,** *this word has the value of 'counter,' as* une **contre-attaque,** *a counter-attack*]

à contre-cœur, contre son désir [kɔ̃tr]

contredire v. dire le contraire [kɔ̃trədiːr]

une **contrée,** une région [kɔ̃tre]

une **contrefaçon,** une imitation [kɔ̃trəfasɔ̃]

contrefaire v. imiter [kɔ̃trəfɛːr]

un **contretemps,** accident désagréable qui dérange (*disturbs*) mes plans [kɔ̃trətɑ̃]

un **contrevent** • [kɔ̃trəvɑ̃]

contrit, pénitent [kɔ̃tri]

convaincre v. persuader [kɔ̃vɛ̃ːkr]

convaincu, persuadé [kɔ̃vɛ̃ky]

convenable, approprié; décent; proportionné [kɔ̃vnaːbl]

convenir v. *agree; admit; suit* [kɔ̃vniːr]

convier v. inviter [kɔ̃vje]

un **convive,** personne invitée à un repas [kɔ̃viːv]

un **convoi** (1) cortège de personnes qui accompagnent un mort au cimetière; (2) en temps de guerre, flotte transportant des munitions, des vivres; (3) un train [kɔ̃vwa]

convoiter v. désirer avidement [kɔ̃vwate]

la **convoitise,** la cupidité [kɔ̃vwatiːz]

un **copain,** • un ami, un camarade [kɔpɛ̃]

un **copeau,** morceau de bois arraché par le rabot • (p. 149) du charpentier [kɔpo]

copieux (**copieuse**) abondant [kɔp-jø, -jøːz]

un **coq,** • oiseau domestique (p. 146) [kɔk]

un **coq-à-l'âne,** une histoire absurde [kɔkalɑːn]

un **coquerico,** le chant du coq [kɔkriko]

une **coque** • (p. 21) [kɔk]

un **œuf à la coque** • [kɔkalɑːn]

un **coquelicot,** fleur rouge qui pousse dans les blés [kɔkliko]

une **coqueluche,** maladie enfantine caractérisée par une toux persistante [kɔklyʃ]

coquet (**coquette**) joli, charmant; qui cherche à plaire [kɔkɛ—kɔkɛt]

un **coquetier** • [kɔktje]

44

un **contrevent**

mon **copain**

le **coquetier**

un **œuf à la coque**

des **coquillages**

les **coquilles**

un **coquillage** •   [kɔkijaːʒ]

une **coquille,** • enveloppe dure d'une noix, d'un œuf,
      d'un colimaçon • etc.   [kɔkiːj]

un **coquin,** homme malhonnête   [kɔkɛ̃]

un **cor,** • instrument de musique   [kɔːr]

le **corail,** substance rouge et dure dont on fait
      quelquefois des colliers (On dit: des **coraux**)
                                   [kɔraːj—koro]

un **cor** de chasse

un **corbeau,** • oiseau (pl. F)   [kɔrbo]

une **corbeille,** • espèce de panier (p. 188)   [kɔrbeːj]

un **corbillard,** voiture pour transporter les morts
      au cimetière   [kɔrbijaːr]

une **corde** •   [kɔrd]

un **cordeau,** un **cordon,** petite corde [kɔr-do, -dɔ̃]

un **cordonnier,** ouvrier qui répare les souliers, les
      bottes, les bottines etc.   [kɔrdɔnje]

coriace, dur comme du cuir   [kɔrjas]

une **corne**

une **corne** •   [kɔrn]

corner *v.* souffler dans une corne   [kɔrne]

un **cornet** (1) instrument de musique; (2) papier
      roulé en forme de corne   [kɔrnɛ]

un **cornet** • (p. 54) pour jeter les dés

une **corneille,** espèce de corbeau   [kɔrnɛːj]

une **cornemuse** •   [kɔrnəmyːz]

un **cornichon,** petit concombre • (pl. D) [kɔrniʃɔ̃]

les **cornes** d'un **bélier**

un **corps** • (voir pl. G)   [kɔːr]

le **corps de garde,** poste militaire

corriger *v.* (1) faire des corrections dans une
      dictée etc.; (2) punir   [kɔriʒe]

corrompre *v.* gâter; *bribe*   [kɔrɔ̃ːpr]

la **cornemuse**

un **corsage** •   [kɔrsaːʒ]

un **corsaire,** un pirate   [kɔrsɛːr]

un **Corse,** habitant de la **Corse** • (p. 46)   [kɔrs]

un **cortège,** toutes les personnes qui accompagnent
      un homme célèbre   [kɔrtɛːʒ]

une **corvée,** travail désagréable   [kɔrve]

un **Cosaque,** cavalier russe   [kɔzak]

cossu, riche   [kɔsy]

une **côte** • (1) os qui protège les poumons •; (2) le
      rivage • de la mer (p. 132); (3) la montée
      d'une colline   [koːt]

un **côté.** Un rectangle a 4 côtés   [kote]

un **coteau,** une petite colline   [kɔto]

un **corsage**

45

une **côtelette,** petite côte de mouton, de porc etc.
  achetée chez le boucher [kɔtlɛt]
  côtoyer v. aller le long de [kotwaje]
une **cotte,** une jupe • (p. 211) de paysanne [kɔt]
une **cotte de mailles,** armure • composée de très
  petits anneaux (*rings*) de fer
  le **cou,**• partie du corps (pl. G) [ku]
une **couardise,** action d'un **couard,** d'un poltron
  [kwardiːz—kwaːr]
  le **soleil couchant** descend à l'horizon
  le **couchant,** l'ouest [kuʃɑ̃]
une **couche** (1) espèce de lit; (2) *layer*. On dit:
  une couche de neige, de peinture [kuʃ]
  se coucher v. se mettre au lit [kuʃe]
une **couchette,** un petit lit [kuʃɛt]
  le **cou-de-pied,**• partie du pied [kudpje]
un **coude,**• partie du bras (pl. G) [kud]
  coudoyer v. pousser du coude [kudwaje]
  coudre v. *to sew* [kudr]
  cousant; cousu; (j'ai cousu)
  je couds; je cousis; je coudrai
  couler v. aller (en parlant • d'un liquide)
  couler (**bas**) v. sombrer • (p. 193) [kule]
une **couleur,** le bleu, le rouge etc. [kulœːr]
une **couleuvre,** espèce de serpent [kulœːvr]
  les **coulisses** • du théâtre (p. 204) [kulis]
un **couloir,** un corridor [kulwaːr]
un **coup,** un choc [*The value of this word often
  depends on a word which follows: it may mean blow,
  stroke, thrust, slash etc. Consider carefully:*
un **coup d'œil,** un regard; [kudœːj]
un **coup d'état,** action politique violente;
un **coup de main,** action hardie;
un **coup de pied** •; un **coup de poing** •
un **coup de tête,** action désespérée [ku]]
  coupable, contraire d'**innocent** [kupaːbl]
une **coupe,** espèce de vase [kup]
une **coupe,** action de couper
  couper v. séparer avec un couteau; *cut* [kupe]
un **coupe-gorge,** un endroit où l'on risque de se
  faire assassiner [kupgɔrʒ]
un **couperet,**• petite hache [kuprɛ]
un **coupé,** voiture à quatre roues [kupe]

46

une **coupole,** un dôme   [kupɔl]
une **cour** (1) espace derrière la maison; (2) les
       personnes qui entourent le roi
une **cour de justice**   [kuːr]
   la **cour de récréation,** cour où jouent les élèves
     couramment, avec facilité   [kuramã]
un **courant,** mouvement rapide de l'eau ou de l'air
un **courant d'air.** "Fermez la porte: il y a un
     courant d'air terrible ! "   [kurã]
     courir *v.* aller très vite   [kuriːr]
       courant; couru; (j'ai couru)
       je cours; je courus; je courrai; que je coure
une **courbe,** ligne en forme d'arc; *curve*   [kurb]
     courbe; courbé, en forme de courbe [kurb, -e]
     courber *v.* rendre courbe   [kurbe]
une **couronne •**   Le verbe est **couronner**
                                  [kurɔn, -e]
une **couronne de fleurs •**   [kurɔn]
   le **couronnement** du roi George VI eut lieu dans
     l'Abbaye de Westminster   [kurɔnmã]
   le **courrier** (1) homme qui porte une lettre, une
     dépêche; (2) les lettres reçues   [kurje]
une **courroie,•** une bande de cuir   [kurwa]
     courroucer *v.* mettre en colère   [kuruse]
   le **courroux,** colère; irritation   [kuru]
   le **cours,** le mouvement   [kuːr]
un **cours d'eau,** un ruisseau, une rivière
une **course,** action de courir. On arrange des
     courses de chevaux, où il y a des prix [kurs]
un **coursier,** un beau cheval   [kursje]
     court, le contraire de **long**   [kuːr]
un **courtisan,** personnage flatteur à la cour du
     roi   [kurtizã]
     courtois, très poli, très civil   [kurtwa]
   la **courtoisie,** politesse, civilité   [kurtwazi]
un **coussin •**   [kusɛ̃]
un **coussinet,** un petit coussin   [kusinɛ]
un **couteau •**   [kuto]
un **coutelas,** couteau long et large   [kutla]
     coûter *v.*   Ce livre coûte 25 francs   [kute]
     coûteux (coûteuse) très cher   [ku-tø, -tøːz]
   le **coût,** le prix   [ku]
une **coutume,** une habitude   [kutym]

une **couronne**

une **couronne de fleurs**

une **courroie**

un **coussin**

la lame

le manche

un **couteau**

une **couturière,** femme qui fait des robes, qui fait
de la **couture** (*sewing*) [kutyrjɛːr—kutyːr]

couver *v.* se tenir sur les œufs (en parlant d'un
oiseau) [kuve]

une **couvée,** tous les petits oiseaux d'un nid [kuve]

le **couvercle** • d'une boîte (p. 22) [kuvɛrkl]

un **couvert** (1) une place à table; (2) l'assiette,
le couteau etc. nécessaires pour le repas

mettre le couvert, préparer la table

à couvert, en sécurité [kuvɛːr]

une **couverture,** tout ce qui couvre [kuvɛrtyːr]

une **couverture de lit** • (p. 33)

la **couverture d'un livre** • (p. 122)

couvrir *v. to cover* [kuvriːr]
couvrant; couvert; (j'ai couvert)
je couvre; je couvris; je couvrirai

cracher *v.* expectorer [kraʃe]

la **craie** • [krɛ]

craindre *v.* avoir peur de ; *to fear* [krɛ̃ːdr]
craignant; craint; (j'ai craint)
je crains; je craignis; je craindrai

la **crainte,** la peur, l'anxiété [krɛ̃t]

craintif (**craintive**) timide [krɛ̃-tif, -tiːv]

cramoisi, d'un rouge vif [kramwazi]

un **crampon,** crochet (*hook*) pour saisir un bateau
etc. [krɑ̃pɔ̃]

se cramponner à *v.* s'attacher à [krɑ̃pɔne]

le **crâne,** • tous les os de la tête [krɑːn]

crâne, courageux et fier

la **crânerie,** le courage [krɑnri]

un **crapaud** • [krapo]

crapuleux, vil, sordide [krapyløm]

un **craquement,** bruit de quelque chose qui
craque [krakmɑ̃]

la **crasse,** l'extrême saleté [kras]

crasseux, très sale [krasø]

une **cravache** • [kravaʃ]

une **cravate** • (p. 211) [kravat]

crayeux, fait de craie; blanc [krɛjø]

un **crayon** • Le verbe **crayonner** = dessiner
avec un crayon [krɛjɔ̃—krɛjɔne]

un **créancier,** personne à qui on doit de l'argent
[kreɑ̃sje]

une **boîte de**
craie

un
crâne

un
crapaud

une
cravache

la pointe

la mine
de plomb

un
bout de
crayon

une **crèche,** mangeoire pour les bœufs etc.   [krɛːʃ]
   créer *v.* produire; faire   [kree]
   pendre la crémaillère, célébrer son installation dans une nouvelle maison   [kremajɛːr]
  la **crème,** partie épaisse du lait   [krɛːm]
une **crèmerie,** boutique du crémier   [kremri]
  le **crémier,** homme qui vend du lait etc. [kremje]
  les **créneaux** • d'un château fort   [kreno]
 UN **crêpe,** étoffe de soie (généralement noire)
 UNE **crêpe,** espèce de gâteau très léger   [krɛːp]

les créneaux

un **mur**
crénelé

une
crevette

un
crible

un
croc

une
croix

   crépiter *v.* faire un bruit comme celui du bois
   sec qui brûle   [krepite]
   crépu, comme les cheveux d'un nègre   [krepy]
  le **crépuscule,** lumière du soir, après le coucher
   du soleil   [krepyskyl]
  le **cresson,** plante qui pousse dans les ruisseaux ;
   on en mange avec des tartines   [krəsɔ̃]
une **crête** • (1) sommet (d'une vague, p. 132); (2)
   protubérance rouge sur la tête du coq   [krɛːt]
un **crétin,** personne très stupide   [kretɛ̃]
   creuser *v.* faire un trou (dans le sol)   [krøze]
   creux (creuse) qui a une cavité au centre.   On
   dit aussi un **chemin creux**   [krø—krøːz]
un **creux,** une cavité, un trou   [krø]
une **crevasse,** une fente.   Un glacier est divisé par
   des crevasses profondes   [krəvas]
   crever *v.* (1) éclater; (2) mourir   [krəve]
   cela crève les yeux = c'est clair comme le jour
une **crevette** •   [krəvɛt]
   criard, qui crie beaucoup   [kriaːr]
un **crible** •   [kribl]
   criblé (1) percé de trous; (2) plein de   [krible]
   crier *v.* jeter, pousser des cris   [krie]
un **crin,** poil de la crinière (*mane*)   [krɛ̃]
une **crinière.**   Le lion a une crinière   [krinjɛːr]
une **crique,** une petite baie de la côte   [krik]
une **crise** (1) moment décisif; (2) attaque d'une
   maladie   [kriːz]
   crisper *v.* contracter   [krispe]
   critiquer *v.* juger; blâmer   [kritike]
un **croassement,** le cri du corbeau • (pl. F)   Le
   verbe est **croasser**   [kroasmã—kroase]
  un **croc** •   [kro]

un **crochet,** un petit croc [krɔʃɛ]
    crochu, courbé en bec d'aigle • (pl. F) [krɔʃy]
    croire *v.* considérer comme vrai [krwaːr]
    croyant; cru; (j'ai cru)
    je crois; je crus; je croirai; que je croie
une **croisade,** expédition des Chrétiens contre les
    Musulmans [krwazad]
une **croisée,** une fenêtre [krwaze]
un **croisement,** endroit où deux chemins se croisent
    [krwaːzmã]
    croiser *v.* mettre en forme de croix [krwaze]
un **croiseur,** vaisseau de guerre [krwazœːr]
une **croisière,** voyage de port en port [krwazjɛːr]
une **croix** • (p. 49) [krwa]
un **croissant** • (1) la nouvelle lune; (2) petit pain
    en forme de croissant (p. 143) [krwasã]
  la **croissance,** développement, augmentation
    [krwasãːs]
    croître *v.* pousser; augmenter en volume, en
    nombre, en intensité [krwaːtr]
    croissant; crû; (j'ai crû)
    je croîs; je crûs; je croîtrai; que je croisse
    croquer *v.* manger en faisant un léger bruit
    (*noise*) avec les dents. On croque du chocolat,
    des noisettes [krɔke]
un **croquis,** un dessin (vite fait) [krɔki]
une **crosse** • (1) bâton d'un évêque; (2) partie du
    fusil qu'on met contre l'épaule (p. 92) [krɔs]
  la **crotte,** la boue des rues [krɔt]
    crotter *v.* rendre sale [krɔte]
    crouler *v.* tomber en ruine [krule]
  le **croulement,** la ruine, la chute [krulmã]
  la **croupe,** postérieur d'un animal [krup]
    croupi, stagnant [krupi]
une **croûte,** partie extérieure et dure d'un pain [krut]
une **croyance,** ce qu'on croit [krwajãːs]
    cru, le contraire de **cuit** (*cooked*) [kry]
  la **cruauté,** la férocité; le désir de faire des actions
    cruelles [kryote]
  la **crue** des eaux = augmentation de volume d'une
    rivière [kry]
une **cruche** • [kryʃ]
un **cruchon,** une petite cruche [kryʃɔ̃]

une **cruche**

une **cuillerée**
de **confiture**

une **cuirasse**

la **culasse**
d'un **fusil**

la **détente**

une **culotte**

50

un **crustacé.** Le crabe est un crustacé [krystase]
la **cueillette** des pommes etc. = ce qu'on cueille [kœjɛt]
cueillir *v.* détacher (des fruits) de l'arbre [kœjiːr]
cueillant; cueilli; (j'ai cueilli)
je cueille; je cueillis; je cueillERai; que je cueille
une **cuiller,** une **cuillère** * (voir p. 143) [kɥijɛːr]
une **cuillerée,** * le contenu d'une cuillère [kɥijere]
le **cuir,** peau tannée dont on fait les souliers, les courroies etc. [kɥiːr]
un **cuirassé,** grand vaisseau de guerre [kɥirase]
un **cuirassier,** soldat qui porte une **cuirasse** * [kɥirasje—kɥiras]
cuire *v.* préparer la nourriture au moyen du feu [kɥiːr]
cuisant; cuit; (j'ai cuit)
je cuis; je cuisis; je cuirai; que je cuise
[N.B. (1) Ma mère **fait cuire** * le poisson (p. 99) (2) Depuis le
départ de notre bonne, c'est ma mère qui **fait la cuisine**]
une **cuisine** * (1) pièce de la maison où l'on fait cuire les aliments (pl. E);
(2) façon de faire cuire les plats, *cooking* [kɥizin]
un **cuisinier** * (p. 96), une **cuisinière** * (p. 200), personne qui fait la
cuisine [kɥizinje—kɥizinjɛːr]
une **cuisinière,** le fourneau * de la cuisine
une **cuisse,** * partie de la jambe (voir pl. G) [kɥis]
la **cuisson,** action de faire cuire (le pain etc.) [kɥisɔ̃]
un **cuistre,** un pédant prétentieux et ridicule [kɥistr]
le **cuivre,** un métal rougeâtre, Cu [kɥiːvr]
le **cuivre rouge,** Cu; le **cuivre jaune,** cuivre mélangé de zinc
cuivré, de la couleur du cuivre [kɥivre]
le **cul** (1) le derrière; (2) le fond (d'une bouteille) [ky]
un **cul-de-jatte,** personne sans jambes [kydʒat]
un **cul-de-sac,** petite rue sans issue, une impasse * (p. 108) [kydak]
la **culasse,** * partie d'une arme à feu [kylas]
une **culbute,** une chute, *somersault* [kylbyt]
culbuter *v.* renverser, faire tomber; détruire (l'ennemi) [kylbyte]
une **culotte** * [kylɔt]
un **culte,** religion [kylt]
un **cultivateur,** homme qui cultive la terre [kyltivatœːr]
un **cure-dent,** instrument pointu pour curer les dents après un repas.
(Le verbe **curer** = nettoyer) [kyrdɑ̃—kyre]
un **curé,** * un prêtre catholique (p. 196) [kyre]
les **curieux,** les spectateurs, les badauds [kyrjø]
une **cuve,** énorme récipient pour faire de la bière, du vin etc. [kyːv]
une **cuvette** * (p. 33) On se lave, le matin, dans une cuvette [kyvɛt]
un **cygne,** * grand oiseau blanc ou noir, à cou long (pl. F) [siɲ]
un **cyprès,** arbre à feuillage sombre qu'on voit dans le cimetière [siprɛ]

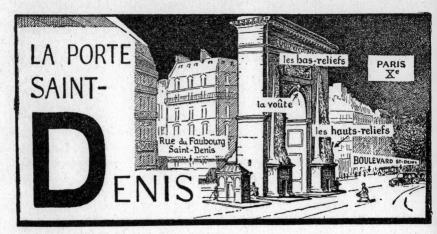

LA PORTE SAINT-DENIS

les bas-reliefs

PARIS Xᵉ

la voûte

Rue du Faubourg Saint-Denis

les hauts-reliefs

BOULEVARD ST-DENIS

un **dada** (1) cheval de bois; (2) une idée favorite — [dada]
une **dague,**° long couteau pointu — [dag]
daigner *v.* condescendre à — [deɲe]
un **daim,**° espèce de cerf — [dɛ̃]
un **dais** ° — [dɛ]
une **dalle,** pierre plate pour paver une église etc. — [dal]
daller *v.* paver de dalles: faire un **dallage** — [dale—dalaːʒ]
Damas, grande ville de la Syrie — [damaːs]
une **dame** ° (1) femme mariée; (2) une figure des cartes à jouer — [dam]
un **damier,**° tableau pour jouer aux **dames** (*draughts*) — [damje]
se dandiner *v.* marcher en se balançant, comme un ours — [dɑ̃dine]
un **Danois,** habitant du **Danemark** ° (p. 142) — [dan-wa, -mark]
dans (préposition) L'oiseau est dans la cage — [dɑ̃]
un **danseur,** une **danseuse,** personne qui danse — [dɑ̃-sœːr, -søːz]
un **dard** (1) javelot; (2) aiguillon d'un insecte — [daːr]
darder *v.* lancer — [darde]
une **datte,** fruit du **dattier** ° (espèce de palmier) — [dat—datje]
un **dauphin** ° (1) gros animal en forme de poisson (p. 54); *dolphin* (2) le fils aîné du roi de France — [dofɛ̃]
davantage, plus — [davɑ̃taːʒ]
de, *of*   **du** = de + le   **des** = de + les — [də—dy—de]
un **dé à coudre** ° (p. 54)   un **dé à jouer** ° — [deakuːdr—deaʒwe]
dé-, dés- [*In many verbs this prefix answers to the English* un- *and means the negative or opposite of the rest of the word: e.g.* **défaire,** *to un-do;* **déshabiller,** *to un-dress.   Test all verbs beginning with* **dé-** *or* **dés-**]
une **débâcle,** destruction finale et complète; déroute; confusion — [debaːkl]
déballer *v.* ouvrir (un ballot, une boîte) — [debale]

à la débandade, en désordre [debɑ̃dad]

débarbouiller v. nettoyer [debarbuje]

un **débarcadère,** jetée où l'on descend d'un bateau [debarkadɛ:r]

débarquer v. quitter un bateau [debarke]

un **débarras,**° pièce de la maison pour les vieux meubles etc. (pl. E) [debara]

débarrasser v. enlever (tout ce qui vous embarrasse) [debarase]

un **débat,** discussion animée [deba]

débattre v. discuter avec chaleur [debatr]

se débattre v. faire des efforts pour se libérer

un **débauché,** homme qui vit dans la **débauche,** dans le vice [deboʃe—deboːʃ]

débile, faible, sans forces [debil]

un **débit de tabac,** boutique où on vend du tabac et, en France, des timbres-poste [debi]

débiter v. vendre; exploiter; dire [debite]

un **débiteur,** une **débitrice,** personne qui doit de l'argent [debi-tœːr, -tris]

déblayer v. débarrasser (un terrain) [deblɛje]

déboisé, où l'on a coupé tous les arbres [debwaze]

débonnaire, très doux [debɔnɛːr]

un **débordement,** action de déborder [debɔrdəmɑ̃]

déborder v. Une rivière déborde lorsqu'elle inonde (*floods*) le pays [debɔrde]

déboucher v. (1) ouvrir (une bouteille); (2) se jeter dans; (3) sortir de [debuʃe]

débourser v. payer [deburse]

debout, sur pied: ni couché ni assis [dəbu]

déboutonner v. dé + boutonner [debutɔne]

le **débris,**° les fragments, les restes (p. 54) [debri]

un **début,** un commencement [deby]

débuter v. commencer [debyte]

un **débutant,** une **débutante,** personne qui débute dans une profession etc. [deby-tɑ̃, -tɑ̃ːt]

en deçà de, de ce côté-ci [dəsa]

décacheter v. ouvrir (une lettre etc.) [dekaʃte]

décéder v. mourir [desede]

le **décès,** la mort naturelle [desɛ]

décemment, avec décence [desamɑ̃]

décerner v. donner, accorder [desɛrne]

une **dague**

un **daim**

un **dais**

les 100 cases

un **damier**

un **dattier**

53

décevoir *v.* duper, causer une **déception**
[desvwaːr—desɛpsjɔ̃]

déchaîner *v.* détacher de la chaîne   [deʃɛne]

une **décharge** (1) explosion (d'une arme à feu); (2) action de vider un bateau, une charrette etc. de ses marchandises   [deʃarʒ]

décharger *v.* (1) tirer un fusil, un canon etc.; (2) vider un camion etc.   [deʃarʒe]

décharné, extrêmement maigre   [deʃarne]

déchiffrer *v.* lire une écriture difficile   [deʃifre]

déchiqueter *v.* couper en petits morceaux
[deʃikte]

déchirant, infiniment triste   [deʃirɑ̃]

déchirer *v.* mettre en pièces. On déchire un papier avant de le jeter au feu   [deʃire]

une **déchirure**. Le mauvais garçon a fait une déchirure à son pantalon   [deʃiryːr]

déchoir *v.* tomber   [deʃwaːr]

une **déclamation**, récitation emphatique.   Le verbe est **déclamer**   [dekla-masjɔ̃, -me]

déclencher *v.* mettre en mouvement   [deklɑ̃ʃe]

décocher *v.* lancer (une flèche)   [dekɔʃe]

décoiffer *v.* mettre les cheveux en désordre
[dekwafe]

une robe **décolletée** •   [dekɔlte]

décoloré, de couleurs faibles   [dekɔlɔre]

les **décombres** •   [dekɔ̃ːbr]

déconcerter *v.* troubler, embarrasser, mettre en désordre   [dekɔ̃sɛrte]

le **décor** • Au théâtre, les arbres, les maisons etc. représentés sur la scène (p. 204)   [dekɔːr]

découler *v.* couler (*flow*) peu à peu   [dekule]

découper *v.* On découpe un poulet, un rôti etc. avec un **couteau à découper** •   [dekupe]

décourager *v.* ôter le courage   [dekuraʒe]

décousu, incohérent   [dekuzy]

une **découverte**, ce qu'on a trouvé   [dekuvɛrt]

découvrir *v.* (1) trouver; (2) ôter la couverture de   [dekuvriːr]

un **décret**, ordre du gouvernement   [dekrɛ]

décréter *v.* ordonner   [dekrete]

décrier *v.* discréditer   [dekrie]

décrire *v.* faire une description de   [dekriːr]

un **dauphin**

un **dé** à coudre

le **cornet**

un **dé** à jouer

les **débris**

les **décombres**

une robe **décolletée**

décrocher v. ôter d'un crochet (*hook*) On décroche son chapeau en sortant [dekrɔʃe]

décroître v. diminuer [dekrwɑːtr]

décrotter v. enlever la crotte, la boue [dekrɔte]

un **décrotteur** • [dekrɔtœːr]

dédaigner v. traiter avec dédain [dedɛɲe]

dédaigneux, qui montre du dédain [dedɛɲø]

le **dédain,** contraire de l'**admiration** [dedɛ̃]

un **dédale,** un labyrinthe [dedal]

dedans, *inside; in it* [dədɑ̃]

dédier v. On dédie un livre à une personne qu'on admire: on écrit en tête du livre une **dédicace** [dedje—dedikas]

dédommager v. donner une compensation (un **dédommagement**) à [dedɔ-maʒe, -maʒmɑ̃]

une **déesse,** une divinité. Vénus est la déesse de l'amour [dees]

une **défaillance,** faiblesse soudaine due à la peur, à l'émotion: *swoon.* Le verbe est **défaillir** [defa-jɑːs, -jiːr]

défaire v. Le contraire de **faire** [defɛːr]

une **défaite.** Le contraire de **victoire** [defɛt]

un **défaut** (1) absence; (2) imperfection; (3) la partie faible [defo]

défectueux, imparfait, incorrect [defɛktɥø]

défendre v. (1) protéger; (2) ne pas permettre [defɑ̃ːdr]

défendu, qui n'est pas permis [defɑ̃dy]

une **défense,** protection; prohibition [defɑ̃ːs]

les **défenses** • d'un éléphant

un **défenseur,** celui qui défend [defɑ̃sœːr]

déferler v. se briser (en parlant de grandes vagues) [defɛrle]

un **défi,** une provocation [defi]

la **défiance,** absence de confiance [defjɑːs]

défiant, qui a peur d'être trompé [defjɑ̃]

défier v. provoquer, braver [defje]

se défier de v. *to mistrust* [defje]

défigurer v. déformer [defigyre]

un **défilé** • (1) gorge dans les montagnes; (2) des soldats qui marchent en colonne [defile]

défoncer • v. [defɔ̃se]

défricher v. cultiver une terre inculte [defriʃe]

un couteau à **découper**

un **décrotteur**

la trompe

les **défenses** d'un éléphant

un **défilé**

il **défonce** le tonneau

55

dégager v. libérer, délivrer [degaʒe]

dégainer • v. tirer (un couteau, un sabre) de son fourreau • [degɛne]

le **dégât**, destruction (causée par la pluie, la tempête etc.) [dega]

le **dégel**, la fonte des neiges [deʒɛl]

dégonfler • v. laisser échapper le gaz d'un ballon etc. [degɔ̃fle]

dégorger v. vomir; rejeter au dehors [degɔrʒe]

le **dégoût**, la répugnance [degu]

dégoûtant, répugnant; sale [degutɑ̃]

dégoûter v. inspirer de l'aversion [degute]

dégoutter v. tomber goutte à goutte [degute]

un **degré**, une marche d'escalier [dəgre]

dégringoler • v. [degrɛ̃gɔle]

déguenillé, qui est en haillons • [degənije]

un **déguisement** • [degiːzmɑ̃]

déguiser v. changer les vêtements, la voix etc. afin de ne pas être reconnu [degize]

le **dehors**, l'extérieur; **dehors**, *outside* [dəɔːr]

déjà, *already* [deʒa]

le **déjeuner**, le repas de midi [deʒœne]

le **petit déjeuner**, le premier repas du jour

déjeuner v. manger son déjeuner

au delà de, plus loin que [odəladə]

délabré,• ruiné [delabre]

le **délabrement**, la ruine [delabrəmɑ̃]

délaisser v. abandonner [delɛse]

délayer v. mélanger avec de l'eau [deleje]

un **délégué**, membre d'une délégation [delege]

délibérément, résolument [deliberemɑ̃]

la **délicatesse** (1) faiblesse; (2) finesse; (3) élégance [delikatɛs]

un **délice**, un très grand plaisir [delis]

délicieux, très agréable [delisjø]

délié, mince et fin [delje]

délier v. le contraire de **lier** [delje]

le **délire**, folie de courte durée causée par la maladie, la fièvre [deliːr]

un **délit**, petit crime sans gravité [deli]

en flagrant délit, dans l'acte même

déloger v. quitter (ou faire quitter) un logement [delɔʒe]

il **dégaine** son épée

un **pneu dégonflé**

il **dégringole** l'escalier

un **déguisement**

une maison **délabrée**

demain, *to-morrow* [dəmɛ̃]

une **démarche** (1) façon de marcher; (2) tout ce qu'on fait pour réussir [demarʃ]

démarrer *v.* partir (en parlant d'une auto) [demare]

démasquer *v.* ôter le masque [demaske]

un bateau **démâté,** qui a perdu son mât [demɑte]

démêler *v.* peigner; mettre en ordre [demɛle]

démembrer *v.* découper; séparer la tête et les membres du corps [demɑ̃bre]

déménager *v.* changer de maison [demenaʒe]

la **démence,** la folie [demɑ̃ːs]

démentir *v.* contredire; nier [demɑ̃tiːr]

démesuré, énorme, gigantesque [demezyre]

se **démettre** *v.* donner sa démission [demɛtr]

une **demeure,** maison; habitation [dəmœːr]

demeurer *v.* habiter; rester; *stay* [dəmœre]

au **demeurant,** après tout [dəmœrɑ̃]

[**demi,** *as in English,* demi-, *half-: for example,* **demi-dieu** = *demi-god. But consider carefully,* le **demi-jour,** à **demi-mot,** à **demi-voix**]

une **démission,** acte de quitter volontairement un emploi; *v.* **démissionner** [demis-jɔ̃, -jɔne]

démodé, vieux, passé de mode [demɔde]

une **demoiselle,*** fille qui n'est pas mariée

une **demoiselle,*** insecte [dəmwazɛl]

démolir *v.* détruire (une maison etc.) [demɔliːr]

démonter *v.* disjoindre les différentes pièces d'une machine [demɔ̃te]

un cavalier **démonté,** qui n'a plus de cheval

la mer **démontée,** la mer furieuse [demɔ̃te]

démontrer *v.* prouver [demɔ̃tre]

dénicher *v.* trouver, découvrir [deniʃe]

un **denier,** pièce de monnaie ancienne [dənje]

dénoncer *v.* accuser publiquement [denɔ̃se]

un **dénouement** (1) solution d'un mystère; (2) point culminant d'un drame [denumɑ̃]

dénouer *v.* défaire; résoudre (une difficulté) [denwe]

une **denrée,*** marchandise, surtout quelque chose à manger [dɑ̃re]

une **dent** * [dɑ̃]

un **dentier,*** rang de dents artificielles [dɑ̃tje]

une **demoiselle**
de magasin

une **demoiselle**
[une 🌀 libellule]

les **denrées**
coloniales

la couronne

les racines

une **dent**

les dents artificielles

un **dentier**

la **dentelle** •   [dɑ̃tɛl]

dénué de, privé de   [denɥe]

le **dénuement,** pauvreté complète   [denymɑ̃]

déparer v. gâter la beauté de   [depare]

le **départ,** action de partir   [depaːr]

un **département,** • division administrative de la
France   [departəmɑ̃]

dépasser v. (1) aller plus loin que; (2) aller
plus vite que; (3) surpasser   [depɑse]

dépaysé, perdu, solitaire, désorienté   [depeize]

dépecer v. couper en morceaux   [depse]

une **dépêche** (1) lettre; (2) télégramme   [depɛːʃ]

se **dépêcher** • v. se hâter; aller vite   [depɛʃe]

dépeindre v. décrire, représenter   [depɛ̃ːdr]

aux **dépens de,** aux frais (expense) de   [depɑ̃]

une **dépense,** argent qu'on débourse (spends) Le
verbe est **dépenser**   [de-pɑ̃ːs, -pɑ̃se]

dépeuplé, où il n'y a plus d'habitants   [depœple]

le **dépit,** colère due à une déception; sentiment de
frustration   [depi]

en **dépit de,** malgré, in spite of

un **déplacement,** changement de place   [deplasmɑ̃]

déplacer v. changer de place   [deplase]

déplaire à v. être désagréable à   [deplɛːr]

déplaisant, désagréable   [deplɛzɑ̃]

le **déplaisir,** contraire de **plaisir**   [deplɛziːr]

déplier v. le contraire de **plier** (fold)   [deplie]

déployer v. (1) montrer; (2) déplier   [deplwaje]

déplumer v. ôter les plumes à   [deplyme]

un **déporté,** homme condamné à l'exil   [depɔrte]

la **dépouille** (1) la peau d'un animal tué; (2) le
corps d'un homme mort; (3) tout ce qu'un
vainqueur prend à son ennemi   [depuːj]

dépouiller v. prendre, enlever, voler   [depuje]

dépourvu de, privé de   [depurvy]

au **dépourvu,** à l'improviste, unawares

déprimer v. produire une dépression   [deprime]

depuis, from; since   [dəpɥi]

un **député,** membre du Parlement   [depyte]

déraciner • v.   [derasine]

déraisonnable, dé + raisonnable   [derɛzɔnaːbl]

déranger v. mettre en désordre, troubler
                                                            [derɑ̃ʒe]

la **dentelle**

le **département**
du Pas-de-Calais

il se **dépêche**

un arbre
déraciné

il **déroule**
le tapis

58

déraper *v.* (d'une auto) glisser dangereusement [derape]

déréglé (1) qui ne marche pas bien; (2) immoral [deregle]

le **dérèglement,** l'irrégularité [dereglǝmã]

dérider *v.* rendre gai [deride]

dérisoire, ridicule, absurde [derizwaːr]

la **dérive.** Un bateau entraîné (*carried along*) par le courant va **à la dérive** [deriːv]

dernier (dernière) Notre dernier jour est le jour de notre mort [dɛrnje—dɛrnjɛːr]

dernièrement, récemment [dɛrnjɛrmã]

dérober *v.* (1) voler; (2) cacher [derɔbe]

à la dérobée, en secret [aladerɔbe]

dérouler • *v.* [derule]

la **déroute,** soldats qui fuient en désordre [derut]

dérouter *v.* faire perdre la route; déconcerter [derute]

derrière, *behind.* Derrière les nuages il y a le ciel bleu [dɛrjɛːr]

dès, *from* **dès lors,** *since then* [dɛ]

dès que, aussitôt que [dɛkǝ]

désabuser *v.* montrer à quelqu'un son erreur [dezabyze]

le **désaccord,** absence d'harmonie [dezakɔːr]

le **désagrément,** ennui; chagrin [dezagremã]

se désaltérer *v.* boire; calmer la soif [dezaltere]

désapprouver *v.* dés + approuver [dezapruve]

désarçonner • *v.* faire tomber (d'un cheval) [dezarsɔne]

un **désarroi,** confusion [dezarwa]

un **désastre,** malheur; catastrophe [dezastr]

désastreux, terrible [dezastrø]

desceller *v.* arracher [desele]

une **descente de lit,** • petit tapis qu'on met près du lit (p. 33) sur le parquet [desãːt]

un vaisseau **désemparé,** vaisseau qui a perdu son mât etc. [dezãpare]

désespérer *v.* perdre l'espoir (*hope*) [dezɛspere]

désespéré, qui n'a plus d'espoir [dezɛspere]

le **désespoir,** absence d'espoir [dezɛspwaːr]

déshabiller *v.* ôter les habits [dezabije]

déshérité, qui a perdu son héritage [dezerite]

un **cavalier désarçonné**

il fait un **dessin**

il **détale**

ESPAGNE
le **détroit** de Gibraltar
MAROC
un **détroit**

le voile

Ils portent le **deuil**

59

désigner v. indiquer; nommer [deziɲe]

la **désobéissance,** action de **désobéir** (= ne pas obéir) [dezɔbeisɑ̃:s—dezɔbei:r]

désœuvré, sans occupation [dezœvre]

désolé, très triste [dezɔle]

désordonné, irrégulier, sans ordre [dezɔrdɔne]

désorienté, qui a perdu son chemin [dezɔrjɑ̃te]

désormais, à partir de ce moment [dezɔrmɛ]

dessécher v. rendre sec [deseʃe]

à dessein, exprès, *on purpose* [a desɛ̃]

un **dessein,** un plan ou projet [desɛ̃]

un **dessin** • (1) représentation d'un objet; (2) un plan (p. 59) [desɛ̃]

dessiner v. représenter un objet au moyen d'une plume, d'un crayon etc. [desine]

le **dessous,** la partie inférieure (*lower*) [dəsu]

au-dessous, par-dessous, *under*

le **dessus,** la partie supérieure [dəsy]

au-dessus, par-dessus, *over*

le **destin,** la **destinée,** ce qui va arriver dans la vie [dɛstɛ̃—dɛstine]

détaler • v. décamper (p. 59) [detale]

dételer v. détacher (les chevaux) d'une voiture [detle]

détenir v. garder, retenir une personne qui désire partir [detni:r]

un **détenu,** un prisonnier [detny]

la **détente,**• partie d'un fusil (p. 50) [detɑ̃:t]

déterrer v. retirer de terre un objet caché [detɛre]

un **détour,** changement de direction [detu:r]

détourner v. faire prendre un détour [deturne]

la **détresse,** péril; pauvreté; angoisse [detrɛs]

un **détroit,**• un passage étroit (p. 59) [detrwa]

détromper v. désabuser [detrɔ̃pe]

détrousser v. piller (les voyageurs) [detruse]

détruire v. ruiner, démolir [detrɥi:r]

une **dette,** argent qu'on doit (*owes*) [dɛt]

le **deuil** • (1) tristesse extrême causée par une calamité; (2) vêtements noirs (p. 59) [dœ:j]

deux = 2 [dø]

le **deuxième** garçon [døzjɛm]

dévaliser v. voler [devalize]

la **devanture** d'un magasin

une **devise**

un **diable**

un **diable**

une pierre précieuse

un **diamant**

devancer *v.* précéder, anticiper [dəvɑ̃se]

devant. Le maître est debout devant le tableau
noir [dəvɑ̃]

le **devant,** la partie antérieure; *front*

la **devanture** • d'un magasin [dəvɑ̃tyːr]

dévaster *v.* ravager, ruiner [devaste]

la **déveine,** la mauvaise chance (*luck*) [devɛːn]

devenir *v. to become* [dəvniːr]
devenant; devenu; (je suis devenu)
je deviens; je devins; je deviendrai

dévergondé, impudent, vicieux [devɛrgɔ̃de]

dévêtir *v.* déshabiller [devɛtiːr]

dévider *v.* dérouler • un fil [devide]

deviner *v.* trouver la solution [dəvine]

une **devinette,** petit problème amusant [dəvinɛt]

une **devise** • La devise du roi d'Angleterre est:
Dieu et mon droit [dəviːz]

dévisser *v.* dé + visser [devise]

dévoiler *v.* révéler [devwale]

devoir *v. to owe* [dəvwaːr]
devant; dû (due); j'ai dû
je dois; je dus; je devrai; que je doive
[*Consider the following uses:* (1) je **dois,** *I am to,
I have to;* (2) je **devais,** je **dus,** *I was to, I had to;*
(3) je **devrai,** *I shall have to;* (4) je **devrais,**
I should, I ought to; (5) j'**ai dû,** *I must have;*
(6) j'**aurais dû,** *I ought to have*]

le **devoir,** l'obligation

le **devoir** d'un écolier, travail fait à la maison

un **dévot,** homme très religieux [devo]

le **dévouement,** esprit de sacrifice [devumɑ̃]

se **dévouer** *v.* se consacrer, se sacrifier [devwe]

un **diable** • (1) démon; (2) petit chariot [djaːbl]

un **diacre,** membre du clergé inférieur [djakr]

un **diamant,** • une pierre précieuse [djamɑ̃]

diaphane, transparent [djafan]

diapré, multicolore [djapre]

une **dictée,** exercice scolaire [dikte]

dicter *v.* donner une dictée [dikte]

un **dicton,** un proverbe [diktɔ̃]

un **dieu,** • une divinité [djø]

difficile. La leçon est difficile; un problème
difficile; le latin est difficile [difisil]

le **dieu**
Jupiter

le phare

la rade

une
digue

notre
directeur

R 401

la nacelle

un ballon
dirigeable

un
disque
de gramophone

difforme, mal formé, très laid [difɔrm]

digérer v. faire la digestion de [diʒere]

une **digitale,** fleur sauvage (pl. B) [diʒital]

digne, honorable, méritoire [diɲ]

digne de, qui mérite

une **digue** (1) espèce de jetée (p. 61); (2) sorte de grand mur qui empêche (*prevents*) l'eau d'inonder les champs [dig]

diligemment, avec diligence [diliʒamɑ̃]

le **dimanche,** 1ᵉʳ jour de la semaine [dimɑ̃ːʃ]

diminuer v. rendre plus petit [diminɥe]

un **dindon,** une **dinde** (p. 146) [dɛ̃dɔ̃—dɛ̃ːd]

une **dînette,** le dîner de ma poupée [dinɛt]

dire v. *to say* [diːr]
disant; dit; (j'ai dit)
je dis; je dis; je dirai; que je dise
cela va sans dire, naturellement

le **directeur,** la **directrice,** chef d'une compagnie, d'un théâtre, d'une école etc. (p. 61) [dirɛk-tœːr, -tris]

un **dirigeable** (p. 61) [diriʒaːbl]

diriger v. (1) faire marcher dans la bonne direction; (2) gouverner [diriʒe]

un **discours** (1) conversation; (2) *speech* [diskuːr]

discuter v. examiner à l'aide d'arguments [diskyte]

la **disette,** famine [dizɛt]

disgracieux, qui manque de grâce [disgrasjø]

disloquer v. produire une **dislocation** (= une séparation) [dislɔ-ke, -kasjɔ̃]

disparaître v. La lune disparaît derrière les nuages [disparɛːtr]

la **disparition,** action de disparaître [disparisjɔ̃]

dispos, agile, frais, reposé [dispo]

un **disque** de gramophone etc. (p. 61) [disk]

disséquer v. faire une **dissection;** examiner soigneusement [diseke—disɛksjɔ̃]

dissiper v. (1) disperser; (2) gaspiller; (3) chasser [disipe]

dissolu, débauché, immoral [disɔly]

dissoudre v. L'eau dissout le sel: l'eau est un **dissolvant** [disudr—disɔlvɑ̃]

distingué, élégant; éminent [distɛ̃ge]

un **disque**
de chemin de fer

il **dissèque**
une grenouille

un **distributeur**
automatique

un **divan**

un **dompteur**

distinguer *v.* remarquer la différence: faire la **distinction** [distɛ̃ge—distɛ̃ksjɔ̃]

une **distraction,** inattention; amusement [distraksjɔ̃]

distraire *v.* détourner l'attention d'une personne; amuser [distrɛːr]

distrait, qui n'écoute pas, qui pense à autre chose [distrɛ]

un **distributeur automatique** • [distribytœːr]

divaguer *v.* parler stupidement; délirer [divage]

un **divan,**• espèce de canapé, de sofa [divɑ̃]

diviser *v.* séparer [divize]

dix, 10; **dix-sept,** 17 [dis—disset]

dix-huit, 18; **dix-neuf,** 19 ⌈dizɥit—diznœf]

un **dixième** = $\frac{1}{10}$ [dizjɛm]

une **dizaine,** à peu près dix [dizɛːn]

docte, qui a beaucoup appris [dɔkt]

dodu, gras [dody]

un **doigt,**• partie de la main (p. 153) [dwa]

dolent, triste, mélancolique [dɔlɑ̃]

un **dommage,** perte; dégât; *damage* [dɔmaːʒ]
c'est dommage, c'est regrettable

dompter *v.* maîtriser, subjuguer [dɔ̃te]

un **dompteur,**• une **dompteuse,** personne qui dompte les lions, les tigres etc. [dɔ̃tœːr, -tøːz]

un **don,** tout ce qu'on donne [dɔ̃]

un **donjon,**• haute tour au centre d'un château fort [dɔ̃ʒɔ̃]

donner, *to give* [VERBE RÉGULIER] [dɔne]
donnant; donné; (j'ai donné)
je donne; je donnai; je donnerai

donc, alors [dɔ̃ (ou) dɔ̃ːk]

dont, de qui, duquel, de laquelle etc. [dɔ̃]

dorer *v.* recouvrir d'or [dɔre]

la **dorure,** or mis sur les cadres, les statues etc. [dɔryːr]

dorénavant, à partir de maintenant, *henceforth* [dɔrenavɑ̃]

dorloter *v.* caresser, gâter [dɔrlɔte]

un **dormeur,** personne qui dort [dɔrmœːr]

dormir *v.* *to sleep* [dɔrmiːr]
dormant; dormi; (j'ai dormi)
je dors; je dormis; je dormirai

une meurtrière

le donjon
d'un château fort

le dos d'un livre

le dossier

la douane
le douanier

les dragées

63

un **dortoir,** salle à plusieurs lits (où dorment les
élèves d'une école) [dɔrtwaːr]
le **dos** ° d'un livre, d'un homme etc. (p. 63) [do]
un **dossier** ° (1) le dos d'un fauteuil etc. (p. 63);
(2) un paquet de papiers importants [dosje]
une **dot,** argent qu'une jeune fille, en se mariant,
reçoit de ses parents [dɔt]
doter v. donner une dot à [dɔte]
une **douairière,** une veuve [dwɛrjɛːr]
la **douane,**° bureau où on examine les bagages
d'un voyageur (p. 63) [dwan]
un **douanier,**° employé de la douane [dwanje]
doubler v. to line. Une robe doublée de soie;
une porte doublée de fer [duble]
une **doublure,** étoffe pour doubler un vêtement etc.
[dublyːr]
doux (douce) (1) agréable; (2) sucré; (3)
timide; (4) qui n'est pas dur [du—duːs]
une **eau douce,** l'eau des rivières
doucereux, fade, insipide [dusrø]
la **douceur,** qualité de ce qui est doux [dusœːr]
douer v. donner (comme une faveur) [dwe]
doué, très intelligent [dwe]
douillet (douillette) doux, tendre, délicat,
efféminé [du-jɛ, -jɛt]
la **douleur,** souffrance, chagrin [dulœːr]
douloureux, qui cause de la douleur [dulurø]
un **doute,** incertitude [dut]
douter (de) v. regarder comme incertain
se douter (de) v. soupçonner, suspect [dute]
douteux, qui cause des doutes [dutø]
Douvres, ville du comté de Kent [duːvr]
une **douzaine,** à peu près **douze** (= 12) [duzɛn]
un **douzième,** $\frac{1}{12}$ [duzjɛm]
une **dragée,**° amande recouverte de sucre [draʒe]
un **bateau dragueur** ° [bato dragœːr]
le **drap,** étoffe de laine (wool) [dra]
un **drap** ° On met deux draps blancs sur le lit:
on dort entre les draps (p. 33)
un **drapeau** ° [drapo]
dresser v. lever; élever; ériger [drɛse]
dresser un chien,° apprendre au chien à obéir
un **dressoir** ° [drɛswaːr]

un bateau **dragueur**

le tricolore

le **drapeau**
français

un
chien dressé

un **dressoir**

il lève
la main **droite**

une **drogue,** médecine. Le verbe est **droguer** [drɔg—drɔge]

le **droit** (1) loi; (2) privilège; (3) taxe [drwɑ]

droit,• le contraire de **gauche** (*left*) On dit aussi un **angle droit** = angle de 90°, une **ligne droite** (*straight*) [drwɑ—drwɑt]

drôle, comique, MAIS un **drôle** = un homme suspect ou vil [droːl]

il pleut **dru,** il pleut à torrents [dry]

un **duc,** une **duchesse,** gouverne un **duché** [dyk—dyʃɛs—dyʃe]

une **duègne** (1) gouvernante; (2) vieille femme [dɥɛɲ]

dur (**dure**) *hard.* Le verbe est **durcir** [dyːr—dyrsiːr]

la **dureté,** qualité de ce qui est dur [dyrte]

durant, pendant [dyrɑ̃]

la **durée,** persistance: temps qu'une chose continue d'exister [dyre]

durer *v.* continuer d'exister [dyre]

le **duvet.** Le petit poussin est couvert de duvet [dyvɛ]

une **eau,** H_2O [o]

une **eau-de-vie,** liqueur alcoolique [odəvi]

une **eau-forte,** espèce de gravure [ofɔrt]

ébahi, stupéfié, étonné, surpris [ebai]

il prend ses **ébats,** il joue, il s'amuse [eba]

une **ébauche,** première esquisse [eboːʃ]

une **ébène,** bois dur et noir. L'arbre s'appelle un **ébénier** [ebɛn—ebenje]

un **ébéniste** fait des meubles de luxe [ebenist]

éblouir *v.* aveugler par une lumière brillante [ebluiːr]

éblouissant, très brillant [ebluisɑ̃]

un **éblouissement,** aveuglement causé par une vive lumière [ebluismɑ̃]

les cheveux **ébouriffés,** les cheveux en désordre [eburife]

ébranler *v.* mettre en mouvement; mettre en désordre; rendre moins ferme, moins solide [ebrɑle]

une **écaille** • (1) carapace de la tortue; (2) coquille d'une huître • (p. 106) Un poisson, aussi, est couvert d'écailles (pl. H) [ekɑːj]

écarlate, rouge vif [ekarlat]

écarquiller les yeux = ouvrir les yeux tout grands [ekarkije]

un cheval fait un **écart,** se jette de côté [ekaːr]

à l'écart, loin des autres; dans un lieu solitaire

écarté, isolé, à l'écart [ekarte]

écarter *v.* séparer; repousser; isoler [ekarte]

un **échafaud,** plate-forme où l'on dresse la guillotine [eʃafo]

un **échafaudage,** construction en bois qui permet aux maçons de bâtir les murs d'une maison [eʃafoda:ʒ]

échanger *v.* faire un **échange.** A l'école, on échange les timbres-poste contre des livres, un canif etc. [eʃɑ̃ʒe—eʃɑ̃:ʒ]

un **échantillon,** un spécimen [eʃɑ̃tijɔ̃]

échapper de prison = partir sans être vu. On échappe aussi **à** la maladie, **à** la mort [eʃape]

une **écharpe** • [eʃarp]

une **écharpe**

une **échasse** • [eʃas]

les **échasses**

échauder *v.* brûler avec de l'eau chaude [eʃode]

échauffer *v.* rendre chaud [eʃofe]

un **échec,** un obstacle, un revers [eʃɛk]

un **jeu d'échecs** • [ʒødeʃɛk]

le jeu d'échecs

un **échiquier** • [eʃikje]

une **échelle** • un **échelon** • (p. 149) [eʃɛl—eʃlɔ̃]

échevelé, les cheveux en désordre [eʃəvle]

une **échine,** la colonne vertébrale [eʃin]

une **échoppe,** une petite boutique [eʃɔp]

échouer *v.* ne pas réussir [eʃwe]

un bateau **échoué,** poussé par le vent sur le rivage

un **échiquier**

éclabousser *v.* jeter de la boue, de l'eau etc., sur (une personne, un objet) [eklabuse]

un **éclair** • (p. 147) [eklɛ:r]

un **éclairage,** • façon d'éclairer (p. 72) [eklɛra:ʒ]

une **éclaircie,** moment de ciel bleu en temps de pluie [eklɛrsi]

A. le roi B. la reine
C. la tour
D. le fou
E. le pion

les **pièces** du jeu

éclaircir *v.* rendre clair; expliquer un mystère [eklɛrsi:r]

éclairer *v.* illuminer [eklɛre]

un **éclaireur** (1) soldat qui cherche à découvrir où se trouve l'ennemi; (2) *boy-scout* [eklɛrœ:r]

un **éclat** (1) splendeur; lumière très vive; (2) bruit violent; (3) morceau de métal, de bois etc. détaché par un choc violent [ekla]

éclatant, brillant; bruyant (*loud*) [eklatɑ̃]

une **écluse**

éclater *v.* (1) briller; (2) faire explosion [eklate]

éclore *v.* (1) sortir de l'œuf; (2) s'ouvrir (en parlant des fleurs) [eklo:r]

les fleurs **écloses** (= ouvertes) [eklo:z]

une **écluse** • [ekly:z]

écœurer *v.* dégoûter [ekœre]

une **école**. *Eton* est une grande école [ekɔl]

une **école maternelle,** école pour les tout-petits

un **écolier,** une **écolière,** enfant qui va à l'école [ekɔlje—ekɔljɛ:r]

une **écorce,**• substance dure qui recouvre le tronc d'un arbre (p. 13) [ekɔrs]

s'écorcher *v.* On s'écorche la main contre toute surface rude: brique, fer etc. La légère blessure qui en résulte s'appelle une **écorchure** [ekɔrʃe—ekɔrʃy:r]

il **écorche le français,** il le parle très mal

un **Écossais,** habitant de l'**Écosse** • [ekɔsɛ—ekɔs]

s'écouler *v.* couler; passer [ekule]

écouter *v.* prêter l'oreille à [ekute]

il est **aux écoutes,** il écoute attentivement [ozekut]

un **écouteur** • de téléphone etc. [ekutœ:r]

un **écran** • (1) meuble qui nous protège contre la chaleur du feu; (2) au cinéma, surface blanche sur laquelle tombent les images [ekrɑ̃]

écraser *v.* On écrase un colimaçon • en mettant le pied dessus [ekrɑze]

une **écrevisse** • [ekrəvis]

s'écrier *v.* pousser un grand cri [ekrie]

un **écrin,**• boîte où l'on met les bijoux [ekrɛ̃]

écrire *v.* J'écris avec un stylo • (p. 165) [ekri:r]
écrivant; écrit; (j'ai écrit)
j'écris; j'écrivis; j'écrirai; que j'écrive

un **écrit,** un document [ekri]

un **écriteau,**• affiche; inscription (p. 69) [ekrito]

une **écriture,** façon d'écrire, de former les lettres [ekrity:r]

un **écrivain,** personne qui écrit des livres [ekrivɛ̃]

écrouer *v.* mettre en prison [ekrue]

s'écrouler *v.* tomber en se brisant [ekrule]

un **écroulement,** chute; ruine complète [ekrulmɑ̃]

l'Ecosse
Edimbourg

un **écouteur** de téléphone

un **écran**

une **écrevisse**

un **écrin**

67

un **écu** • (1) bouclier (p. 15);
(2) pièce de monnaie
[eky]
un **écueil** • (p. 132) rochers
dangereux [ekœːj]
une **écuelle** • [ekɥɛl]
une **écume,** • la crête blanche
des vagues [ekym]
l' **écume de mer,** substance
blanche et dure, dont on
fait les pipes
écumer v. débarrasser de
l'écume (*scum*) [ekyme]
un **écureuil,** • petit animal des
bois (p. 9) [ekyrœːj]
une **écurie,** bâtiment où on loge
les chevaux [ekyri]
une **écuyère** • [ekɥijɛːr]
édenté, • qui a perdu ses
dents [edɑ̃te]
un **édit,** déclaration [edi]
un **édredon,** • couverture rem-
plie de duvet qu'on met
sur le lit (p. 33) [edrədɔ̃]

la voûte →

← la rose

{ le vitrail
{ les vitraux

un autel

un abat-voix

les cierges

le chœur

la chaire

les bancs →

la nef de l'église

effarer v. troubler profondément [efare]
effaroucher v. terrifier [efaruʃe]
effectivement, en réalité, en effet [efɛktivmɑ̃]
effectuer v. exécuter, accomplir [efɛktɥe]
un **effet,** un résultat **en effet,** *sure enough* [efɛ]
efficace, qui produit un effet [efikas]
efflanqué, très maigre [eflɑ̃ke]
effleurer v. toucher légèrement [eflœre]
s'**effondrer** v. s'écrouler, tomber en ruines [efɔ̃dre]
un **effondrement,** ruine [efɔ̃drəmɑ̃]
s'**efforcer** v. employer toutes ses forces; tâcher [efɔrse]
effrayant, terrifiant. Le verbe est **effrayer** [efrɛjɑ̃—efrɛje]
effréné v. immodéré; impétueux [efrene]
un **effroi,** une peur intense [efrwɑ]
effroyable, horrible [efrwaja:bl]
une **effronterie,** impudence. L'adjectif est **effronté** [efrɔ̃tri—efrɔ̃te]
égal (pl. **égaux**) (1) de la même valeur; (2) uni, *smooth* [egal—ego]
égaler v. 2 + 2 égalent 4 [egale]
égaliser v. rendre égal ou uni [egalize]

68

un **égard,** une marque de respect [egaːr]
    égaré, perdu, troublé [egare]
un **égarement,** erreur; désordre mental [egarmã]
    s'égarer v. perdre son chemin [egare]
    égayer v. rendre gai, heureux [egɛje]
un **églantier,** rosier sauvage [eglãtje]
une **églantine,** rose sauvage [eglãtin]
une **église** • [egliːz]
    égoïste, qui ne pense qu'à soi [egoist]
    égorger v. couper la gorge: massacrer [egɔrʒe]
un **égout,** conduit pour les eaux sales d'une ville
[egu]
    égratigner v. déchirer (*tear*) la peau avec une
    épingle etc.: la blessure s'appelle une **égrati-**
    gnure [egratiɲe—egratiɲyːr]
    égrillard, vif; trop libre [egrijaːr]
    éhonté, immodeste et impudent [eɔ̃te]
    élaguer v. débarrasser un arbre des branches
    superflues [elage]
un **élan,** un mouvement impétueux [elã]
un **élan,** • animal des régions polaires (p. 70)
    élancé, haut et mince. Le peuplier • (p. 186)
    est un arbre élancé • [elãse]
    s'élancer v. courir avec précipitation [selãse]
    élargir v. rendre plus large; libérer [elarʒiːr]
    élégamment, avec élégance [elegamã]
un **élevage,** occupation qui consiste à nourrir et à
    soigner les vaches etc. [elvaːʒ]
    élever v. (1) éduquer (les enfants); (2) nourrir
    (les animaux); (3) exalter; (4) construire [elve]
    élevé, très haut; sublime [elve]
un **élève,** • une **élève** (p. 188) [elɛːv]
    élire v. choisir [eliːr]
une **élite,** les gens les plus distingués [elit]
    elle, elles, pronoms personnels [ɛl]
un **éloge:** le contraire de **blâme** [elɔːʒ]
    éloigné, distant [elwaɲe]
un **éloignement** (1) distance; (2) absence; (3)
    antipathie [elwaɲmã]
    s'éloigner v. contraire de **s'approcher** [elwaɲe]
    éloquemment, avec éloquence [elɔkamã]
un **élu,** homme choisi par les électeurs [ely]
    émacié, très maigre [emasje]

un **écriteau**

une **écuelle**
de soupe

l'**écume**

une **écuyère** de cirque

une
vieille
édentée

un **émail,** des **émaux,** *enamel*   [emaːj—emo]

emballer *v.* mettre en **balles,** en grands paquets
[ãbale—bal]

un **embarcadère,** endroit d'où partent les bateaux
[ãbarkadɛːr]

une **embarcation,** petit bateau   [ãbarkɑsjɔ̃]

un **embarquement,** action d'**embarquer** (=mon-
ter sur un bateau)   [ãbar-kəmã, -ke]

un **embarras,** obstacle, timidité   [ãbara]

embaumé, parfumé; qui sent bon   [ãbome]

embellir *v.* rendre beau: décorer   [ãbeliːr]

embêter *v.* irriter, ennuyer   [ãbɛte]

Il a de l'**embonpoint** = il est gros   [ãbɔ̃pwɛ̃]

une **embouchure,**• endroit où un fleuve se jette
dans la mer   (Voir aussi p. 38)   [ãbuʃyːr]

un **embrasement,** un incendie   [ãbrɑːzmã]

embraser *v.* mettre en flammes   [ãbrɑze]

embrasser *v.* (1) donner un baiser à; (2)
prendre dans ses bras   [ãbrɑse]

embrocher *v.* transpercer avec une broche, une
épée etc.   [ãbrɔʃe]

embrouiller *v.* mettre en désordre   [ãbruje]

un **embrun,** *spray*   [ãbrœ̃]

une **embûche,** piège, guet-apens   [ãbyːʃ]

une **embuscade** •   [ãbyskad]

embusquer *v.* mettre en embuscade   [ãbyske]

une **émeraude,** pierre précieuse d'un vert brillant
[emroːd]

émerveiller *v.* étonner beaucoup   [emɛrveje]

un **émerveillement,** surprise extrême, mêlée d'admiration   [emɛrvejmã]

émettre *v.* (1) lancer (des rayons de lumière
etc.); (2) publier   [emɛtr]

une **émeute,** révolte tumultueuse   [emøːt]

un **émigré,** personne qui a quitté sa patrie pour
vivre dans un pays étranger   [emigre]

emmailloter *v.* envelopper   [ãmajɔte]

emmener *v.* conduire, *take away*   [ãmne]

un **émoi,** émotion   [emwa]

émonder *v.* couper les branches mortes (d'un
arbre etc.)   [emɔ̃de]

émousser *v.* rendre (un couteau, un rasoir etc.)
moins tranchant (*keen*)   [emuse]

un **élan**

des arbres **élancés**

Le Havre   Caudebec

Honfleur

l'**embouchure**
de la Seine

une
embuscade

un crocodile
empaillé

émouvoir *v.* troubler, exciter [emuvwaːr]

empailler * *v.* remplir de paille (surtout en parlant d'un animal mort) [ãpɑje]

empaqueter *v.* mettre en paquet [ãpakte]

s'emparer de *v.* prendre, saisir [ãpare]

empêcher *v.* s'opposer à (avec succès) [ãpɛʃe]

une **emphase,** force ou exagération dans la façon de s'exprimer [ãfɑːz]

empiéter sur *v.* prendre petit à petit ce qui est au voisin ; usurper [ãpjete]

empiètement, action d'empiéter [ãpjɛtmã]

empiler *v.* mettre en pile [ãpile]

empirer *v.* devenir pire, détériorer [ãpire]

un **emplacement,** situation (d'une ville etc.) [ãplasmã]

faire des **emplettes,** acheter des marchandises [ãplɛt]

emplir *v.* = remplir [ãpliːr]

un **emploi,** usage; occupation [ãplwa]

un **employé,** homme qui a un emploi dans un bureau, un magasin etc. [ãplwaje]

empocher *v.* mettre dans sa poche [ãpɔʃe]

empoigner *v.* saisir, prendre avec force [ãpwaɲe]

empoisonner *v.* donner du poison à; produire un **empoisonnement** [ãpwazɔn-e, -mã]

emporter *v.* (1) porter ailleurs; (2) prendre (une ville) [ãpɔrte]

s'emporter *v.* se livrer à la colère

emporté, furieux, violent [ãpɔrte]

un **emportement,** colère, violence [ãpɔrtəmã]

une **empreinte,** * une marque [ãprɛ̃ːt]

empressé, plein de zèle [ãprese]

un **empressement,** zèle [ãprɛsmã]

s'empresser *v.* (1) se hâter; (2) faire tout son possible (pour montrer son affection) [sãprese]

un **emprunt,** argent etc. qu'on emprunte [ãprœ̃]

emprunter *v.* prendre (avec la promesse de rendre plus tard) Celui qui emprunte est un **emprunteur** [ãprœ̃-te, -tœːr]

ému, troublé, touché, excité, agité [emy]

un **émule,** un rival [emyl]

[en (*preposition*) has the value of: *in; while; like;*
en (*pronoun*) = *some; of it; from it etc.* [ã]**]**

une
empreinte

l'**encadrement**
d'un **miroir**

un
encensoir

un marteau

une
enclume

une
tache
d'**encre**

71

en bas, au rez-de-chaussée, *downstairs* [ãba]

en haut, au-dessus, *upstairs* [ão]

un **encadrement** • [ãkadrəmã]

encadrer v. mettre dans un cadre [ãkadre]

encaisser v. mettre dans une caisse [ãkɛse]

une rivière **encaissée,** qui coule entre des berges (*banks*) escarpées [ãkɛse]

enceindre v. entourer [ãsɛ̃:dr]

une **enceinte,** un circuit de remparts etc. [ãsɛ̃:t]

un **encens,** résine aromatique qu'on brûle dans les églises [ãsã]

encenser v. flatter, honorer [ãsãse]

un **encensoir** • (p. 71) [ãsãswa:r]

enclin à, disposé à [ãklɛ̃]

un **enclos,** champ ou jardin entouré de murs [ãklo]

une **enclume** • (p. 71) [ãklym]

encoffrer v. mettre dans un coffre [ãkɔfre]

un **encombrement,** voitures etc. qui encombrent (*block*) une rue [ãkɔ̃brəmã]

encombrer v. [ãkɔ̃bre]

sans encombre, sans accident [ãkɔ̃:br]

encore, de nouveau; toujours; *still* [ãkɔ:r]

une **encre** • dans un **encrier** • (p. 188) [ã:kr—ãkrie]

s'endetter v. contracter des dettes [ãdɛte]

endiablé (1) possédé du diable; (2) très ardent, excité [ãdjable]

endiguer v. retenir par une digue [ãdige]

s'endimancher v. mettre ses plus beaux habits [ãdimãʃe]

endolori, douloureux [ãdɔlɔri]

endommager v. causer des dégâts [ãdɔmaʒe]

s'endormir v. fermer les yeux et dormir [ãdɔrmi:r]

endosser • v. mettre sur son dos [ãdose]

un **endroit,** une place, une localité [ãdrwa]

endurcir v. rendre plus dur [ãdyrsi:r]

énerver v. (1) affaiblir; (2) irriter [enɛrve]

une **enfance,** première période de la vie [ãfã:s]

un (une) **enfant,** garçon ou fille [ãfã]

un **enfantillage,** action enfantine [ãfãtija:ʒ]

un **enfer,** lieu de tourment [ãfɛ:r]

enfermer v. mettre en lieu sûr; emprisonner [ãfɛrme]

L'ÉCLAIRAGE

un flambeau

la flamme

une bougie

un bougeoir

le verre

la mèche

le réservoir

une lampe à pétrole

le globe

le manchon

un bec de gaz

l'abat-jour

l'ampoule

une lampe électrique

enfiler *v.* traverser; transpercer; mettre sur un fil; *thread* [ɑ̃file]

enfin, finalement [ɑ̃fɛ̃]

enflammer *v.* mettre en flammes [ɑ̃flame]

enfler • *v.* augmenter de volume [ɑ̃fle]

enfoncé, poussé, plongé; caché; brisé [ɑ̃fɔ̃se]

un **enfoncement,** action d'enfoncer [ɑ̃fɔ̃smɑ̃]

enfoncer • *v.* [ɑ̃fɔ̃se]

enfouir *v.* enterrer; cacher [ɑ̃fwiːr]

s'enfuir *v.* se sauver; partir très vite [ɑ̃fɥiːr]

enfumé, noirci par la fumée [ɑ̃fyme]

une **engeance,** race (en mauvaise part) [ɑ̃ʒɑ̃ːs]

une **engelure,** *chilblain* [ɑ̃ʒlyːr]

engendrer *v.* produire [ɑ̃ʒɑ̃dre]

un **engin,** un instrument [ɑ̃ʒɛ̃]

engloutir *v.* avaler • complètement [ɑ̃glutiːr]

un **engouement,** admiration éphémère [ɑ̃gumɑ̃]

s'engouffrer *v.* disparaître dans un gouffre [ɑ̃gufre]

les doigts **engourdis,** qui ont perdu toute sensibilité, comme paralysés par le froid [ɑ̃gurdi]

un **engourdissement,** torpeur [ɑ̃gurdismɑ̃]

un **engrais,** fumier pour fertiliser la terre [ɑ̃grɛ]

engraisser • *v.* rendre gras ou riche [ɑ̃grɛse]

enhardir *v.* rendre plus hardi [ɑ̃ardiːr]

une **énigme,** un problème difficile [enigm]

enivrer *v.* rendre ivre (*drunk*) [ɑ̃nivre]

un **enivrement,** ivresse; extase [ɑ̃nivrəmɑ̃]

enjamber *v.* traverser un obstacle d'un seul pas [ɑ̃ʒɑ̃be]

enjoliver *v.* rendre plus joli [ɑ̃ʒɔlive]

enjoué, gai; qui aime à rire [ɑ̃ʒwe]

un **enjouement,** gaîté [ɑ̃ʒumɑ̃]

enlaidir *v.* rendre plus laid [ɑ̃lediːr]

un **enlèvement,** action d'enlever [ɑ̃lɛvmɑ̃]

enlever *v.* ôter, emporter. Après le dîner, on enlève les assiettes; après un meurtre, l'assassin enlève toute trace du crime [ɑ̃ləve]

un **ennemi,** celui qui vous déteste [ɛnmi]

un **ennui,** souci; chagrin; absence de plaisir [ɑ̃nɥi]

ennuyer *v.* causer de l'ennui; irriter [ɑ̃nɥije]

ennuyeux, le contraire d'**amusant** [ɑ̃nɥijø]

énoncer *v.* déclarer; exprimer [enɔ̃se]

il **endosse** son veston

la joue **enflée**

il **enfonce** la porte

il est très gras

mon ami a **engraissé**

il est **enrhumé**

énorme, très grand [enɔrm]

une **enquête,** une investigation [ɑ̃kɛːt]

enragé, fou, irrité, violent [ɑ̃raʒe]

s'enrhumer • *v.* attraper un rhume [ɑ̃ryme]

enrichir *v.* rendre plus riche [ɑ̃riʃiːr]

enroué, qui n'est pas clair (en parlant de la voix) [ɑ̃rwe]

enrouler *v.* On enroule un tapis pour le transporter dans une autre chambre [ɑ̃rule]

ensanglanté, couvert de sang [ɑ̃sɑ̃glɑ̃te]

une **enseigne** • [ɑ̃sɛɲ]

un **enseignement,** art (ou action) d'enseigner [ɑ̃sɛɲəmɑ̃]

enseigner *v.* donner des leçons à [ɑ̃sɛɲe]

ensemble, *together* [ɑ̃sɑ̃ːbl]

ensemencer • la terre [ɑ̃smɑ̃se]

enserrer *v.* enfermer; enlacer avec force [ɑ̃sere]

ensevelir *v.* mettre un corps mort dans un suaire •; enterrer [ɑ̃səvliːr]

ensoleillé, exposé au soleil [ɑ̃sɔleje]

ensorceler *v.* séduire; charmer [ɑ̃sɔrsəle]

ensuite, après [ɑ̃sɥit]

tout ce qui **s'ensuit,** tout ce qui vient après

entaché, sali par une tache • (p. 71) [ɑ̃taʃe]

entamer *v.* commencer (une histoire, une conversation, un livre, un gâteau) [ɑ̃tame]

un **entassement,** une accumulation [ɑ̃tasmɑ̃]

entasser *v.* accumuler [ɑ̃tase]

cela **s'entend,** cela va sans dire

entendre *v.* *to hear; to understand* [ɑ̃tɑ̃ːdr]

bien entendu ! naturellement [ɑ̃tɑ̃dy]

une **entente,** une alliance [ɑ̃tɑ̃ːt]

un **enterrement** • [ɑ̃termɑ̃]

enterrer *v.* mettre en terre [ɑ̃tere]

un **en-tête,** l'adresse imprimée en tête (en haut) d'une lettre [ɑ̃tɛt]

entêté, très obstiné [ɑ̃tete]

enthousiasmer *v.* inspirer de l'**enthousiasme** (= de l'admiration) [ɑ̃tuzjas-me, -m]

entier (**entière**) total [ɑ̃tje—ɑ̃tjɛːr]

entièrement, en entier, complètement [ɑ̃tjɛːrmɑ̃]

entonner *v.* commencer à chanter [ɑ̃tɔne]

une **enseigne**

le **semeur**

il **ensemence** la terre

un **enterrement**

un **entonnoir**

les **entraves**

74

un **entonnoir** • [ɑ̃tɔnwaːr]

une **entorse,** distension violente des muscles, particulièrement de ceux du pied [ɑ̃tɔrs]

entortiller v. (1) envelopper; (2) entourer; (3) exprimer (ses pensées) d'une manière confuse [ɑ̃tɔrtije]

à l'entour, tout autour, aux environs [alɑ̃tuːr]

entourer v. mettre autour de, *surround* [ɑ̃ture]

un **entourage,** ceux qui vivent autour d'une personne [ɑ̃turaːʒ]

un **en-tout-cas,** ombrelle qui protège contre la pluie [ɑ̃tuka]

un **entr'acte,** intervalle de temps entre deux actes [ɑ̃trakt]

les **entrailles,** les intestins, le ventre [ɑ̃trɑːj]

un **entrain,** animation [ɑ̃trɛ̃]

un **entraînement** (1) action de préparer un boxeur etc. pour un match; (2) influence qu'on subit (*submits to*) [ɑ̃trɛnmɑ̃]

entraîner v. traîner; influencer; causer [ɑ̃trɛne]

entraver v. embarrasser, mettre obstacle à [ɑ̃trave]

les **entraves,** • les fers (d'un prisonnier) [ɑ̃traːv]

une porte **entre-bâillée,** à peine ouverte [ɑ̃trəbaje]

[**entre** = *between, is a difficulty in compounds. Joined with a verb, it usually indicates* (a) *a lessening of the action* (as **entrevoir** = *to see, but only just*) *or* (b) *reciprocity, the verb acting mutually on two persons* (as **s'entre-tuer** = *to kill each other*) *Consider carefully therefore:*

s'entr'aider v. [ɑ̃trɛde]

s'entr'aimer v. [ɑ̃trɛme]

s'entre-choquer v. [ɑ̃trəʃɔke]

s'entre-dévorer v. [ɑ̃trədevore]

entrelacer v. enlacer l'un dans l'autre • [ɑ̃trəlase]

entr'ouvrir v. ouvrir à demi [ɑ̃truvriːr]

une **entrée,** • endroit par où l'on entre (p. 52) [ɑ̃tre]

sur ces entrefaites, pendant ce temps-là [ɑ̃trəfɛt]

entremêler v. mêler ensemble [ɑ̃trəmele]

un **entremets,** plat (*course*) servi entre le rôti et le dessert [ɑ̃trəmɛ]

par l'entremise de, grâce à; par l'intermédiaire de [ɑ̃trəmiːz]

un **entrepôt,** magasin où l'on dépose les marchandises [ɑ̃trəpo]

entreprenant, ardent, hardi [ɑ̃trəprənɑ̃]

un **entrepreneur,** commerçant; constructeur [ɑ̃trəprənœːr]

entreprendre v. tenter de faire une chose [ɑ̃trəprɑ̃ːdr]

un **entresol,** étage (de pièces basses) entre le rez-de-chaussée et le premier étage; *mezzanine* [ɑ̃trəsɔl]

entretenir v. (1) garder en bon état; (2) parler de [ɑ̃trətniːr]

un **entretien** (1) action d'entretenir; (2) conversation [ɑ̃trətjɛ̃]

une **entrevue,** rencontre arrangée [ɑ̃trəvy]

une porte **entr'ouverte,** • à demi ouverte (p. 76) [ɑ̃truvɛrt]

envahir *v.* occuper par force [ɑ̃vaiːr]

un **envahissement,** une invasion [ɑ̃vaismɑ̃]

un **envahisseur,** celui qui envahit [ɑ̃vaisœːr]

une **envergure,** largeur [ɑ̃vɛrgyːr]

envers, *towards* [ɑ̃vɛːr]

à l'envers, renversé,● retourné

une **envie** (1) un sentiment de jalousie et de dépit; (2) un grand désir [ɑ̃vi]

avoir envie de, désirer beaucoup

environ, à peu près [ɑ̃virɔ̃]

les **environs** de Londres sont très jolis

environner *v.* entourer [ɑ̃virɔne]

envisager *v.* regarder en face [ɑ̃vizaʒe]

un **envoi** (1) lettre, et (2) l'action de l'envoyer [ɑ̃vwa]

envoyer *v.* faire partir; *send* [ɑ̃vwaje]
j'envoie; j'envoyai; J'ENVERRAI

envoyer chercher *v.* *to send for*

s'envoler *v.* voler au loin [ɑ̃vɔle]

un **épagneul,** espèce de chien [epaɲœl]

épais (épaisse) *thick* [epɛ—epɛːs]

une **épaisseur,** qualité de ce qui est épais. Le verbe est **épaissir** [epɛsœːr—epesiːr]

un **épanchement,** une effusion [epɑ̃ʃmɑ̃]

s'épanouir *v.* s'ouvrir (en parlant des fleurs) L'action s'appelle un **épanouissement** [epanwiːr—epanwismɑ̃]

la **caisse d'épargne,** espèce de banque où on peut déposer des petites sommes [eparɲ]

épargner *v.* (1) économiser (son argent); (2) ne pas faire mal à (son ennemi) [eparɲe]

éparpillé, dispersé [eparpije]

épars, dispersé [epaːr]

épatant, splendide, extraordinaire [epatɑ̃]

un nez **épaté** ● [epate]

une **épaule,**● partie du bras (pl. G) [epoːl]

une **épaulette** ● [epolɛt]

une **épave,** débris d'un vaisseau; restes [epaːv]

une **épée** ● [epe]

épeler *v.* nommer les lettres d'un mot [eple]

éperdu, très agité [epɛrdy]

éperdument, avec émotion [epɛrdymɑ̃]

un **éperon** ● **éperonner** *v.* [eprɔ̃—eprɔne]

une **porte entr'ouverte**

un nez **épaté**

une **épaulette**

la garde
la lame
la poignée
une **épée**

un **éperon**

76

un **épervier,** oiseau de proie, *hawk* [epɛrvje]

éphémère, qui ne dure pas longtemps [efemɛːr]

un **épi** • [epi]

une **épice,** substance aromatique (comme le poivre) pour assaisonner (*season*) les aliments [epis]

le **pain d'épice,** sorte de pain brun foncé fait avec du miel

un **épicier,** une **épicière,** personne qui vend des épices, du sucre, des biscuits [epis-je, -jɛːr]

une **épicerie,** magasin d'un épicier [episri]

épier *v.* observer en secret [epje]

une **épine** • [epin]

épineux, couvert d'épines [epinø]

une **épingle** • [epɛ̃ːgl]

une **épingle de cravate** • (p. 147) [epɛ̃gle]

épingler *v.* [epɛ̃gle]

tiré à quatre épingles, très correctement habillé

une **épître,** espèce de lettre [epitr]

éploré, qui pleure beaucoup [eplɔre]

éplucher *v.* enlever les mauvaises feuilles etc. (en parlant des légumes) [eplyʃe]

les **épluchures,** les feuilles etc. enlevées [eplyʃyːr]

une **éponge** • (voir pl. H) [epɔ̃ːʒ]

une **époque,** espace de temps dans l'histoire [epɔk]

épouser *v.* se marier avec [epuze]

un **époux,** le mari • (p. 128) [epu]

une **épouse,** la femme • (p. 128) [epuːz]

épousseter *v.* enlever la poussière • [epuste]

épouvantable, terrible [epuvɑ̃taːbl]

un **épouvantail** • [epuvɑ̃taːj]

une **épouvante,** terreur [epuvɑ̃ːt]

épouvanter *v.* terrifier [epuvɑ̃te]

une **épreuve,** une expérience; *test* [eprœːv]

épris, amoureux [epri]

éprouver *v.* (1) mettre à l'épreuve; (2) endurer; (3) sentir [epruve]

épuisé, extrêmement fatigué [epɥize]

un **épuisement,** grande fatigue [epɥizmɑ̃]

épuiser *v.* mettre à sec; fatiguer; dépenser jusqu'au dernier sou [epɥize]

une **équerre** • [ekɛːr]

un **équilibre,** état de repos d'une balance [ekilibr]

des **épis** de blé

une **épine**

des **épingles**
A épingle de nourrice
B épingle à cheveux

un **épouvantail**

une **équerre**

un **équipage** (1) la voiture et les chevaux; (2) tous
les marins d'un même bateau [ekipa:ʒ]
une **équipe,** groupe de personnes qui travaillent ensemble. On dit aussi
une **équipe de football** [ekip]
une **équitation,** art de monter à cheval [ekitɑsjɔ̃]
équivaloir v. avoir la même valeur [ekivalwa:r]
équivoque, douteux, ambigu [ekivɔk]
un **érable,** grand arbre forestier, *maple* [era:bl]
une **ère,** âge, époque, période de l'histoire [ɛ:r]
éreinter v. battre sans merci; fatiguer [erɛ̃te]
éreinté, extrêmement fatigué [erɛ̃te]
un **ergot** • [ɛrgo]
ériger v. élever; bâtir; établir [eriʒe]
un **ermitage,** habitation d'un **ermite** (= homme
qui vit seul dans un désert) [ɛrmi-ta:ʒ, -t]
errer v. aller çà et là [ɛre]
une **erreur,** une faute [ɛrœ:r]
érudit, qui a beaucoup appris, qui a fait des
études longues et sérieuses [erydi]
un **escabeau**• = une **escabelle** [ɛska-bo, -bɛl]
une **escadre,** subdivision de la flotte [ɛska:dr]
une **escadrille,** petite escadre, surtout d'aéroplanes
[ɛskadri:j]
un **escadron,** troupe de cavalerie [ɛskadrɔ̃]
escalader v. franchir un mur; monter dans une
maison; attaquer une forteresse (au moyen
d'une échelle) [ɛskalade]
un **escalier** • [ɛskalje]
un **escamoteur,** un prestidigitateur • (p. 168)
Le verbe est **escamoter** [ɛskamɔ-tœ:r, -te]
un **escargot,** un colimaçon • [ɛskargo]
une **escarmouche,** un combat léger [ɛskarmuʃ]
escarpé, abrupt, difficile à gravir [ɛskarpe]
une **escarpolette,** balançoire • [ɛskarpɔlet]
s'esclaffer v. éclater de rire [sɛsklafe]
un **esclave,** homme en état de servitude [ɛskla:v]
un **esclavage,** servitude [ɛsklava:ʒ]
une **escouade,** groupe de soldats placés sous les
ordres d'un caporal [ɛskwad]
une **escrime,**• l'art de se battre à l'épée [ɛskrim]
un **escroc,** voleur adroit et rusé [ɛskro]
une **escroquerie,** fraude criminelle [ɛskrɔkri]

la patte d'un coq

un **escabeau**

la rampe
un **escalier**

le fleuret
l'escrime
(au fleuret)

MADRID
Séville
l'Espagne

un **espace,** *space* [ɛspɑːs]

une **espadrille,** chaussure (p. 35) [ɛspadriːj]

un **Espagnol,** habitant de l'**Espagne**
[ɛspaɲɔl—ɛspaɲ]

une **espagnolette** (p. 126) [ɛspaɲɔlɛt]

une **espèce,** une sorte [ɛspɛs]

une **espérance,** un **espoir,** attente d'un bonheur
incertain; *hope* [ɛsperɑ̃ːs—ɛspwaːr]

espérer *v.* attendre un bonheur probable [ɛspere]

espiègle, vif et gai, qui aime les plaisanteries
[ɛspjɛgl]

un **espion,** une **espionne,** personne qui se cache
dans le camp des ennemis pour découvrir
leurs plans [ɛs-pjɔ̃, -pjɔn]

espionner *v.* observer en secret [ɛspjɔne]

un **esprit,** inspiration; âme; intelligence; vivacité
intellectuelle [ɛspri]

les **esprits,** les anges, les démons, les fées etc.

le **Saint-Esprit,** personne de la Trinité

l' **esprit-de-vin,** l'alcool

une **esquisse,** dessin fait très vite [ɛskis]

esquisser *v.* dessiner très vite [ɛskise]

un **coup d'essai,** première tentative [kudɛsɛ]

essayer *v.* tâcher, tenter, *try* [ɛsɛje]

un **essaim** d'abeilles (voir p. 2) [ɛsɛ̃]

une **essence,** liquide volatil qui sert à faire marcher
les autos, les avions etc. [ɛsɑ̃ːs]

un **essieu** [ɛsjø]

essoufflé, hors d'haleine [ɛsufle]

un **essuie-mains** [ɛsɥimɛ̃]

essuyer *v.* nettoyer; sécher; éprouver [ɛsɥije]

l' **est,** un des quatre points cardinaux [ɛst]

UNE **estafette,** motocycliste militaire (ou cavalier)
qui porte des dépêches [ɛstafɛt]

un **estaminet,** un petit café [ɛstaminɛ]

estimer *v.* penser, juger [ɛstime]

un **estomac,** espèce de sac à l'intérieur du corps où
se fait la digestion [ɛstɔma]

une **estrade,** petit plancher élevé sur lequel on
place la table du professeur [ɛstrad]

estropié, qui a perdu un bras, une jambe
[ɛstrɔpje]

une **étable,** bâtiment pour les vaches [etabl]

il espionne
ses ennemis

la jante

un essieu

un essuie-mains

une estrade

une étagère

79

un **établi,**• table où travaille l'artisan [etabli]

    établir v. placer, poser (de façon stable)

        [etabliːr]

un **établissement,** chose établie (maison, magasin,

    hôpital etc.) [etablismɑ̃]

un **étage,**• toutes les pièces d'une maison situées

    sur le même niveau (pl. E) [etaːʒ]

une **étagère,**• petit meuble (p. 79) [etaʒɛːr]

un **étain,** métal blanc, Sn [etɛ̃]

un **étal,** boutique d'un boucher [etal]

un **étalage,** marchandises exposées dans un magasin

    [etalaːʒ]

    étaler v. exposer [etale]

    étamer v. recouvrir d'étain [etame]

    étancher v. arrêter (le sang, les larmes etc.);

    apaiser (la soif) [etɑ̃ʃe]

un **étang,** une grande mare [etɑ̃]

une **étape,** où les soldats s'arrêtent au cours d'une

    longue marche [etap]

un **état** (1) condition; (2) pays; nation [eta]

les **États-Unis,** pays de l'Amérique du Nord

un **état-major,** officiers qui dirigent une armée

un **étau** • [eto]

un **été,** la saison chaude de l'année [ete]

un **éteignoir** • [etɛɲwaːr]

    éteindre v. causer l'extinction d'un feu

    s'éteindre v. cesser de brûler [etɛ̃ːdr]

un **étendard,** un drapeau [etɑ̃daːr]

    étendre • v. déployer; allonger [etɑ̃ːdr]

une **étendue de terre,** *stretch of land* [etɑ̃dy]

    éternuer • v. [etɛrnɥe]

    étincelant, brillant [etɛ̃slɑ̃]

    étinceler v. jeter des étincelles [etɛ̃sle]

une **étincelle** électrique est bleue et brille comme un

    petit éclair • (p. 147) [etɛ̃sel]

un **étincellement,** scintillation [etɛ̃selmɑ̃]

une **étiquette** • [etiket]

    s'étirer v. allonger les bras quand on est fatigué

    [etire]

une **étoffe** • (voir p. 175) [etɔf]

une **étoile** •; le ciel **étoilé** • (p. 16) [etwal, -e]

    coucher **à la belle étoile,** en plein air

    étonnant, surprenant, extraordinaire [etɔnɑ̃]

un **étau**

un **éteignoir**

il **étend**
les bras

il **éternue**

une **étiquette**

étonner *v.* causer de l'étonnement [etɔne]

un **étonnement**, grande surprise [etɔnmã]

étouffer *v.* asphyxier, suffoquer [etufe]

une **étourderie**, action inintelligente, due à la distraction [eturdəri]

étourdi, qui agit sans penser [eturdi]

étourdir *v.* rendre stupide [eturdiːr]

un **étourdissement**, stupéfaction, stupeur, vertige [eturdismã]

un **étourneau**, oiseau, *starling* [eturno]

étrange, curieux, extraordinaire [etrãːʒ]

étranger, qui est d'un autre pays [etrãʒe]

à l'étranger, dans un pays étranger

étrangler *v.* tuer en pressant la gorge [etrãgle]

être *v.* *to be* [ɛːtr]
    étant; été; (j'ai été)
    je suis; je fus; je serai; que je sois

un **être**, une créature [ɛːtr]

étreindre *v.* embrasser: serrer dans ses bras (se conj. comme craindre) [etrɛ̃ːdr]

une **étreinte**, action d'embrasser [etrɛ̃ːt]

les **étrennes**, cadeaux du Jour de l'An [etrɛn]

un **étrier** • [etrie]

étriqué, petit, étroit [etrike]

étroit, qui n'est pas **large** (*wide*) [etrwɑ]

une **étude** (1) action d'étudier; (2) ce qu'on étudie; (3) le bureau d'un notaire [etyd]

un **étudiant**, personne qui étudie [etydjã]

étudier *v.* passer son temps à apprendre [etydje]

un **étui**,• espèce de petite boîte [etɥi]

eux, *they*, *them* [ø]

s'évader *v.* s'échapper [evade]

une **évasion**, action de s'échapper [evazjɔ̃]

s'évanouir • *v.* perdre connaissance [evanwiːr]

un **évêché**, diocèse d'un évêque [eveʃe]

un **évêque**, dignitaire de l'église, *bishop* [evɛːk]

en éveil, sur le qui-vive [ãnevɛːj]

éveillé, alerte, qui n'est pas endormi [eveje]

éveiller *v.* tirer du sommeil [eveje]

un **événement**, un incident [evɛnmã]

un **éventail** • [evãtaːj]

évidemment, d'une façon évidente [evidamã]

un **évier** • [evje]

une selle

un **étrier**

un **étui** à lunettes

il s'évanouit

un **éventail**

un **évier**

81

éviter *v.* essayer de ne pas rencontrer, *avoid*   [evite]

évoquer *v.* appeler par des paroles magiques   [evɔke]

exalté, fanatique   [egzalte]

un **examen,** une épreuve à l'école   [egzamɛ̃]

à l'excès, excessivement   [alɛksɛ]

exclure *v.* ne pas admettre   [ɛksklyːr]

Avez-vous un **exemplaire** de ce livre ?   [egzɑ̃plɛːr]

exercer *v.* donner de l'exercice à; employer   [egzɛrse]

FONTAINE
DES
INNOCENTS

exiger *v.* demander avec insistance   [egziʒe]

expédier *v.* envoyer   [ɛkspedje]

une **expérience,** épreuve expérimentale.   Le professeur de chimie (*chemistry*) fait beaucoup d'expériences   [ɛksperjɑ̃ːs]

expérimenté, qui a eu une longue expérience   [ɛksperimɑ̃te]

expier *v.* accepter la punition méritée   [ɛkspje]

une **explication,** signification; description; interprétation   [ɛksplikasjɔ̃]

expliquer *v.* rendre clair (ce qui est difficile)   [ɛksplike]

exploiter *v.* (1) développer; (2) obtenir un avantage au moyen de; tirer profit de   [ɛksplwate]

exprès, avec intention; à dessein   [ɛksprɛ]

expressément, formellement   [ɛkspresemɑ̃]

exprimer *v.* dire; parler; énoncer   [ɛksprime]

expulser *v.* chasser   [ɛkspylse]

exquis (**exquise**) délicieux   [ɛkski—ɛkskiːz]

une **extase,** ravissement; admiration excessive   [ɛkstaːz]

un **externe,** élève qui ne couche pas à l'école, *day-boy*   [ɛkstɛrn]

un **extrait** (1) ce qu'on tire d'une substance (le verbe est **extraire**); (2) passage tiré d'un livre   [ɛks-trɛ, -trɛːr]

un **fabricant,** propriétaire d'une **fabrique** •   [fabrikɑ̃—fabrik]

fabriquer *v.* (1) faire; (2) manufacturer   [fabrike]

fabuleux, imaginaire: comme dans une fable   [fabylø]

la **façade** • d'un bâtiment, la face principale (pl. A)   [fasad]

se fâcher *v.* se mettre en colère   [faʃe]

fâcheux, regrettable   [faʃø]

facile, aisé.   Le contraire est **difficile**   [fasil]

une **façon** (1) manière; (2) cérémonie; (3) coupe
(d'un vêtement) [fasɔ̃]

   façonner *v.* faire, former, modeler [fasɔne]

le **facteur** • distribue les lettres [faktœːr]

un **factionnaire,** sentinelle. On dit d'une sentinelle qu'ELLE est **en faction**

[faksjɔnɛːr—faksjɔ̃]

   facultatif, qu'on n'est pas forcé de faire

[fakyltatif]

   fade, insipide [fad]

la **fadeur,** insipidité; absence de goût [fadœːr]

un **fagot** • [fago]

   faible, sans force: contraire de **fort** [fɛːbl]

une **faiblesse,** absence de force, d'énergie [fɛbles]

   faiblir *v.* devenir faible [fɛbliːr]

la **faïence,** poterie bon marché [fajãːs]

   faillir *v.* (1) tomber en faute; (2) manquer à
son devoir [fajiːr]

   j'ai failli mourir = j'étais sur le point de
mourir

   faire **faillite,** faire banqueroute [fajit]

la **faim,** le désir de manger [fɛ̃]

   fainéant, très paresseux [feneã]

la **fainéantise,** paresse extrême [feneãtiːz]

   faire *v. to make, to do* [fɛːr]

   faisant [fəzã]; fait; (j'ai fait)
je fais; je fis; je ferai; que je fasse

[*In impersonal expressions about weather,* faire *is used
instead of* être: *e.g.*

   il FAIT **beau temps** = le temps EST beau
Faire *used as a helping verb has the value of* causer,
to cause. Consider:

   j'ai fait bâtir une maison = sur mes ordres,
on a bâti une maison]

un **fait,** chose faite; action; exploit [fɛ]

un **faisan,**• oiseau (voir pl. F) [fɛzã]

le **faîte,** partie la plus haute d'un arbre, d'un
édifice [fɛːt]

un **faix,** un fardeau • (p. 193) [fɛ]

une **falaise** • [falɛːz]

   fallacieux, décevant [falasjø]

   falloir *v.* être nécessaire [falwaːr]

   il faut; il a fallu; il fallut; il faudra

une **fabrique**

une **sacoche**

le **facteur**

le bûcheron **fait un fagot**

les **falaises**

un **falot**

83

MA FAMILLE (PHOTOS PRISES PAR MON PETIT FRÈRE, PAUL)

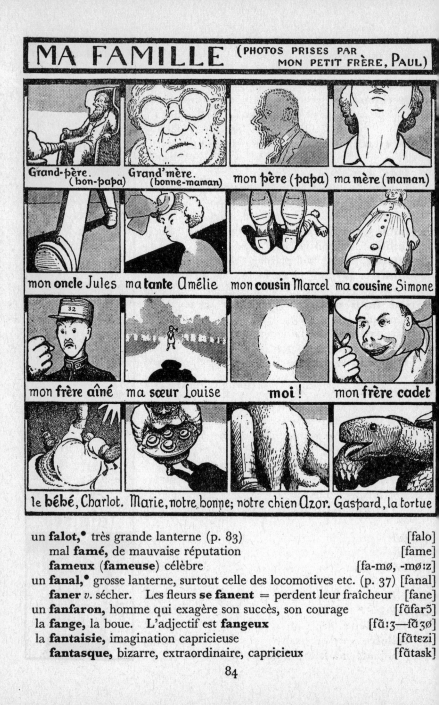

Grand-père. (bon-papa) Grand'mère. (bonne-maman) mon père (papa) ma mère (maman)

mon **oncle** Jules ma **tante** Amélie mon **cousin** Marcel ma **cousine** Simone

mon **frère** aîné ma **sœur** Louise **moi!** mon **frère** cadet

le **bébé**, Charlot. Marie, notre **bonne**; notre chien Azor. Gaspard, la tortue

---

un **falot,** très grande lanterne (p. 83)   [falo]
mal **famé,** de mauvaise réputation   [fame]
fameux (fameuse) célèbre   [fa-mø, -mø:z]
un **fanal,** grosse lanterne, surtout celle des locomotives etc. (p. 37) [fanal]
faner v. sécher.   Les fleurs **se fanent** = perdent leur fraîcheur   [fane]
un **fanfaron,** homme qui exagère son succès, son courage   [fãfarõ]
la **fange,** la boue.   L'adjectif est **fangeux**   [fã:ʒ—fãʒø]
la **fantaisie,** imagination capricieuse   [fãtezi]
fantasque, bizarre, extraordinaire, capricieux   [fãtask]

84

un **fantassin,** soldat d'infanterie [fɑ̃tasɛ̃]
un **fantôme** • [fɑ̃toːm]
un **faon,** petit de la biche, *fawn* [fɑ̃]
un **faquin,** homme vulgaire, impertinent [fakɛ̃]
un **farceur,** personne drôle [farsœːr]
    farci, rempli de **farce** (*stuffing*)   Le dindon de
    Noël est farci de saucisses [farsi—fars]
le **fard,** substance dont se servent les acteurs pour
    se colorer le visage; cosmétique [faːr]
    fardé, peint.   Le verbe est **farder** [farde]
un **fardeau,**• un poids lourd (p. 193) [fardo]
la **farine,**• grain en forme de poudre blanche
    (p. 158) [farin]
    farouche (1) timide; (2) sauvage, cruel [faruʃ]
le **faste,** pompe; luxe imposant [fast]
    fastueux, pompeux, magnifique [fastɥø]
    fastidieux, ennuyeux [fastidjø]
un **fat,**• homme stupide et vaniteux [fat]
    fatalement, inévitablement [fatalmɑ̃]
un **fatras** (1) désordre; mélange confus; (2) écrit
    stupide [fatrɑ]
un **faubourg,** quartier extérieur d'une ville. Chis-
    wick est un faubourg de Londres [fobuːr]
    faucher • *v.* couper avec une faux [foʃe]
un **faucheur,** celui qui fauche [foʃœːr]
une **faucheuse,** machine qui sert à faucher le blé etc.
    [foʃøːz]
une **faucille** •   UNE **faux** • [fosiːj —fo]
un **faucon,** oiseau de proie, *falcon* [fokɔ̃]
UN **faune** • [foːn]
LA **faune,** les animaux d'un pays [foːn]
un **faussaire,** personne qui commet UN **faux**
    (*forgery*) [fosɛːr]
    fausser *v.* rendre faux [fose]
  la **fausseté,** contraire de la **vérité** [foste]
    faux (**fausse**) qui n'est pas vrai [fo—foːs]
une **faute,** une erreur [foːt]
un **fauteuil,**• siège à bras (p. 185) [fotœːj]
un **fauve,** une bête sauvage [foːv]
les **grands fauves,** lions, tigres, panthères etc.
une **fauvette,** oiseau chanteur, *warbler* [fovɛt]
les **favoris** • (p. 86) [favɔri]
une **fée,** être surnaturel, *fairy* [fe]

un
fantôme

un
fat

une
faucille

la faux
il fauche l'herbe

un
faune

féerique, merveilleusement beau [ferik]

feindre v. faire semblant de, *pretend* [fɛ̃:dr]

un vase **fêlé,** un vase légèrement brisé [fɛle]

une **femelle.** Le contraire est **mâle** [fəmɛl]

une **femme de chambre,** domestique personnelle

la **femme de ménage •** vient tous les jours aider
la maîtresse de maison (p. 129) [fam]

la **fenaison,** la récolte du foin [fənɛzɔ̃]

fendre v. diviser (au moyen d'une hache) [fɑ̃:dr]
il gèle **à pierre fendre** (= très fort)

une **fente,** ouverture longue et étroite [fɑ̃:t]

une **fenêtre •** (voir pl. E) [fənɛ:tr]

le **fer,** métal dur et lourd, Fe [fɛ:r]

les **fers,** les chaînes [fɛ:r]

un **fer à cheval •** un **fer à repasser •**

le **fer-blanc,** métal dont on fait les boîtes de con-
serves, plateaux,• bouilloires • etc. (c'est-à-dire,
la **ferblanterie**) [fɛrblɑ̃, -tri]

la **ferraille,** vieilles choses en fer [fɛrɑ:j]

la **voie ferrée,** le chemin de fer [vwafɛre]

ferrer un cheval = fixer des fers aux pieds d'un
cheval [fɛre]

un jour **férié,** jour de repos, de fête [feje]

sans coup férir, sans frapper un coup [feri:r]

ferme, solide, constant, stable [fɛrm]

la **fermeté,** solidité, constance [fɛrməte]

une **ferme •** [fɛrm]

le **fermier** dirige une ferme [fɛrmje]

la **fermière,** femme du fermier [fɛrmjɛ:r]

fermer v. le contraire d'**ouvrir** [fɛrme]

féroce, sauvage et cruel [ferɔs]

fesser v. battre, fouetter [fese]

un **festin,** repas magnifique: banquet [fɛstɛ̃]

un **feston •** [fɛstɔ̃]

une **fête,** jour de joie, de réjouissances [fɛ:t]

fêter v. célébrer une fête [fete]

un **fétu,** petit brin de paille [fety]

un **feu •** [fø]

un **feu d'artifice,** illumination due à des fusées,•
pétards,• soleils (*catherine-wheels*) etc.

feu le roi = le roi qui est mort récemment

le **feuillage •** d'un arbre (p. 13) [fœja:ʒ]

une **feuille •** (p. 13) [fœj]

les **favoris**
de mon oncle

un
fer à cheval

un **fer**
à friser

un
fer à repasser

une **ferme**

un
feston

feuilleter v. tourner les pages de [fœjte]
le **feutre,** étoffe dont on fait les chapeaux [føːtr]
une **fève,**° légume (pl. D) [fɛːv]
un **février,** deuxième mois de l'année [fevrie]
fi ! exclamation de dégoût [fi]
un **fiacre,** voiture qu'on loue; *cab* [fjakr]
les **fiançailles,** promesses solennelles de mariage
[fjãsaːj]
un **fiancé,** une **fiancée,** personne qui fait promesse
de mariage [fjãse]
ficeler v. lier un paquet avec une **ficelle**
(= très petite corde) [fisle—fisɛl]
une **fiche** (1) morceau de bois, en pointe: *peg*; (2)
petite carte sur laquelle on écrit le nom d'un
livre etc. et qu'on classe dans une boîte [fiʃ]
ficher v. planter, enfoncer, fixer [fiʃe]
un **fichu** ° [fiʃy]
fidèle, constant; qui garde ses promesses [fidɛl]
le **fiel,** la bile [fjɛl]
se fier à v. avoir confiance en [fje]
fier (fière) arrogant; courageux [fjɛːr]
la **fierté,** arrogance [fjɛrte]
une **fièvre,** élévation de température du corps, qui
caractérise beaucoup de maladies [fjɛːvr]
fiévreux, qui a la fièvre [fjevrø]
un **fifre,** petite flûte militaire [fifr]
figer v. congeler (en parlant de la graisse) [fiʒe]
une **figue,** le fruit du **figuier** [fig, -je]
une **figure,**° forme; visage (p. 153) [figyːr]
se figurer v. s'imaginer [figyre]
un **fil** ° de coton (p. 4), de cuivre, de fer etc. [fil]
le **fil de l'eau,** le courant [fildlo]
le **fil d'un rasoir,** le côté tranchant (*cutting*)
passer au fil de l'épée = massacrer
filer v. (1) faire des fils de coton etc.; (2) aller
vite [file]
une étoile **filante,** météore lumineux [filãːt]
à la file, l'un derrière l'autre [fil]
un **filet** de pêcheur ° [filɛ]
un **filet** de compartiment de chemin de fer °
un **filet d'eau,** petite quantité d'eau qui coule
une **fille,**° une **fillette** [fiːj—fijɛt]
un **filleul,** *godson*; une **filleule** [fijœl]

la fumée
les flammes
un **feu**

un **fichu**

un **filet**

on met les bagages
sur le **filet**

mon fils et
ma fille

87

un **filou,** un voleur; **filouter** v. [filu, -te]

un **fils** • (p. 87) [fis]

une **fin,** une extrémité; un but [fɛ̃]
    fin (fine) pur, de bonne qualité, délicat
    finaud, assez rusé [fino]
    finir v. achever, compléter, terminer [fini:r]
        finissant; fini; (j'ai fini)
        je finis; je finis; je finirai

une **fiole,** une petite bouteille [fjɔl]

le **fisc,** l'administration des taxes etc. [fisk]

    fixe. Un prix fixe. Une idée fixe [fiks]

un **flacon,** petite bouteille (de parfum etc.) [flakɔ̃]

    flageoler v. trembler, chanceler [flaʒɔle]

    flagrant, évident [flagrɑ̃]

un **flair,** odorat (*sense of smell*) du chien. Le verbe
    est **flairer** [flɛ:r—flɛre]

un **Flamand,** habitant des **Flandres** •
                    [flamɑ̃—flɑ̃:dr]

un **flamant,**• oiseau à long cou (pl. F) [flamɑ̃]

un **flambeau,**• torche (p. 72); chandelle [flɑ̃bo]

    flamber v. brûler [flɑ̃be]

    flamboyant, brillant [flɑ̃bwajɑ̃]

    flamboyer v. briller comme une flamme
                    [flɑ̃bwaje]

    flâner v. se promener sans but; *saunter* [flɑne]

une **flânerie,** promenade à l'aventure [flɑnri]

un **flâneur,** personne qui flâne [flɑnœ:r]

une **flaque,** petite mare (*pool*) [flak]

    flasque, mou, faible, sans énergie [flask]

    flatter v. caresser [flate]

un **fléau** • (1) instrument pour battre le blé; (2)
    une calamité terrible [fleo]

une **flèche,**• projectile (p. 15) La **flèche** • d'une
    église = l'extrémité du clocher (pl. A) [flɛʃ]

    fléchir v. Le contraire est **résister** [fleʃi:r]

    flétrir v. ôter les belles couleurs. **Flétrir**
    un criminel, le marquer d'un fer rouge
                    [fletri:r]

une **fleur** • (pl. B) Le verbe est **fleurir**
    à fleur de, au niveau de [flœ:r—flœri:r]

une **fleur de lis** • [flœrdəlis]

un **fleuriste,** marchand de fleurs [flœrist]

    florissant, très prospère [flɔrisɑ̃]

Ostende
Dunkerque
Ypres
Hazebrouck
LILLE
les **Flandres**

il bat le blé avec un **fléau**

une **fleur de lis**

les **flocons** de neige

une **artère**
une **veine**

le **foie**

un **coin** du **jardin**

UNE FLEUR
les **pétales**
la **corolle**
le **calice**
la **tige**
la **feuille**

1. la **rose**
2. le **lis**
3. le **muguet**
4. un **œillet**
5. la **digitale**
6. le **chèvrefeuille**
7. la **rose trémière**
8. le **souci**
9. la **pensée**
10. le **narcisse**

PLANCHE **B**

LES FLEURS

88]

un **fleuret,*** espèce d'épée (p. 78) [flœrɛ]
un **fleuve,** grande rivière [flœːv]
un **flocon de neige** * [flɔkɔ̃]
un **flot,** grande quantité de liquide; une vague; la
   mer elle-même [flo]
une **flotte,** réunion de bateaux; force navale [flɔt]
une **flottille,** petite flotte [flɔtiːj]
  flotter v. rester à la surface d'un liquide [flɔte]
une **fluxion** de poitrine, inflammation du poumon *
   (p. 166) [flyksjɔ̃]
la **foi,** la fidélité; la religion [fwa]
  ajouter foi à = croire
le **foie,*** organe du corps; *liver* [fwa]
le **foin,*** herbe séchée (p. 130) [fwɛ̃]
une **foire,** marché public et lieu d'amusement [fwaːr]
une **fois,** deux fois, trois fois etc. (en comptant)
  à la fois, en même temps [fwa]
  à foison, en grande quantité [fwazɔ̃]
  foisonner v. abonder [fwazɔne]
  folâtre, gai, plaisant [fɔlaːtr]
la **folie,** gaîté déraisonnable; démence [fɔli]
  foncé, sombre [fɔ̃se]
  foncer sur v. courir sur (pour attaquer) [fɔ̃se]
  foncièrement, profondément [fɔ̃sjɛrmɑ̃]
mes **fonctions,** mon poste, mon travail [fɔ̃ksjɔ̃]
le **fonctionnement** d'une machine, son action, la
  façon dont elle **fonctionne** (*works*)
                  [fɔ̃ksjɔnmɑ̃]
le **fond,** partie la plus basse. On dit: le fond
  (*back*) de la classe: le fond (*depths*) des bois:
  au fond de la mer [fɔ̃]
  de fond en comble, complètement
un **fondement,** une base [fɔ̃dmɑ̃]
  fonder v. créer [fɔ̃de]
  fondre * v. changer en liquide un corps solide.
   La neige fond au soleil [fɔ̃ːdr]
une **fondrière,** terrain plein de boue [fɔ̃driɛːr]
un **fonds,** une somme d'argent, un capital [fɔ̃]
la **fonte** (1) action de fondre; (2) fer (métal) plus
  ou moins impur [fɔ̃ːt]
un **forçat,*** homme condamné aux **travaux**
  forcés (*hard labour*) [fɔrsa—fɔrse]
  forcené, furieux, frénétique [fɔrsəne]

le bonhomme
fond
au soleil

un
forçat

un
forgeron

un
fossé

le manche

la
lanière

un
fouet

une **forêt,** un grand bois • (p. 13)   [fɔrɛ]

un **forfait,** un crime   [fɔrfɛ]

le **forgeron** • (p. 89) ouvrier qui travaille dans une **forge**   [fɔrʒərɔ̃—fɔrʒ]

fort, robuste, le contraire de **faible**   [fɔːr]

fort stupide = très stupide

une **fosse,** excavation au cimetière dans laquelle on descend le cercueil •   [foːs]

un **fossé** • (p. 89)   [fose]

une **fossette,** petit trou qui se forme à la joue d'un bébé lorsqu'il rit   [fosɛt]

le **fossoyeur** creuse les fosses   [foswajœːr]

fou, fol (folle) qui a perdu la raison   [fu—fɔl]

la **foudre,** étincelle électrique qui cause le tonnerre   [fuːdr]

foudroyer v. frapper de la foudre   [fudrwaje]

un **fouet** • (p. 89) Le verbe est **fouetter**   [fwɛ, -te]

la **fougère** •   [fuʒɛːr]

la **fougue,** ardeur, passion   [fug]

fougueux, violent, impétueux   [fugø]

fouiller v. chercher dans tous les coins   [fuje]

un **foulard,** grand mouchoir • de cou   [fulaːr]

une **foule,** une multitude   [ful]

fouler aux pieds = marcher dessus   [fule]

un **four** • On fait cuire le pain, les gâteaux etc. dans le four   [fuːr]

fourbe, trompeur, perfide   [furb]

une **fourberie,** perfidie   [furbəri]

fourbir v. polir (une épée etc.)   [furbiːr]

une **fourche** • (voir aussi p. 13)   [furʃ]

une **fourchette** •   [furʃɛt]

fourcher v. bifurquer; se diviser en deux   [furʃe]

fourchu, qui se divise en deux   [furʃy]

le **fourgon,** wagon (d'un train) où l'on met les bagages   [furgɔ̃]

une **fourmi,** • insecte. Les fourmis habitent une **fourmilière** •   [furmi—furmiljɛːr]

un **fourmilier,** • animal curieux qui se nourrit de fourmis (p. 9)   [furmilje]

un **fourmillement,** activité; confusion; grande abondance   [furmijmɑ̃]

fourmiller v. pulluler; être plein de   [furmije]

une **fournaise,** un feu immense   [furnɛːz]

une **fougère**

une **dent**

une **fourche**

une **fourchette**

les **fourmis** dans une **fourmilière**

le **four**

un **fourneau à gaz**

un **fourneau** • à gaz [furno]
un **haut fourneau,** où l'on fait fondre le fer
 fournir v. procurer ce qui est nécessaire. Le
 marchand qui vous fournit des provisions etc.
 s'appelle un **fournisseur** [fur-ni:r, -nisœ:r]
le **fourrage,** nourriture pour les bestiaux [fura:ʒ]
un **fourré,** un bois très épais [fure]
le **fourreau** • d'une épée [furo]
 fourrer v. (1) garnir de fourrure; (2) mettre
 (avec une idée de hâte, de désordre) [fure]
un **fourreur,** marchand de fourrures [furœ:r]
ne **fourrure,** • peau d'un chat etc. [fury:r]
le **foyer** (1) partie de la cheminée où on fait le feu;
 (2) la maison elle-même; (3) partie du théâtre
un **foyer** • de locomotive (p. 37) [fwaje]
un **frac,** habit noir [frak]
un **fracas,** bruit terrible [fraka]
 fracasser v. briser avec violence [frakase]
 fraîchement, récemment [frɛʃmã]
la **fraîcheur,** qualité de ce qui est frais [frɛʃœ:r]
 fraîchir v. devenir plus frais [frɛʃi:r]
 frais (fraîche) (1) nouveau; (2) presque froid
          [frɛ—frɛ:ʃ]
les **frais,** les dépenses [frɛ]
ne **fraise,** • un fruit délicieux (pl. **C**) [frɛ:z]
ne **framboise,** • fruit très parfumé [frãbwa:z]
un **franc,** pièce d'argent [frã]
 franc (franche) sincère [frã—frã:ʃ]
 franchement, sincèrement [frã:ʃmã]
 franchir v. traverser, passer (par-dessus) [frãʃi:r]
la **franchise,** la sincérité [frãʃi:z]
un **franc-maçon,** membre de la **franc-maçon-
 nerie,** société secrète [frãma-sõ, -sɔnri]
un **franc-tireur,** soldat du 'maquis' [frãtirœ:r]
ne **frange,** • tissu décoratif pour border les vêtements etc.; **franger** v. [frã:ʒ—frãʒe]
 frapper v. donner un coup à [frape]
 frayer un chemin, tracer un chemin [freje]
ne **frayeur,** une peur extrême [frejœ:r]
 fredonner v. chanter à demi-voix [frədɔne]
ne **frégate,** un vaisseau de guerre [fregat]
un **frein** • (p. 23) appareil pour arrêter brusquement une auto etc.; **freiner** v. [frɛ̃—frene]

un
fourreau

un manteau
de **fourrure**

le châle

la frange

un
frelon

un morceau
de **fromage**

frêle, fragile [frɛːl]

un **frelon,**• espèce de grosse guêpe [frəlɔ̃]

frémir v. trembler, vibrer [fremiːr]

un **frémissement,** vibration [fremismã]

un **frêne,** arbre forestier, *ash* [frɛːn]

une **frénésie,** fureur; excitation furieuse [frenezi]

fréquemment, souvent [frekamã]

un **frère** • (voir Ma Famille, p. 84) [frɛːr]

fréter v. équiper (un vaisseau) [frete]

friand, qui aime les sucreries etc. [friã]

les **friandises,** gâteaux, bonbons etc. [friãdiːz]

une terre en **friche** = terre non cultivée [friʃ]

frileux, qui craint le froid [frilø]

le **frimas,** gelée blanche [frima]

la **friperie,** vieux vêtements usés [fripri]

un **fripon,** personne malhonnête [fripɔ̃]

frire v. faire cuire dans une poêle • [friːr]

les pommes **frites,** *chips* [pɔmfrit]

les cheveux **frisés** = les cheveux bouclés • [frize]

il **frise** la quarantaine, il a presque 40 ans

un **frisson,** un tremblement [frisɔ̃]

un **frissonnement,** un frisson [frisɔnmã]

frissonner v. trembler de froid [frisɔne]

frivole, trivial, futile [frivɔl]

le **froc,** vêtement d'un moine • [frɔk]

le **froid.** En hiver nous avons froid [frwa]

froid (froide) La glace est froide [frwa, -d]

la **froideur,** la frigidité [frwadœːr]

froisser v. On froisse un papier en en faisant
une boule qu'on jette dans la corbeille; on
froisse un camarade en lui disant des paroles
offensantes [frwase]

frôler v. toucher légèrement [frole]

un **fromage** • (p. 91) [frɔmaːʒ]

le **froment,** espèce de blé, *wheat* [frɔmã]

froncer les sourcils,• regarder d'un air fâché
[frɔ̃se]

le **front,**• partie du visage [frɔ̃]

une **frontière** sépare deux états [frɔ̃tjɛːr]

frotter v. On frotte une allumette contre la
boîte pour l'allumer: l'action s'appelle un
frottement [frɔt-e, -mã]

un **frou-frou,** bruit d'une robe de soie [frufru]

le professeur **fronce** les sourcils

un **front bombé**

il **fume** une **pipe**

une **fusée**

le **fût**

un **fusil**

le **canon**

la **crosse**

les **cartouches**

une **pomme**   une **grappe** de **raisin**   une **pamplemousse**

une **prune**   des **fraises**   des **framboises**   une **pêche**

des **cerises**   des **noix**   des **groseilles** des **cassis**

une **orange** une **poire**   une **grenade** un **citron**

des **bananes**   un **ananas**   un **melon**

PLANCHE **C**

LES FRUITS

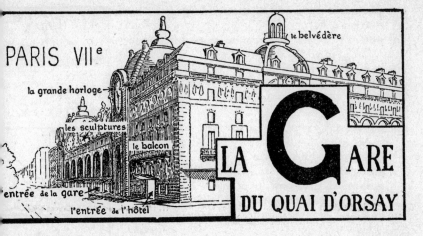

PARIS VIIe — LA GARE DU QUAI D'ORSAY

le belvédère

la grande horloge

les sculptures

le balcon

entrée de la gare

l'entrée de l'hôtel

une **fruiterie,** boutique où l'on vend des fruits.   Le vendeur s'appelle le
    fruitier, sa femme, la **fruitière**   [frɥitri—frɥitje—frɥitjeːr]
    fuir *v.* courir; se sauver; s'écouler   [fɥiːr]
une **fuite,** action de fuir.   Une **fuite de gaz** est très dangereuse: elle peut
    causer une explosion   [fɥit]
  la **fumée** • (p. 87)   Le verbe est **fumer** •   [fyme]
un **fumeur,** celui qui fume (une pipe, une cigarette etc.) [fymœːr]
un **fumoir,** pièce de la maison réservée aux fumeurs [fymwaːr]
  le **fumier,** l'excrément des chevaux, vaches etc. [fymje]
    funèbre, triste, lugubre   [fynɛːbr]
les **funérailles,** enterrement • solennel (p. 74) [fyneraːj]
    funéraire, qui concerne les funérailles [fynereːr]
    funeste, cruel, mortel [fynɛst]
    au fur et à mesure, comme; progressivement; à proportion de [fyːr]
un **furet,** petit carnivore qui fait la chasse aux lapins; *ferret* [fyrɛ]
    fureter *v.* chercher partout, dans tous les coins [fyrte]
  la **fureur,** une colère violente [fyrœːr]
une **fusée,**• pièce d'artifice [fyze]
un **fusil** •   Le verbe **fusiller** = tuer à coups de fusil [fyzi, -je]
un **fût** • (1) le bois d'un fusil; (2) tonneau •; (3) partie d'une colonne
    (p. 18); (4) un grand arbre   [fy]
un **fuyard,** soldat qui quitte la bataille sans se battre [fɥijaːr]

    g, septième lettre de l'alphabet [ʒe]
    gâcher *v.* faire un travail sans soin et mal [gaʃe]
un **gâcheur,** mauvais travailleur [gaʃœːr]
  le **gâchis,** situation compliquée; désordre [gaʃi]

93

une **gâchette,** partie de la détente • (p. 50) d'une arme à feu [gɑʃɛt]

une **gaffe** (1) longue perche pour accrocher un objet dans l'eau; (2) erreur ridicule [gaf]

un **gaga,** vieil imbécile [gaga]

un **gage,** une garantie [gaːʒ]

les **gages,** la paie des domestiques

    gager v. parier, *wager* [gaʒe]

une **gageure,** l'argent etc. qu'on gage, ou l'action de gager [gaʒyːr]

    gagner v. faire un **gain** [gaɲe—gɛ̃]

    gai (**gaie**) Contraire: **mélancolique** [ge]

    gaiement, gaîment, avec joie [gemɑ̃]

    mettre en **gaieté** (**gaîté**), faire rire [gete]

un **gaillard,** homme robuste, vigoureux et d'humeur gaie [gajaːr]

une **gaine,** étui • d'un couteau etc. [gɛːn]

    galamment, d'une manière **galante,** c'est-à-dire gracieuse et polie, surtout auprès des dames [galamɑ̃—galɑ̃ːt]

la **gale,** maladie de la peau qui donne envie de se gratter [gal]

    galeux, qui souffre de la gale [galø]

une **galère** • [galɛːr]

un **galérien** (1) criminel; (2) forçat • [galerjɛ̃]

une **galerie,** • partie du théâtre (p. 204) [galri]

un **galet** • [galɛ]

un **galetas,** logement sous les toits [galta]

une **galette,** espèce de gâteau plat [galɛt]

un **galimatias,** discours difficile à comprendre [galimatja]

un **Gallois,** habitant du **Pays de Galles** • [galwa—peidəgal]

une **galoche,** espèce de sabot • (p. 35) [galɔʃ]

un **galon,** morceau d'étoffe que le sous-officier porte sur la manche pour indiquer son grade [galɔ̃]

    galoper v. aller au **galop** [galɔpe—galo]

    gambader v. sauter (*jump*) çà et là comme un petit agneau [gɑ̃bade]

une **gamelle,** écuelle • de métal dont se servent les soldats [gamɛl]

un **gamin,** une **gamine,** enfant [ga-mɛ̃, -min]

une **gaminerie,** action de gamin [gaminri]

une **galère**

les **galets**

le **Pays de Galles**

Canal de Bristol

un **garçon de café**

le **garde champêtre**

une **gamme,** suite de 8 notes en musique [gam]
la croix **gammée,** emblème de Hitler [game]
un **gant** • (p. 211) [gɑ̃]
garanti, de bonne qualité [garɑ̃ti]
un **garçon** (1) enfant mâle; (2) homme non marié
un **garçon de café** • [garsɔ̃]
un **garçonnet,** jeune garçon [garsɔnɛ]
une **garçonnière,** appartement d'un **célibataire**
    (*bachelor*) [garsɔnjɛːr]
la **garde** (1) action de garder; surveillance;
    (2) régiment célèbre [gard]
un **garde** (1) soldat de la Garde; (2) gardien
un **garde champêtre** • [ʃɑ̃pɛːtr]
    [*Many compounds beginning with* **garde-** *signify*
    a person (or thing) which keeps, guards or protects
    what is indicated by the other half of the word:
    e.g. un (une) **garde-malade,** *a sick-nurse.* *Try*
    to make out similarly:
un **garde-boue** • (p. 214)
un **garde-cendre**
un **garde-chasse,** homme qui garde le gibier •
un **garde-côte,** bateau qui protège les côtes
un **garde-feu**
un **garde-fou,** parapet d'un pont etc.
un **garde-manger,** armoire où on met les **aliments**
    (= le pain, la viande etc.)
une **garde-robe,** armoire pour les robes etc.]
un **gardien,** personne qui garde [gardjɛ̃]
une **gare,**• station de chemin de fer [gaːr]
une **gargote,** petit café sale [gargɔt]
une **gargouille** • [garguːj]
un méchant **garnement,** petit garçon de mauvais
    caractère [garnəmɑ̃]
un **garni,** appartement meublé [garni]
garnir v. (1) mettre les choses nécessaires;
    (2) décorer [garniːr]
une **garnison,** soldats qui protègent une ville, une
    forteresse etc. [garnizɔ̃]
garrotter v. lier solidement [garɔte]
un **gars,** un garçon, un jeune homme [gɑ]
gaspiller v. dissiper stupidement [gaspije]
un **gaspillage,** prodigalité [gaspijaːʒ]
un **gâteau** • [gɑto]

la passerelle →

VARVILLE

une **gare**

une **gargouille**

un **gâteau**

le **gazon**

un **gendarme** à cheval

gâter v. rendre pire, *spoil* [gɑte]

gauche (1) maladroit; (2) du côté du cœur [goːʃ]

une **gaucherie,** action maladroite, stupide [goʃri]

une **gaule,** une longue perche (*pole*) [goːl]

un **Gaulois,** habitant de la **Gaule** [golwa]

un **gave,** torrent des Pyrénées [gaːv]

le **gaz d'éclairage,** gaz qu'on brûle ordinairement dans les maisons [gɑːz]

la **gaze,** étoffe légère, transparente [gɑːz]

le **gazon,**• herbe courte et fine (p. 95) [gazɔ̃]

le **gazouillement,** bruit des oiseaux. Le verbe est **gazouiller** [gazujmɑ̃—gazuje]

un **geai,** oiseau à plumage gris et bleu [ʒe]

un **géant,** personne d'une stature excessive [ʒeɑ̃]

geindre v. gémir, se plaindre; *moan* [ʒɛ̃ːdr]

la **gelée,** froid qui change l'eau en glace. On dit aussi une **gelée de fruits** etc. [ʒəle]

geler v. changer (l'eau) en glace [ʒəle]

gémir v. faire un bruit plaintif quand on est malade [ʒemiːr]

un **gémissement,** lamentation [ʒemismɑ̃]

le **gendarme,**• soldat chargé de maintenir l'ordre public (p. 95) [ʒɑ̃darm]

la **gendarmerie** (1) corps de gendarmes; (2) caserne de gendarmes [ʒɑ̃darməri]

mon **gendre,** le mari de ma fille [ʒɑ̃ːdr]

la **gêne,** torture, contrainte, pauvreté [ʒɛːn]

gêner v. incommoder, embarrasser [ʒɛne]

sans gêne, *free and easy* [sɑ̃ʒɛːn]

le **genêt,** arbrisseau à fleurs jaunes, *broom* [ʒənɛ]

génial, qui a du génie [ʒenjal]

un **génie,** homme de talent exceptionnel [ʒeni]

le **génie** (1) talent exceptionnel; (2) section de l'armée qui s'occupe de la construction des forts, des ponts etc.

le **genièvre,** liqueur alcoolique, *gin* [ʒənjɛːvr]

une **génisse,** jeune vache [ʒenis]

un **genou,**• partie de la jambe (pl. G) [ʒənu]

un **genre,** sorte, espèce [ʒɑ̃ːr]

les **gens,** les personnes [ʒɑ̃]

gentil (gentille) agréable, poli; joli [ʒɑ̃-ti, -tiːj]

une **gentillesse,** action agréable [ʒɑ̃tijes]

gentiment, d'une manière gentille [ʒɑ̃timɑ̃]

un **geôlier**

une **gerbe** de blé

le lapin et le faisan

le **gibier**

un **gibet**

le cuisinier

un **gigot** de mouton

un **gentilhomme** (des **gentilshommes**) homme
de famille noble [ʒɑ̃tijɔm—ʒɑ̃tizɔm]
une **geôle,** une prison [ʒoːl]
un **geôlier,** • gardien d'une prison [ʒolje]
un **gérant,** administrateur [ʒerɑ̃]
gérer v. administrer, diriger [ʒere]
une **gerbe** de blé,• de fleurs etc. [ʒɛrb]
un **geste,** un mouvement (des mains) [ʒɛst]
une **gibecière,** sac de peau dans lequel le chasseur
met le **gibier** • [ʒipsjɛːr—ʒibje]
une **giberne,** boîte dans laquelle le soldat mettait les
cartouches • (p. 92) [ʒibɛrn]
un **gibet** • [ʒibɛ]
une **giboulée,** pluie soudaine, violente [ʒibule]
gicler v. sortir en jet (en parlant d'un liquide)
[ʒikle]
une **gifle,** coup donné sur la joue avec la main
ouverte. Le verbe est **gifler** [ʒifl, -e]
gigantesque, très grand; énorme [ʒigɑ̃tɛsk]
un **gigot,**• cuisse de mouton [ʒigo]
une **gigue,** espèce de danse [ʒig]
un **gilet,**• vêtement (p. 211) [ʒilɛ]
une **girandole,** grand chandelier [ʒirɑ̃dɔl]
une **girouette** • indique la direction du vent [ʒirwɛt]
il **gisait** = il était couché [ʒizɛ]
gisant, couché (malade ou mort) [ʒizɑ̃]
un **gîte,** un logement [ʒit]
le **givre,** couche de glace qu'on trouve, le matin,
sur les feuilles etc. [ʒiːvr]
glabre, sans barbe ni moustache [glɑːbr]
la **glace,** (1) miroir; (2) fenêtre d'une voiture [glas]
la **glace,** eau rendue solide par le froid
glacé; glacial, très froid [glas-e, -jal]
une **glacière,** appareil qui sert à réfrigérer [glasjɛːr]
un **glaçon,**• un morceau de glace [glasɔ̃]
un **glaïeul,**• espèce d'iris [glajœl]
la **glaise,** terre dont on fait les briques etc. [glɛːz]
un **glaive,** une épée • (p. 76) [glɛːv]
un **gland** • [glɑ̃]
une **glande,** organe du corps [glɑ̃ːd]
glaner v. ramasser les épis • de blé qu'on trouve
après la moisson [glane]
une **glaneuse,** femme qui glane [glanøːz]

une **girouette**

les **glaçons**

les **glaïeuls**

les **glands** du **cordon**
de rideau

des
glands

on **glisse** sur
une **glissade**

un **glapissement,** cri du petit chien   [glapismɑ̃]
    Le verbe est **glapir**   [glapiːr]
le **glas,** son de cloche annonçant la mort   [glɑ]
  glauque, de la couleur de l'eau de mer, entre le
    bleu et le vert   [gloːk]
  glissant, où l'on glisse facilement   [glisɑ̃]
  glisser • *v.* (p. 97)   [glise]
une **glissade,•** une **glissoire**   [gli-sad, -swaːr]
la **gloire,** honneur éclatant: splendeur   [glwaːr]
un **glouglou** (1) cri du dindon ; (2) bruit que fait
    un liquide en sortant d'une bouteille   [gluglu]
un **gloussement,** cri de la poule • (p. 146) Le
    verbe est **glousser**   [glusmɑ̃—gluse]
  glouton, qui mange vite et beaucoup   [glutɔ̃]
la **gloutonnerie,** vice du glouton   [glutɔnri]
la **glu,** espèce de colle • employée surtout pour
    prendre les oiseaux. Le verbe est **gluer,**
    l'adjectif **gluant**   [gly, -e, -ɑ̃]
un **goéland,** oiseau de mer   [gwɛlɑ̃]
une **goélette,** bateau à voiles, *schooner*   [gwɛlɛt]
le **goémon,** les plantes marines   [gwɛmɔ̃]
  goguenard, ironique, moqueur   [gɔgnaːr]
un **golfe.** Le Golfe du Mexique   [gɔlf]
une **gomme,** morceau de caoutchouc pour effacer
    les traits de crayon   [gɔm]
un **gond •** La porte tourne sur ses gonds   [gɔ̃]
une **gondole,•** barque en usage à Venise   [gɔ̃dɔl]
un **gonflement,** action de gonfler   [gɔ̃fləmɑ̃]
  gonfler *v.* augmenter le volume. On gonfle un
    ballon de gaz   [gɔ̃fle]
la **gorge,•** partie antérieure du cou   [gɔrʒ]
une **gorgée,** quantité de vin, de bière etc. qu'on peut
    avaler en une seule fois   [gɔrʒe]
le **gosier,•** intérieur de la gorge   [gozje]
un **gosse,** petit enfant   [gɔs]
le **goudron,** substance noire, *tar*   [gudrɔ̃]
  goudronné, couvert de goudron   [gudrɔne]
un **gouffre,** trou, précipice, abîme • (p. 2)   [gufr]
un **goujat,** homme grossier, immoral   [guʒa]
le **goulot •** d'une bouteille   [gulo]
  goulu, qui mange trop vite   [guly]
  goulûment, avec avidité   [gulymɑ̃]
un **gourdin,** gros bâton • (p. 20)   [gurdɛ̃]

le **gond** d'une porte

une **gondole**

le **gosier**

la **gorge**

le bouchon de cristal

le **goulot** d'une carafe

le **gouvernail**

le **gourmand** aime trop la bonne chère [gurmɑ̃]

la **gourmandise,** vice du gourmand [gurmɑ̃diːz]

un **gourmet,** homme qui apprécie les plats délicats [gurmɛ]

le **gousset,** petite poche du gilet • (p. 211) [gusɛ]

le **goût,** *taste.* Le verbe est **goûter** [gu—gute]

le **goûter,** le repas de 4 heures [gute]

une **goutte,**• globule d'un liquide (p. 197) L'eau tombe de la **gouttière,**• au bord du toit (pl. E), **goutte à goutte** [gut—gutjɛːr]

la **goutte,** maladie qui attaque le gros orteil

goutteux, qui souffre de la goutte [gutø]

un **gouvernail** • d'un bateau [guvɛrnaːj]

la **gouvernante** s'occupe de l'éducation des enfants dans une maison riche [guvɛrnɑ̃ːt]

un **grabat,** un mauvais lit [graba]

une **grâce** (1) faveur; (2) pardon; (3) élégance

faire grâce à *v.* pardonner à [graːs]

le **coup de grâce,** coup qui donne la mort

gracieux, élégant; très civil [grasjø]

un **grade,** rang professionnel [grad]

un **gradé,** soldat qui a un grade [grade]

un **grain** de sable, de blé etc. [grɛ̃]

une **graine,** semence (*seed*) d'une plante [grɛːn]

la **graisse** • et le verbe, **graisser** [grɛːs—grese]

graisseux, couvert de graisse [gresø]

grand (grande) *big* [grɑ̃—grɑ̃ːd]

la **grandeur,** dimension; noblesse; sublimité [grɑ̃dœːr]

grandir *v.* devenir grand [grɑ̃diːr]

à grand'peine, avec difficulté [agrɑ̃pɛːn]

un **grand-père,**• une **grand'mère** • (p. 84)

une **grange,** bâtiment où l'on met le blé [grɑ̃ːʒ]

une **grappe** de raisins • (pl. C) [grap]

le **gras** • de la viande [grɑ]

gras (grasse) (voir p. 73) [grɑ—grɑːs]

grassouillet, assez gras [grasujɛ]

gratter *v.* Quand un moustique vous pique, vous avez un grand désir de vous gratter [grate]

un **gratte-ciel** • de New-York [gratsjɛl]

gratuit, donné sans qu'on ait à payer [gratɥi]

graver *v.* inscrire sur la pierre etc. [grave]

le **gravier,** sable mêlé de cailloux [gravje]

le maigre { la graisse } le gras

on fait cuire un morceau de porc

les **gratte-ciel**

un **grelot**

il lance une **grenade**

une **grenouille**

99

gravir *v.* monter avec peine (une côte, un coteau) [graviːr]

une **gravure**, une image (de livre) [gravyːr]

le **gré**, le désir, la volonté [gre]

de gré ou de force = **bon gré, mal gré** = qu'on le désire ou non

un **Grec**, une **Grecque**, habitant de la **Grèce** [grɛk—grɛk—grɛːs]

un **gredin**, personne vile [grədɛ̃]

UN **greffe**, espèce de bureau dans un tribunal

UNE **greffe**, opération de **greffer** (*graft*) une branche d'arbre [grɛf—grɛfe]

grêle, long, mince et faible [grɛːl]

la **grêle**, pluie gelée: *hail* [grɛːl]

il **grêle** = il tombe de la grêle

un **grêlon**, grain de grêle [grɛlɔ̃]

un **grelot**,• petite cloche en forme de boule [grəlo]

grelotter *v.* trembler (de froid) [grəlote]

une **grenade** • (1) fruit très juteux (pl. C); (2) espèce de petite bombe (p. 99) [grənad]

un **grenadier** (1) arbre; (2) soldat [grənadje]

la **grenadine**, sirop de grenade [grənadin]

un **grenier** (1) partie de la grange où l'on garde le blé; (2) grande pièce sous les toits [grənje]

une **grenouille**,• petite bête amphibie [grənuːj]

le **grès**, pierre dure [grɛ]

une **grève**,• une plage (p. 132) [grɛːv]

se mettre en grève, refuser de travailler en signe de protestation

un **gréviste**, ouvrier qui se met en grève [grevist]

des **griefs**, dommages; ennuis; plaintes [griɛf]

grièvement, gravement, sévèrement [griɛːvmɑ̃]

une **griffe** • Le verbe est **griffer** [grif, -e]

griffonner *v.* écrire très mal [grifɔne]

un **griffonnage**, écriture mal formée et, par conséquent, difficile à lire [grifɔnaːʒ]

grignoter *v.* manger à petits coups de dents. La souris grignote le fromage [griɲɔte]

le **grillage** • [grijaːʒ]

la **grille** • du jardin (pl. E) [griːj]

griller *v.* rôtir sur le **gril** (*gridiron*) Ce qu'on grille = une **grillade** [grije—gri—grijad]

un **grillon**, petit insecte, *cricket* [grijɔ̃]

les **griffes** d'un lion

il est **gris**

une **grive**

un **grognard**

deux **grues**

un **grimoire,** livre difficile à lire [grimwaːr]

grimper v. monter. La vigne est une plante **grimpante** [grɛ̃pe—grɛ̃pɑ̃ːt]

un **grincement,** un bruit strident [grɛ̃smɑ̃]

grincer v. faire un bruit perçant [grɛ̃se]

il grince des dents, il est furieux

grincheux, désagréable [grɛ̃ʃø]

la **grippe,** l'influenza [grip]

prendre en grippe, détester

le **gris,** couleur entre le blanc et le noir

gris,• qui a bu trop d'alcool [gri]

se griser, v. devenir gris, à demi ivre [grize]

une **grive,•** oiseau chanteur [griːv]

grivois, presque indécent [grivwa]

un **grognard,•** vieux militaire [grɔɲaːr]

un **grognement,** cri du cochon. Le verbe est **grogner** [grɔɲmɑ̃—grɔɲe]

grognon, qui grogne tout le temps [grɔɲɔ̃]

grommeler v. murmurer [grɔmle]

gronder v. Le canon gronde. Le professeur gronde les élèves paresseux [grɔ̃de]

un **grondement,** bruit profond, prolongé [grɔ̃dmɑ̃]

gros (grosse) qui a beaucoup de volume

le **gros** temps = très mauvais temps [gro]

la mer est **grosse** = très agitée [groːs]

avoir le cœur gros, être triste

la **grosseur,** le volume (d'un objet) [grosœːr]

grossir v. devenir plus gros [grosiːr]

grossier (grossière) rude, impoli, commun, vulgaire [grosje—grosjɛːr]

grossièrement, rudement [grosjɛrmɑ̃]

une **groseille,•** fruit (pl. C) [grozɛːj]

une **grotte,** une caverne [grɔt]

grouiller v. se remuer en grand nombre, comme les fourmis • [gruje]

une **grue •** (1) un oiseau; (2) une machine [gry]

le **gruyère,** fromage à trous [gryjɛːr]

un **gué,** partie d'une rivière où l'on peut passer à pied [ge]

les **guenilles,** les haillons • (p. 103) [gəniːj]

une **guenon,** la femelle du singe • (p. 9) [gənɔ̃]

une **guêpe,•** insecte (p. 112) [gɛːp]

ne . . . guère, pas beaucoup [geːr]

la sentinelle

une **guérite**

les **guêtres**

les baies

le **gui**

le grillage

un **guichet**

la **guillotine**

Pont d'Arcole

HÔTEL DE VILLE

un **guéridon,** petite table ronde et légère [geridɔ̃]

guérir v. (1) rendre la santé (*health*) à un malade; (2) recouvrer la santé [geriːr]

une **guérison,** action de guérir [gerizɔ̃]

une **guérite** • (p. 101)   une **guérite à signaux** • (p. 37) [gerit]

la **guerre,** lutte entre deux ou plusieurs nations [gɛːr]

un **guerrier,** un soldat: le verbe est **guerroyer** [gɛrje—gɛrwaje]

un **guet-apens,** une embûche, *a trap* [getapɑ̃]

une **guêtre,**• vêtement pour le bas de la jambe [gɛːtr]

guetter v. regarder, surveiller attentivement: espionner • [gete]

une **gueule,** bouche d'un animal féroce [gœl]

un **gueux,** une **gueuse,** mendiant; coquin; voleur [gø—gøːz]

le **gui,**• plante parasite à baies blanches (p. 101) [gi]

un **guichet,**• espèce de petite porte, de petite ouverture (p. 101) [giʃɛ]

le **guidon** • d'une bicyclette (voir p. 23) [gidɔ̃]

Guillaume le Conquérant, 1066–1087 [gijoːm]

la **guillotine** • (p. 101)   Le verbe est **guillotiner** [gijɔtin, -e]

une **guinguette,** petit café, petit cabaret bon marché [gɛ̃gɛt]

une **guirlande,** ornement de fruits ou de fleurs [girlɑ̃ːd]

[**h** *is not pronounced, but in certain words, indicated by an asterisk, it prevents elision and liaison:* e.g. la **haie** [la ɛ] les **haies** [le ɛ]]

un (une) **h,** huitième lettre de l'alphabet [aʃ]

habile, adroit, capable, intelligent [abil]

une **habileté,** dextérité, intelligence [abilte]

habiller v. mettre des **habits,** des vêtements • (p. 211) [abije—abi]

un **habitant,** celui qui demeure dans un pays, une
    ville etc.   Le verbe est **habiter** [abi-tã, -te]
une **habitude,** ce qu'on fait souvent   [abityd]
    habituel, ordinaire, usuel   [abityɛl]
    s'habituer à v. prendre l'habitude de [sabitye]
    ***hâbler** v. parler avec exagération   [aːble]
le ***hâbleur,** homme qui exagère; vantard
                                 [ablœːr]

le chemineau vêtu de **haillons**

la ***hache** • (p. 167)   la ***hachette** [aʃ—aʃɛt]
    ***hacher** v. couper en morceaux   [aʃe]
la ***haie,** clôture • (p. 186) de buissons, d'arbustes,
    qui entoure un champ   [ɛ]
les ***haillons,**• vêtements en mauvais état   [ajɔ̃]
la ***haine,** animosité, antipathie, aversion   [ɛːn]
    ***haineux,** détestable   [ɛnø]
    ***haïr** v. détester   [aiːr]
    haïssant; haï; (j'ai haï)
    je hais; je haïs; je haïrai ; que je haïsse
    ***haïssable,** qui inspire de la haine   [aisaːbl]
la ***haire,** chemise d'étoffe très rude que portent
    les pénitents   [ɛːr]
    ***hâlé,** bronzé par le soleil et le vent   [ale]

le fer d'une **hallebarde**

une **haleine,** l'air qu'on expire   [alɛn]
    ***haletant = hors d'haleine:** respirant avec
    difficulté   [altã]
    ***haler** v. tirer un bateau à l'aide d'une corde [ale]
la ***halle,** marché couvert. Les **halles de Paris**
    sont célèbres   [al]
la ***hallebarde,**• espèce de pique   [albard]
le ***hallier,** partie du bois où il y a beaucoup de
    buissons •   [alje]

un **haltère**

un **haltère,**• instrument de gymnastique [altɛːr]
le ***hamac.** Le marin dort dans un hamac [amak]
le ***hameau,** très petit village   [amo]
un **hameçon,** petit crochet pour attraper les
    poissons   [amsɔ̃]
la ***hanche,**• partie de la jambe (pl. G)   [ãːʃ]

un **hangar**

le ***hangar** •   [ãgaːr]
le ***hanneton,** gros insecte, *cockchafer*   [antɔ̃]
    ***hanter** v. fréquenter   [ãte]
    ***happer** v. attraper brusquement   [ape]
la ***harangue,** discours solennel   [arãːg]
    ***harassé,** extrêmement fatigué   [arase]

une œillère
les rênes
le collier
le **harnais**

une hélice

le héraut

l'herbe

les cheveux lui hérissent

une herse

*harceler *v.* harasser [arsəle]

les *hardes, vêtements usés [ard]

*hardi, audacieux, courageux, intrépide [ardi]

la *hardiesse, intrépidité, témérité [ardjɛs]

le *hareng, poisson de mer [arɑ̃]

*hargneux, féroce, querelleur [arɲø]

*harnacher *v.* mettre le harnais à [arnaʃe]

le *harnais • d'un cheval (p. 103) [arnɛ]

*hasardé, risqué, douteux [azarde]

*hasardeux, dangereux [azardø]

la *hâte, promptitude [ɑ:t]

à la hâte, très vite [alaɑ:t]

*hâter *v.* faire aller plus vite [ɑte]

la *hausse, augmentation de valeur, de prix [os]

*hausser *v.* (1) rendre plus haut; (2) lever (le bras, les épaules); (3) élever (le prix) [ose]

le *haut, la partie supérieure, le sommet [o]

*haut, *high*; en haut, *upstairs* [o—ɑ̃o]

*hautain, fier, arrogant [otɛ̃]

le *hautbois • (p. 43) [obwɑ]

la *hauteur, élévation [otœ:r]

*hâve, pâle et très maigre [ɑ:v]

le *havre, un port de mer; un refuge [ɑ:vr]

le *havresac, sac de soldat [avrəsak]

un (journal) hebdomadaire, qui paraît toutes les semaines [ɛbdɔmadɛ:r]

héberger *v.* loger [ebɛrʒe]

hébété, stupide; extrêmement surpris [ebete]

un hectare = 10,000 mètres carrés [ɛktɑ:r]

hélas ! exclamation de détresse [elɑ:s]

*héler *v.* appeler (un navire, un taxi) [ele]

une hélice • [elis]

le *hennissement, le cri du cheval. Le verbe est *hennir [anismɑ̃—ani:r]

le *héraut • [ero]

l' herbe • (des prés, des champs etc.) [ɛrb]

les mauvaises herbes, plantes sauvages qui poussent au hasard dans notre jardin

herbeux; herbu, où il y a beaucoup d'herbe [ɛrbø—ɛrby]

un hercule, un homme très fort [ɛrkyl]

se *hérisser • *v.* Le petit garçon a peur: ses cheveux se hérissent [erise]

104

le *hérisson,° petit animal insectivore (voir p. 9) [erisɔ̃]
un héritage, argent etc. qu'on reçoit par testament après la mort d'une
    personne [eritaːʒ]
    hériter v. recevoir en héritage [erite]
un héritier, une héritière, personne qui hérite [eritje—eritjɛːr]
le *héros, MAIS on dit l'héroïne et l'héroïque soldat [ero—erɔin, -ik]
la *herse,° instrument agricole. Le verbe est *herser [ɛrs—ɛrse]
le *hêtre, grand arbre forestier, beech [ɛːtr]
une heure = 60 minutes [œːr]
    à la bonne heure! très bien! de bonne heure, tôt, early
    tout à l'heure, dans un moment; il y a un moment
    heureux (heureuse) gai, content, favorable [œrø—œrøːz]
    *heurter v. frapper, choquer [œrte]
le *hibou,° oiseau de nuit (pl. F) [ibu]
la *hideur. Le contraire est la beauté [idœːr]
    *hideux (*hideuse) horrible [idø—idøːz]
    hier, yesterday   avant-hier, le jour précédant hier [jɛːr—avɑ̃tjɛːr]
une hirondelle,° oiseau migrateur (pl. F) [irɔ̃dɛl]
    *hisser v. élever (le drapeau etc.) [ise]
l' histoire de Robinson Crusoë n'est pas vraie [istwaːr]
    J'aime beaucoup les leçons d'histoire naturelle
un historien écrit un livre d'histoire, un ouvrage historique [istɔrjɛ̃]
un hiver, saison froide de l'année [ivɛːr]
    hiverner v. passer l'hiver [ivɛrne]
    *hocher la tête, secouer la tête en signe de dédain, d'indifférence [ɔʃe]
le *hochet, jouet d'un très petit enfant [ɔʃɛ]
le *Hollandais, habitant de la *Hollande (p. 141) [ɔlɑ̃dɛ—ɔlɑ̃ːd]
le *homard,° un crustacé très bon à manger (pl. H) [ɔmaːr]
un hommage (1) respect; (2) un don respectueux [ɔmaːʒ]
un homme, personne du sexe masculin [ɔm]
le *Hongrois, habitant de la *Hongrie ° (p. 106) [ɔ̃grwa—ɔ̃gri]
    honnête, honorable; décent; probe; poli [ɔnɛːt]
une honnêteté, qualité de l'homme honnête [ɔnɛtte]
un honneur. Ce soldat courageux est mort au champ d'honneur [ɔnœːr]
les honoraires, ce qu'on paie à un médecin, à un avocat [ɔnɔrɛːr]
la *honte, sentiment d'humiliation, de déshonneur [ɔ̃ːt]
    *honteux (*honteuse) qui a honte [ɔ̃tø—ɔ̃tøːz]
un hôpital, grand établissement où l'on soigne les malades [ɔpital]
le *hoquet, hiccough. Le verbe est *hoqueter [ɔkɛ—ɔkte]
un horaire, petit livre qui indique l'heure de l'arrivée et du départ des
    trains [ɔrɛːr]
une horloge ° (p. 93) [ɔrlɔːʒ]
un horloger, homme qui fait (ou qui vend) des horloges etc. [ɔrlɔʒe]

hormis, excepté   [ɔrmi]

horripilant, terrifiant, exaspérant   [ɔripilɑ̃]

*hors (de) *outside, out of*   [ɔːr]

*hors de combat, trop blessé ou trop fatigué pour continuer le combat

*hors ligne, supérieur, exceptionnel

Il était ***hors de lui** = très agité; furieux

*hors de prix, extrêmement cher

les ***hors-d'œuvre,** petits plats qu'on offre au commencement d'un dîner   [ɔrdœːvr]

un **hospice,** maison où l'on reçoit les pauvres [ɔspis]

hospitalier (hospitalière) qui pratique l'**hospitalité**   [ɔspital-je, -jɛːr, -ite]

un **hôte,** une **hôtesse,** personne qui donne l'hospitalité ou qui la reçoit   [oːt—otɛs]

un **hôtel.** Nous avons passé la nuit à l'hôtel [otɛl]

un **hôtelier,** propriétaire d'un hôtel   [otəlje]

un **hôtel particulier,** maison d'un homme riche

un **hôtel de ville,**• centre de l'administration municipale (voir p. 102)

la ***hotte,**• espèce de grand panier   [ɔt]

le ***houblon,** plante dont on fait la bière   [ublɔ̃]

la ***houe,** outil de jardinier (p. 149)   [u]

la ***houille,** le charbon   [uːj]

la ***houille blanche,** puissance (*power*) tirée des cascades; la ***houille bleue,** puissance tirée des marées de la mer

la ***houillère,** une mine de charbon   [ujɛːr]

la ***houle,** mouvement lent de la mer   [ul]

*houleux, agité par la houle   [ulø]

la ***houppe** • Ma sœur se poudre le visage au moyen d'une houppe   [up]

la ***housse,** couverture   [us]

le ***houx,** arbrisseau• A Noël, on décore la maison de branches de houx   [u]

le ***hublot,** fenêtre ronde d'une cabine de bateau [yblo]

la ***huche,** grand coffre où l'on met le pain   [yʃ]

la ***huée,** cri de haine ou de moquerie   [ɥe]

*huer *v.* pousser des huées   [ɥe]

une **huile,**• liquide gras utilisé pour la cuisine, pour l'éclairage des lampes etc.   [ɥil]

un **huilier** •   [ɥilje]

LA **HONGRIE**

une **hotte**

une **houppe à poudrer**

un **huilier**

une écaille

une **huître**

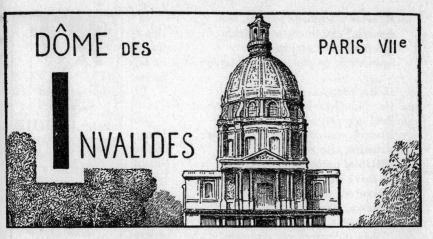

DÔME DES PARIS VIIe

INVALIDES

huiler *v.* mettre de l'huile. L'adjectif est **huileux**	[ɥile—ɥilø]
à ***huis clos,** toutes les portes fermées	[a ɥi klo]
un **huissier** (1) portier; (2) officier de justice, *sheriff's-officer*	[ɥisje]
la ***huitaine,** une période de ***huit** (= 8) jours	[ɥitɛn—ɥit]
une **huître,**• mollusque très bon à manger	[ɥitr]
***humer** *v.* sentir, flairer, respirer, surtout par le nez	[yme]
une **humeur,** disposition (généralement très mauvaise)	[ymœːr]
humide, plein d'eau; le contraire de **sec**	[ymid]
la ***huppe,** touffe de plumes sur la tête d'un oiseau	[yp]
le ***hurlement,** cri du loup ou du chien	[yrləmã]
***hurler** *v.* pousser de longs cris mélancoliques, lugubres	[yrle]
le ***hussard,** soldat de cavalerie	[ysaːr]
la ***hutte,** petite cabane pauvre, très mal faite	[yt]
un **hydravion,** aéroplane qui flotte comme un bateau	[idravjɔ̃]
une **hyène,** animal de l'Afrique, qui ressemble au loup • (p. 9)	[jɛːn]
UN **hymne,** chant national; mais on chante UNE **hymne** à l'église	[imn]
une **hypothèque,** *mortgage.* Le verbe est **hypothéquer**	[ipɔtɛk, -e]

[*In many words beginning with* IM- *or* IN-, *this prefix means 'not' (as in English), e.g.* **inhospitalier** = *inhospitable.   Such words are not always given, but the student can work them out by looking up the second part of the word (i.e.* hospitalier) *in the appropriate place*]

ici, *here* **ici-bas,** dans ce monde	[isi—isibɑ]
un **idiome,** dialecte, langue	[idjɔːm]
un **idiotisme,** locution curieuse et spéciale, *idiom*	[idjɔtism]
un **idolâtre,** personne qui adore une idole	[idɔlaːtr]
idolâtrer *v.* adorer; aimer avec ferveur	[idɔlatre]

un **if**, arbre à feuillage sombre, *yew* [if]

ignare,• extrêmement ignorant [iɲaːr]

ignoble, vil; sale; bas [iɲɔbl]

ignorer *v.* ne pas savoir. J'ignore = je ne sais pas [iɲɔre]

il, ils, pronoms personnels [il]

une **île**. La Grande-Bretagne est une île [iːl]

un **îlot**, une petite île [ilo]

illettré, qui ne sait ni lire ni écrire [iletre]

illimité, sans limites [ilimite]

illisible, qu'on ne peut pas lire [ilizibl]

se faire illusion *v.* se tromper [ilyzjɔ̃]

illusoire, qui n'est pas réel [ilyzwaːr]

illustre, fameux, célèbre [ilystr]

illustrer *v.* (1) rendre célèbre; (2) orner un livre d'illustrations, d'images [ilystre]

une **image** de livre, illustration [imaːʒ]

imagé, pittoresque, plein d'images [imaʒe]

imberbe, qui n'a pas de barbe • [ɛ̃bɛrb]

imbiber *v.* tremper dans un liquide [ɛ̃bibe]

un **imbroglio**, confusion [ɛ̃brɔljo]

imbuvable, qu'on ne peut boire [ɛ̃byvaːbl]

immangeable, qu'on ne peut pas manger [ɛ̃mɑ̃ʒaːbl]

un **immeuble**,• grande maison [imœbl]

immodéré, excessif [imɔdere]

immonde, sale, dégoûtant [imɔ̃ːd]

les **immondices**, les choses très sales [imɔ̃dis]

une **immortelle**,• fleur [imɔrtɛl]

immuable, qui ne change pas [imɥaːbl]

les nombres **impairs**, 1, 3, 5, 7, 9 etc. [ɛ̃pɛːr]

une **impasse**,• un cul-de-sac [ɛ̃pɑːs]

impatiemment, avec impatience [ɛ̃pasjamɑ̃]

impayable (1) d'une valeur énorme; (2) comique, absurde [ɛ̃pejaːbl]

une **impératrice**, femme d'un **empereur** [ɛ̃peratris—ɑ̃prœːr]

une **impériale** • d'omnibus [ɛ̃perjal]

impérissable, qui dure à jamais [ɛ̃perisaːbl]

un **imperméable**, pardessus • fait d'une étoffe qui n'absorbe pas la pluie (p. 211) [ɛ̃pɛrmeaːbl]

impie, irréligieux, blasphématoire [ɛ̃pi]

impitoyable, qui n'a aucune pitié [ɛ̃pitwajaːbl]

le petit **ignare**

un grand **immeuble**

une **couronne** d'**immortelles**

une **impasse**

SAVON ×

on monte sur l'**impériale**

108

impliquer *v.* *to imply, to implicate* [ɛ̃plike]

impoli,• grossier, vulgaire, sans politesse (p. 110) [ɛ̃pɔli]

une **impolitesse,** action impolie [ɛ̃pɔlitɛs]

importer *v.* avoir de l'importance [ɛ̃pɔrte]

peu importe! cela n'a pas d'importance [pø ɛ̃pɔrt]

qu'importe? où en est l'importance? [kɛ̃pɔrt]

importun (1) qui demande tout le temps des faveurs; (2) qui embarrasse [ɛ̃pɔrtœ̃]

importuner *v.* fatiguer, ennuyer [ɛ̃pɔrtyne]

un **impôt,** argent payé à l'État: taxe [ɛ̃po]

impraticable, très difficile [ɛ̃pratikaːbl]

impressionner *v.* produire une impression sur [ɛ̃prɛsjɔne]

une **imprévoyance,** manque de précaution [ɛ̃prevwajɑ̃ːs]

imprévu, qui arrive à l'improviste [ɛ̃prevy]

imprimer *v.* faire une impression. On imprime aussi un livre, un journal [ɛ̃prime]

un **imprimé,** livre ou papier imprimé [ɛ̃prime]

une **imprimerie** • (1) art d'imprimer; (2) atelier où l'on imprime les livres etc. (p. 110) [ɛ̃primri]

un **imprimeur,** ouvrier qui travaille dans une imprimerie [ɛ̃primœːr]

à l'improviste = **sans crier gare!** = *unawares* [alɛ̃prɔvist]

imprudemment, avec imprudence [ɛ̃prydamɑ̃]

impudemment, avec impudence [ɛ̃pydamɑ̃]

impudique, vicieux, le contraire de **chaste** [ɛ̃pydik]

une **impuissance,** extrême faiblesse [ɛ̃pɥisɑ̃ːs]

impuissant, qui n'a pas de force, de pouvoir [ɛ̃pɥisɑ̃]

impunément, avec impunité; sans être puni [ɛ̃pynemɑ̃]

impuni, qui n'est pas puni [ɛ̃pyni]

inabordable, où l'on n'arrive qu'avec une difficulté extrême [inabɔrdaːbl]

inaccoutumé, qui n'est pas ordinaire [inakutyme]

inachevé, qui n'a pas été complété; incomplet [inaʃve]

inaltérable, qui ne change pas [inalteraːbl]

inanimé, sans vie [inanime]

inaperçu, sans être vu [inapɛrsy]

inattendu, qu'on n'attendait pas [inatɑ̃dy]

l' **incarnat,** la couleur naturelle des lèvres [ɛ̃karna]

une **incartade,** action extravagante [ɛ̃kartad]

incassable, qu'on ne peut casser [ɛ̃kɑsaːbl]

un **incendie,**• grand feu qui détruit une maison etc. (p. 110) [ɛ̃sɑ̃di]

incendiaire, propre à mettre le feu, à causer un incendie [ɛ̃sɑ̃djɛːr]

incendier *v.* mettre le feu à [ɛ̃sɑ̃dje]

incessamment (1) aussitôt que possible; (2) sans cesse [ɛ̃sɛsamɑ̃]

inclus, ci-inclus, *enclosed* [ɛ̃kly]

incolore, qui manque de couleur [ɛ̃kɔlɔːr]

incommode, inconfortable [ɛ̃kɔmɔd]

incommoder *v.* gêner, déranger [ɛ̃kɔmɔde]

incompris, ni compris ni apprécié [ɛ̃kɔ̃pri]

une **inconduite,** immoralité [ɛ̃kɔ̃dɥit]

incongru, indécent; blâmable [ɛ̃kɔ̃gry]

inconnu, qui n'est pas connu [ɛ̃kɔny]

inconvenant, qui choque la morale [ɛ̃kɔ̃vnɑ̃]

incrédule, qui ne croit pas facilement [ɛ̃kredyl]

incroyable • [ɛ̃krwɑjaːbl]

inculte, qui n'est pas cultivé [ɛ̃kylt]

une **incurie,** négligence [ɛ̃kyri]

les **Indes;** l'**Inde,** grand pays de l'Asie [ɛ̃ːd]

indéchiffrable,• incompréhensible [ɛ̃deʃifraːbl]

indécis, vague; hésitant [ɛ̃desi]

indélicat, grossier; sans scrupules [ɛ̃delika]

indemne, sans perte; sans dommage; sain et sauf [ɛ̃dɛmn]

un **indicateur,** horaire des trains [ɛ̃dikatœːr]

un **indice,** un signe [ɛ̃dis]

indicible, très grand; extrême [ɛ̃disibl]

une **indienne,** une étoffe de coton [ɛ̃djɛn]

un **indigène** • [ɛ̃diʒɛːn]

indigeste, difficile à digérer [ɛ̃diʒɛst]

s'indigner *v.* éprouver (*feel*) de l'indignation. L'adjectif est **indigné** [ɛ̃diɲe]

une **indignité,** insulte; outrage [ɛ̃diɲite]

indiquer *v.* montrer [ɛ̃dike]

indiscutable, qui n'admet pas la discussion [ɛ̃diskytaːbl]

indisposé, malade; souffrant [ɛ̃dispoze]

un **individu,** personne (peu respectable) [ɛ̃dividy]

indolemment, avec indolence [ɛ̃dɔlamɑ̃]

indomptable, qu'on ne peut dompter [ɛ̃dɔ̃taːbl]

un **Indou,**• un **Hindou** [ɛ̃du]

un **chevalier d'industrie,** voleur, fripon [ɛ̃dystri]

un **industriel,** manufacturier [ɛ̃dystriɛl]

une route **inégale,** qui n'est pas unie [inegal]

les **inégalités** d'un terrain etc., les hauts et les bas, *the ups and downs* [inegalite]

inépuisable, qui coule toujours; qui est sans fond, sans fin [inepɥizaːbl]

il fait un pied de nez

un petit garçon très impoli

une imprimerie

un incendie

c'est incroyable

XYZQ ZQ4P?
JZ WIZKL ZI
PRVX VJZK
OSAYKL TJ•
PKT3QYQ

c'est indéchiffrable

inespéré, qui arrive par bonheur [inɛspere]

inexprimable, très grand [inɛksprima:bl]

infaillible, certain; sûr [ɛ̃fajibl]

infâme, vil [ɛ̃fɑ:m]

une **infamie,** action vile [ɛ̃fami]

infatigable, qu'on ne peut fatiguer [ɛ̃fatiga:bl]

infect, qui sent mauvais; puant [ɛ̃fɛkt]

infidèle, inconstant; inexact [ɛ̃fidɛl]

infime, très petit; très bas [ɛ̃fim]

infini, qui n'a pas de limites [ɛ̃fini]

infiniment, extrêmement [ɛ̃finimɑ̃]

une **infinité de** = un grand nombre de [ɛ̃finite]

infirme, faible et malade [ɛ̃firm]

un **infirmier,** une **infirmière,** soigne les malades
dans un hôpital [ɛ̃firm-je, -jɛ:r]

infliger *v.* imposer (une punition •) [ɛ̃fliʒe]

influent, qui a de l'influence [ɛ̃flyɑ̃]

informe, qui n'a pas de forme définie [ɛ̃fɔrm]

infranchissable, qu'on ne peut traverser
[ɛ̃frɑ̃ʃisa:bl]

infructueux, stérile [ɛ̃fryktɥø]

ingambe, vif; alerte [ɛ̃gɑ̃:b]

s'ingénier *v.* tâcher de; *strive* [sɛ̃ʒenje]

un **ingénieur** construit des ponts, des chemins de
fer, des fortifications etc. [ɛ̃ʒenjœ:r]

une (jeune fille) **ingénue,** naïve; simple [ɛ̃ʒeny]

ingrat, qui n'a pas de gratitude [ɛ̃gra]

inguérissable, incurable [ɛ̃gerisa:bl]

inhabitable, où l'homme ne peut vivre
[inabita:bl]

inhabité, où il n'y a pas d'habitants [inabite]

une **inimitié,** hostilité, aversion [inimitje]

inique, qui n'est pas juste [inik]

une **injure,** une insulte [ɛ̃ʒy:r]

injurier *v.* insulter [ɛ̃ʒyrje]

injurieux, offensant [ɛ̃ʒyrjø]

inné, qui est en nous, dès la naissance: naturel
[inne]

innombrable, qu'on ne peut pas compter
[inɔ̃bra:bl]

une **inondation,** un déluge. Le verbe est **inonder**
[inɔ̃dasjɔ̃—inɔ̃de]

inopiné, qu'on n'attend pas [inɔpine]

un **indigène**

un **Indou**

une **infirmière**

Animal!
Imbécile!!
Chameau!!
Idiot!!!

il vomit des **injures**

une **inondation**

inoubliable, qu'on ne peut oublier [inublia:bl]

inouï, extraordinaire [inwi]

inquiet (**inquiète**) • anxieux [ɛ̃kjɛ—ɛ̃kjɛt]

inquiétant, alarmant [ɛ̃kjetɑ̃]

inquiéter v. rendre anxieux [ɛ̃kjete]

une **inquiétude,** anxiété [ɛ̃kjetyd]

insaisissable (1) imperceptible; (2) qui ne peut être saisi [ɛ̃sɛzisa:bl]

insalubre, qui n'est pas sain [ɛ̃salybr]

inscrire v. écrire sur une liste [ɛ̃skri:r]

insensé, ridicule, absurde [ɛ̃sɑ̃se]

insensible, dur, sans émotion; inaperçu [ɛ̃sɑ̃sibl]

insérer v. mettre dans [ɛ̃sere]

insolite, qui n'est pas usuel [ɛ̃sɔlit]

insondable, exceptionnellement profond; plein de mystère [ɛ̃sɔ̃da:bl]

une **insouciance,** absence d'anxiété [ɛ̃susjɑ̃:s]

insouciant, contraire d'anxieux [ɛ̃susjɑ̃]

insoumis, désobéissant [ɛ̃sumi]

insoutenable, injustifiable [ɛ̃sutna:bl]

instamment, avec insistance [ɛ̃stamɑ̃]

à l'instant, immédiatement [alɛ̃stɑ̃]

instantanément, en un instant [ɛ̃stɑ̃tanemɑ̃]

un **instantané,** photo prise en un instant, sans pose [ɛ̃stɑ̃tane]

un **instituteur** • enseigne (*teaches*) dans une école primaire [ɛ̃stitytœ:r]

une **institutrice** • [ɛ̃stitytris]

instruire v. donner des leçons à [ɛ̃strɥi:r]

instruit. Le contraire est **ignorant** [ɛ̃strɥi]

à mon insu, sans que je le sache [ɛ̃sy]

les **insurgés,** les rebelles [ɛ̃syrʒe]

s'insurger v. se révolter [sɛ̃syrʒe]

intarissable, qui coule sans cesse [ɛ̃tarisa:bl]

intègre, parfaitement honnête [ɛ̃tɛ:gr]

intenter un procès, demander justice contre quelqu'un [ɛ̃tɑ̃te]

interdire v. refuser la permission [ɛ̃tɛrdi:r]

interdit (1) défendu; (2) muet de surprise [ɛ̃tɛrdi]

un **intérêt.** Je vous paierai tout l'argent, intérêt et principal [ɛ̃terɛ]

une **puce**

un **pou**

une **punaise**

une **mouche** à viande

une **guêpe**

un **moustique**

une **bête** à bon Dieu

un **perce-oreille**

une **blatte**

un **scarabée**

un **papillon**

interloqué, embarrassé; déconcerté; sans voix
[ɛ̃tɛrlɔke]

un **internat,** école qui admet des **internes** (=
élèves qui habitent dans l'école)   [ɛ̃tɛrn, -a]

un **interprète,** personne qui traduit une langue
étrangère   [ɛ̃tɛrprɛt]

une **interrogation,** une question   [ɛ̃tɛrɔgasjɔ̃]

interroger *v.* questionner, examiner   [ɛ̃tɛrɔʒe]

interrompre *v.* produire une interruption
[ɛ̃terɔ̃ːpr]

intervenir *v.* s'interposer   [ɛ̃tɛrvəniːr]

un ami **intime,** qu'on aime de tout son cœur [ɛ̃tim]

intraduisible, impossible à traduire
[ɛ̃tradɥizibl]

intraitable, difficile   [ɛ̃trɛtaːbl]

intransigeant, inflexible, extrême dans ses
idées   [ɛ̃trɑ̃ziʒɑ̃]

introduire *v.* faire entrer. On introduit une
clef dans le trou de la serrure •   [ɛ̃trɔdɥiːr]

un **intrus,** qui entre sans permission: qui n'est pas
bien venu   [ɛ̃try]

inusité, rare, peu usuel   [inyzite]

inutile, qui ne sert à rien   [inytil]

un **invalide** (1) soldat trop vieux pour servir; (2)
jeune soldat infirme   [ɛ̃valid]

l' **inverse,** le contraire   [ɛ̃vɛrs]

un **invité,** personne qu'on a invité à un bal, à un
dîner etc.   [ɛ̃vite]

un **iris,** fleur bleue ou jaune   [iris]

irisé, ayant les couleurs de l'arc-en-ciel   [irize]

isabelle, brun clair   [izabɛl]

un **Islandais,** habitant de l'**Islande** (*Iceland*)
[islɑ̃dɛ—islɑ̃ːd]

isolé, solitaire, séparé des autres   [izɔle]

un **isolement,** solitude   [izɔlmɑ̃]

un **isthme** •   [ism]

un **ivoire,** substance blanche et dure   [ivwaːr]

une **ivraie,** plante nuisible, *tare*   [ivrɛ]

ivre, gris • (p. 100)   [iːvr]

une **ivresse,** état d'une personne ivre   [ivrɛs]

un **ivrogne,**• une **ivrognesse**   [ivrɔɲ, -ɛs]

une **ivrognerie,** habitude de boire trop d'alcool
[ivrɔɲri]

il est **inquiet**

un **instituteur**

une **institutrice**

MER DES ANTILLES

OCÉAN PACIFIQUE

l'**isthme**
de Panama

un **ivrogne**

113

un **j**, 10ème lettre de
l'alphabet [ʒi]
un **jabot** • (p. 211)
[ʒabo]
jacasser *v.* parler
beaucoup d'une voix
stridente [ʒakase]
une **jacinthe** • [ʒasɛ̃ːt]
un **Jacobin,** révolutionnaire de
1789 [ʒakɔbɛ̃]
jadis, autrefois [ʒadis]
jaillir *v.* sortir en jet (en
parlant d'un liquide)
[ʒajiːr]
le **jais,** substance dure et noire,
dont on fait des broches [ʒɛ]

PARIS IVe

LA TOUR

SAINT

JACQUES

une **jalousie,** une espèce de store • [ʒaluzi]
la **jalousie,** sentiment d'une personne jalouse
jaloux (**jalouse**) (1) envieux; (2) férocement égoïste [ʒalu—ʒaluːz]
jamais, *ever* **ne . . . jamais,** *never* [ʒamɛ]
une **jambe,** • membre inférieur du corps (voir pl. G) [ʒɑ̃ːb]
à toutes jambes, aussi vite que possible [atutəʒɑ̃ːb]
jouer des jambes = prendre ses jambes à son cou = se sauver;
partir aussi vite que possible
un **jambon,** • un **jambonneau** [ʒɑ̃bɔ̃—ʒɑ̃bɔno]
une **jante,** • partie d'une roue (voir p. 79) [ʒɑ̃ːt]
un **janvier,** le premier mois de l'année [ʒɑ̃vje]
un **Japonais,** habitant du **Japon** [ʒaponɛ—ʒapɔ̃]
un **jappement,** cri d'un petit chien. Le verbe est **japper** [ʒap-mɑ̃, -e]
un **jardin,** • terrain où on cultive les fleurs (pl. E) Dans un **jardin**
potager, on cultive les légumes • (pl. D) [ʒardɛ̃—pɔtaʒe]
le **jardinage,** la culture d'un jardin [ʒardinaːʒ]
le **jardinier,** • celui qui s'occupe du jardin (p. 149) [ʒardinje]
une **jarre,** espèce de grand pot en terre cuite [ʒaːr]
le **jarret,** • partie de la jambe derrière le genou [ʒarɛ]
une **jarretière** • (p. 115) une **jarretelle,** *suspender* [ʒartjɛːr—ʒartɛl]
jaser *v.* parler beaucoup et très vite [ʒɑze]
une **jatte,** • espèce de bol, assez plat [ʒat]
jaunâtre, à peu près jaune [ʒonɑːtr]
le **jaune,** couleur de l'or. Le verbe est **jaunir** [ʒoːn—ʒoniːr]
la **jaunisse,** maladie qui jaunit les yeux, la peau [ʒonis]
un **javelot,** une **javeline,** espèce de lance [ʒav-lo, -lin]
un **jet d'eau** • (p. 208) [ʒɛdo]

114

une **jetée** • (p. 132)   [ʒəte]

  jeter *v.* lancer; se débarrasser de   [ʒəte]

un **jeu,** récréation, divertissement etc.   [ʒø]

un **jeu de cartes,**•—**d'échecs,**•—de dominos etc.

un **jeu d'esprit,** remarque amusante

un **jeu de mots,** *pun;* **vieux jeu,** passé de mode;
    vous avez **beau jeu** (= toutes les cartes)

un **jeudi,** cinquième jour de la semaine   [ʒødi]

  il est **à jeun** = il n'a pas mangé depuis long-
    temps   [ʒœ̃]

un **jeûne,** période où l'on ne mange pas   [ʒøːn]

  jeûner *v.* ne pas manger   [ʒøne]

  jeune, qui n'est pas âgé   [ʒœn]

  la **jeunesse,** période de la vie où l'on est jeune
    [ʒœnɛs]

  la **joaillerie,** articles que vend le joaillier [ʒwajri]

  le **joaillier,** marchand qui vend des **joyaux**
    (*jewels*) etc.   [ʒwaje—ʒwajo]

une **joie,** plaisir extrême   [ʒwa]

  à cœur joie, de tout son cœur   [akœrʒwa]

  joindre *v.* unir (deux choses)   [ʒwɛ̃ːdr]

un **joint,** une **jointure,** une articulation [ʒwɛ̃, -tyːr]

  joli, agréable à voir   [ʒɔli]

  joliment (1) très; bien; beaucoup; (2) d'une
    façon agréable   [ʒɔlimɑ̃]

un **jonc,** plante souple qui croît au bord des rivières
    et dont on fait des cannes   [ʒɔ̃]

  joncher *v.* couvrir, *strew*   [ʒɔ̃ʃe]

un **jongleur** • (p. 116); **jongler** *v.* [ʒɔ̃-glœːr, -gle]

une **jonque,** bateau chinois   [ʒɔ̃k]

une **joue,**• partie du visage (p. 153)   [ʒu]

  coucher en joue, viser avec un fusil

  jouer *v.* s'amuser avec. On joue AUX cartes;
    on joue DU piano • (p. 43)   [ʒwe]

un **jouet** • (p. 166)   A Noël, on achète des jouets
    pour les enfants   [ʒwe]

un **joueur,** qui joue (surtout aux cartes) [ʒwœːr]

  joufflu, qui a de grosses joues   [ʒufly]

un **joug** • (p. 116)   [ʒug]

  jouir de *v.* avoir profit ou plaisir à   [ʒwiːr]

  la **jouissance** (1) plaisir; (2) possession [ʒwisɑ̃ːs]

un **joujou,** un jouet   [ʒuʒu]

un **jour,** une **journée** = 24 heures [ʒuːr—ʒurne]

une **jacinthe**

un **jambon**

la **jarretière**

le **jarret**
de la jambe

une **jatte** de lait

l'as de cœur

un **jeu** de cartes

le **jour de l'an,** le 1ᵉʳ janvier   [ʒurdlã]

le **jour,** la lumière   **à jour,** *openwork*   [ʒuːr]

le **petit jour,** première lueur (*gleam*) du jour

un **journal.** LE MONDE et LE MATIN sont des
     journaux de Paris   [ʒur-nal, -no]

un **journalier,** ouvrier qui travaille à la journée
                     [ʒurnalje]

une **journée,** un jour spécial   [ʒurne]

une **joute,** combat. Le verbe est **jouter**   [ʒut, -e]

   joyeux (**joyeuse**) gai, jovial   [ʒwa-jø, -jøːz]

   juché, perché   [ʒyʃe]

un **juchoir,** où les poules se placent pour la nuit
                     [ʒyʃwaːr]

un **juge de paix,** magistrat   [ʒyːʒ]

un **Juif,** une **Juive,** Israélite   [ʒɥif—ʒɥiːv]

un **juin,** un **juillet,** mois de l'année   [ʒɥɛ̃—jyjɛ]

les **jumeaux,**• les **jumelles** •   [ʒy-mo, -mɛl]

une **jument,** la femelle du cheval   [ʒymã]

une **jupe,**• vêtement de femme (p. 211)   [ʒyp]

un **jupon,** jupe de dessous   [ʒypɔ̃]

un **juré,** membre du **jury**   [ʒyre—ʒyri]

   jurer v. *to swear*   [ʒyre]

un **juron,** un **jurement,** ce qu'on dit en jurant;
     blasphème   [ʒyrɔ̃—ʒyrmã]

le **jus** (1) liquide qu'on trouve dans les fruits ou
     (2) qui sort de la viande   [ʒy]

   juteux (**juteuse**) • plein de jus   [ʒy-tø, -tøːz]

   jusqu'à, *up to, as far as*   [ʒyska]

   jusqu'à ce que, *until*   [ʒyskaskə]

un **justaucorps,** espèce de tunique   [ʒystokɔːr]

un costume **juste** (= trop étroit)   [ʒyst]

   la **justesse,** exactitude, précision   [ʒystɛs]

   juxtaposer v. placer côte à côte   [ʒykstapoze]

K un **kangourou** • (p. 9)   [kãguru]

   un **képi** • (p. 39)   [kepi]

   une **kermesse,** foire annuelle dans les
     Flandres • (p. 88)   [kɛrmɛs]

   un **kilo** = un kilogramme   [kilo]

un **kilomètre** = 1093·6 *yards*   [kilɔmɛtr]

un **kiosque,** petite boutique où l'on vend les jour-
     naux   [kjɔsk]

le **kirsch,** liqueur faite de cerises   [kirʃ]

un **jongleur**

le **joug**

des **jumeaux**

des **jumelles**

les **jumelles**

un **citron juteux**

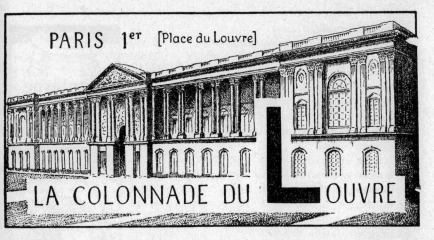

PARIS 1er [Place du Louvre]

LA COLONNADE DU LOUVRE

l', le, la, les (articles ou pronoms) [lə—la—le]
là, *there* **là-bas,** *yonder* **là-haut,** *up there* [la—labɑ—lao]
un **labeur,** un travail long et pénible [labœːr]
le **labour** (1) travail du laboureur; (2) terre labourée [labuːr]
labourer *v.* briser la terre avec une charrue • [labure]
un **laboureur,** paysan qui laboure la terre [laburœːr]
le **lac.** Windermere est un très joli lac [lak]
lacer *v.* serrer avec un lacet [lase]
un **lacet,**• cordon d'un corset, d'un soulier etc. (p. 35) [lasɛ]
lâche (1) poltron, couard; (2) peu serré, *loose* [lɑːʃ]
lâchement. Le contraire est **bravement** [lɑːʃmã]
lâcher *v.* (1) rendre plus lâche; (2) laisser partir [lɑʃe]
une **lâcheté,** action poltronne ou vile [lɑʃte]
un **ladre,** homme d'une grande avarice [lɑːdr]
laid (**laide**) Le contraire est **joli** [lɛ—lɛd]
une **laideron,** jeune fille laide [lɛdrɔ̃]
la **laideur.** La qualité contraire est la **beauté** [lɛdœːr]
la **laine,** le **lainage,** poil du mouton [lɛːn—lɛnaːʒ]
laineux (**laineuse**) qui ressemble à la laine [lɛnø—lɛnøːz]
une **laisse,** corde qu'on attache au collier du chien [lɛːs]
laisser *v.* abandonner; quitter; permettre; léguer; *leave* [lɛse]
le **laisser-aller,** négligence dans la tenue (*behaviour*)
le **laisser-faire,** liberté totale d'agir selon son intérêt
un **laissez-passer,** permission de passer
le **lait,**• liquide blanc fourni par la vache etc. (p. 143) [lɛ]
une **laiterie,** boutique où l'on vend du lait etc. [lɛtri]
la **laitière** (1) trait (*milks*) les vaches; (2) vend du lait [lɛtjɛːr]

117

le **laiton,** le cuivre jaune   [lɛtɔ̃]
une **laitue,** plante comestible, *lettuce*   [lɛty]
des **lambeaux,** des haillons • (p. 103)   [lãbo]
le **lambris** • (p. 126)   [lãbri]
une **lame,** une grande vague   [lam]
une **lame** de couteau • etc. (p. 47)
une **lame** d'or = morceau d'or plat et mince

un **lampion,** une lanterne vénitienne   [lãpjɔ̃]
   lancer *v.* jeter   [lãse]
   lancer un navire = mettre un navire à l'eau
une **lancette,** couteau de chirurgien   [lãsɛt]
un **landau,** voiture élégante à quatre roues   [lãdo]
une **lande,** terre inculte où ne poussent que des
     plantes sauvages   [lãːd]
un **langage,** façon de parler   [lãgaːʒ]
les **langes,** premier vêtement d'un bébé   [lãːʒ]
une **langouste** •   [lãgust]
une **langue** •   [lãːg]
la **langueur,** faiblesse maladive   [lãgœːr]
   languir *v.* rester longtemps faible   [lãgiːr]
la **lanière** • d'un fouet (p. 89)   [lanjɛːr]
une **lanterne sourde,** lanterne dont on peut rendre
     la lumière invisible
une **lanterne vénitienne** •   [lãtɛrnvenisjɛn]
   lapider *v.* jeter des pierres à   [lapide]
un **lapin,** • petit animal rongeur (p. 8)   [lapɛ̃]
un **lapereau,** jeune lapin   [lapro]
un **laquais,** domestique, valet   [lakɛ]
le **laque,** vernis de Chine, *lacquer*   [lak]
un **larcin,** vol de peu d'importance   [larsɛ̃]
le **lard,** • la graisse du porc (p. 143)   [laːr]
   large, *wide;* libéral   [larʒ]
le **large,** la haute mer
la **largesse,** libéralité   [larʒɛs]
la **largeur,** qualité de ce qui est large   [larʒœːr]
une **larme** •   [larm]
   larmoyer *v.* pleurer   [larmwaje]
un **larron,** • voleur furtif   [larɔ̃]
   las (lasse) fatigué   [lɑ—lɑːs]
   lasser *v.* fatiguer   [lɑse]
des **lattes** de bois •   [lat]
un **laurier,** • symbole de la gloire   [lɔrje]
un **lavabo** • (p. 33)   [lavabo]

une **lanterne vénitienne**

les antennes
la carapace
une **langouste**

il tire
la langue

des **larmes**

un **larron**

la **lavande,** plante qui sent bon [lavɑ̃ːd]

la **lave** • coule des volcans • [laːv]

laver v. *to wash* [lave]

un **lavoir,** lieu où on lave le linge [lavwaːr]

une **layette,** tout le linge d'un bébé [lɛjɛt]

lécher v. Le chien lèche le plat avec sa langue [leʃe]

une **leçon,** (1) instruction; (2) réprimande [ləsɔ̃]

un **lecteur,** une **lectrice,** personne qui lit [lɛktœːr—lɛktris]

la **lecture,** action de lire; ce qu'on lit [lɛktyːr]

léger (**légère**) (1) qui ne pèse pas beaucoup; (2) petit ou trivial; *light* [leʒe—leʒɛːr]

à la légère, d'une manière légère

la **légèreté,** qualité de ce qui est léger [leʒɛrte]

un **légionnaire,** soldat (de la Légion) [leʒjɔnɛːr]

un **legs,** un héritage [lɛ (ou) lɛːg]

léguer v. donner par testament [lege]

un **légume** • (voir pl. D) [legym]

le **lendemain,** le jour suivant [lɑ̃dəmɛ̃]

lent, le contraire de **rapide** [lɑ̃]

lentement, le contraire de **vite** [lɑ̃tmɑ̃]

la **lenteur.** Contraire: **rapidité** [lɑ̃tœːr]

une **lentille** (1) plante, *lentil*; (2) disque de verre trouvé dans un télescope [lɑ̃tiːj]

la **lèpre,** terrible maladie contagieuse [lɛːpr]

un **lépreux** souffre de la lèpre [leprø]

lequel (**laquelle**); **lesquels** (**lesquelles**) *who, whom, which; which?* [ləkɛl—lakɛl—lekɛl]

faire la lessive, • laver le linge [lɛsiːv]

le **lest** • Le verbe est **lester** [lɛst, -e]

leste, vif, agile, léger [lɛst]

une **lettre.** A, B, C sont des lettres [lɛtr]

les **lettres,** la littérature

lettré, instruit, cultivé [lɛtre]

leur, *their; to them* [lœːr]

un **leurre,** quelque chose de mauvais qui semble très joli, très attrayant [lœːr]

leurrer v. attirer [lœre]

le **levain,** un ferment [ləvɛ̃]

la **levée des lettres,** action du facteur qui retire les lettres de la boîte [ləve]

lever v. *to raise* [ləve]

un treillage de **lattes**

une **couronne** de **lauriers**

un volcan

la **lave**

Maman fait la **lessive**

la nacelle

l'aéronaute jette du **lest**

119

se **lever** v. quitter le lit [səlǝve]

le **lever du soleil,** moment où le soleil dépasse l'horizon [lǝve]

un **levier,** barre pour élever un corps lourd [lǝvje]

un **levraut,** un jeune lièvre • (p. 9) [lǝvro]

une **lèvre** •   Nous avons 2 lèvres: la **lèvre supérieure,** la **lèvre inférieure** [lɛːvr]

un **lévrier,** • une **levrette** [levrie—lǝvrɛt]

un **lézard,** petit reptile agile [lezaːr]

une **lézarde,** crevasse dans un mur [lezard]

un mur **lézardé,** • crevassé, fendu [lezarde]

une **liaison,** une union [ljɛzɔ̃]

un **liard,** petite pièce d'argent [ljaːr]

une **liasse,** un paquet (de papiers) [ljas]

une **libellule,** demoiselle • (p. 57) [libɛlyl]

libérer v. mettre en liberté [libere]

un **libraire** • vend les livres [librɛːr]

une **librairie,** • magasin du libraire. [librɛri]

libre, qui n'est pas prisonnier [libr]

la **lice,** terrain destiné aux combats des chevaliers • (p. 15) [lis]

un **lichen,** espèce de très petite plante [likɛn]

une **licorne,** • cheval fabuleux [likɔrn]

un **licou** (**licol**) corde pour attacher les chevaux, les chameaux etc. [liku—likɔl]

la **lie** d'un tonneau de vin = ce qui reste au fond du tonneau

la **lie** du peuple = la partie la plus vile [li]

les bouchons • (p. 24) sont faits de **liège** [ljɛːʒ]

un **lien,** ce qui sert à lier [ljɛ̃]

lier v. attacher par des cordes etc. [lje]

le **lierre,** • plante grimpante [ljɛːr]

la **liesse,** joie vive et générale [ljɛs]

un **lieu,** une place, un endroit [ljø]

avoir lieu v. *to take place*

une **lieue** = 4 kilomètres [ljø]

un **lièvre,** • animal timide (p. 9) [ljɛːvr]

une **ligne.**   Une ligne de soldats; quelques lignes de prose; la ligne d'horizon etc. [liɲ]

une **lignée,** race, famille [liɲe]

ligoter v. lier fortement [ligɔte]

une **ligue,** union, confédération [lig]

le **lilas,** • jolie fleur de printemps [lila]

les **lèvres** d' un **nègre lippu**

un **lévrier**

un mur **lézardé**

LIBRAIRIE

le **libraire**

la corne

une **licorne**

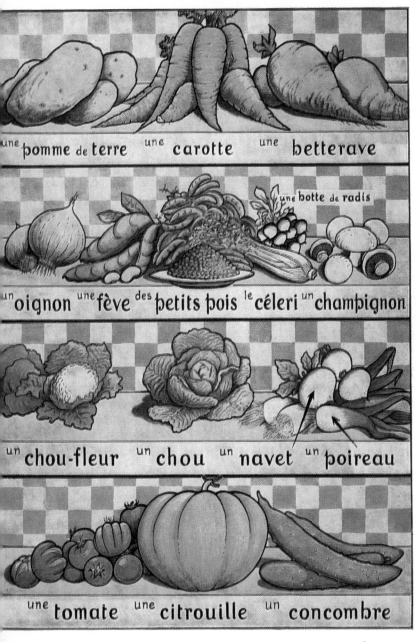

une pomme de terre   une carotte   une betterave

un oignon   une fève   des petits pois   le céleri   un champignon

une botte de radis

un chou-fleur   un chou   un navet   un poireau

une tomate   une citrouille   un concombre

PLANCHE D   LES LÉGUMES

une **limace,** mollusque des jardins [limas]

un **limaçon** = un colimaçon (p. 41) [limɑsɔ̃]

un **escalier en limaçon,** escalier en spirale

les **limailles,** parcelles (*bits*) de métal détachées
par la **lime** (p. 149) [limɑːj—lim]

limer *v.* frotter (*rub*) avec une lime [lime]

un **limier** (1) chien qui traque les criminels;
(2) détective [limje]

le **limon,** espèce de citron plein de jus [limɔ̃]

le **limon,** la boue (des rivières)

limoneux, plein de boue [limɔnø]

une **limousine,** automobile fermée [limuzin]

le **lin,** *flax.* On fait des cols en **toile de lin**

l' **huile de lin** s'emploie en peinture [lɛ̃]

un **linceul,** toile pour envelopper un mort [lɛ̃sœl]

le **linge,** chemises, cols, mouchoirs etc. [lɛ̃ːʒ]

une **lingère,** femme qui s'occupe du linge [lɛ̃ʒɛːr]

la **lingerie,** linge fin d'une dame [lɛ̃ʒri]

un **lingot,** bloc (d'or etc.) [lɛ̃go]

le **linon,** tissu très fin [linɔ̃]

un **linot,** une **linotte,** oiseau chanteur [li-no, -nɔt]

un **lion,** une **lionne** (p. 9) [ljɔ̃—ljɔn]

le **lionceau,** le petit du lion [ljɔ̃so]

lippu, qui a de grosses lèvres [lipy]

une **liqueur,** boisson très forte [likœːr]

lire *v.* On lit le journal, un livre etc. [liːr]
lisant; lu; (j'ai lu)
je lis; je lus; je lirai; que je lise

un **liseur,** personne qui lit [lizœːr]

lisible, facile à lire [lizibl]

un **lis,** fleur blanche (pl. B) [lis]

à la lisière du bois : au bord du bois [lizjɛːr]

lisse, uni, poli, *smooth* [lis]

lisser *v.* rendre lisse [lise]

un **lit,** meuble (voir p. 33) [li]

la **literie,** draps couvertures etc. (p. 33) [litri]

la **litière,** paille, tourbe (*peat*) etc. où se couchent
les chevaux, les mulets etc. [litjɛːr]

un **litre** = 1¾ pintes anglaises [litr]

un **littérateur,** homme de lettres [literatœːr]

le **littoral,** pays tout près de la côte [litɔral]

la **livraison,** action de livrer à la maison une
marchandise achetée [livrɛzɔ̃]

le **lierre**

le **lilas**

une **limace**

deux **limiers**

la **lisière**
du bois.

un **livre** • [liːvr]

une **livre** = 500 grammes

une **livre sterling** = 20 shillings [sterlɛ̃]

la **livrée**, l'uniforme des domestiques [livre]

livrer v. déposer entre les mains de quelqu'un;
deliver [livre]

livrer bataille, commencer le combat

un **local** (1) lieu; (2) immeuble; (3) bureau [lɔkal]

un **locataire,** personne qui occupe une maison et
qui en paie le **loyer** (*rent*) [lɔkatɛːr]

une **loge,** logement (d'un concierge •) [lɔːʒ]

une **loge de théâtre** • (p. 204)

un **logement,** un **logis,** habitation [lɔʒ-mɑ̃, -i]

loger v. demeurer, habiter [lɔʒe]

la **loi,** décision du Parlement [lwa]

loin; au loin; lointain, à une grande distance
[lwɛ̃—lwɛ̃tɛ̃]

de loin en loin, à de grands intervalles

un **loir,**• petit animal qui ressemble au rat et qui
dort tout l'hiver [lwaːr]

le **loisir,** temps libre, où l'on n'a pas de travail à
faire [lwaziːr]

long (longue) [lɔ̃—lɔ̃ːg]

marcher **de long en large,** *walk up and down*

à la longue, enfin, finalement [lɔ̃ːg]

longer un mur = aller **le long du** mur [lɔ̃ʒe]

longtemps. J'ai longtemps désiré une bicyclette
[lɔ̃tɑ̃]

la **longueur.** La longueur du serpent est de 3
mètres [lɔ̃gœːr]

une **longue-vue,**• espèce de télescope [lɔ̃gvy]

un **lopin** (de terre) = un morceau [lɔpɛ̃]

loquace, bavard; qui parle beaucoup [lɔkwas]

ses vêtements sont **en loques** = en haillons • [lɔk]

un **loquet** • [lɔkɛ]

lorgner v. regarder [lɔrɲe]

une **lorgnette** = jumelles • (p. 116) [lɔrɲet]

un **lorgnon** (1) pince-nez; (2) un monocle [lɔrɲɔ̃]

lors, *then*   **dès lors,** *from that time* [lɔːr]

lorsque, quand, *when* [lɔrsk]

lotir v. diviser une terre en **lots** [lɔtiːr—lo]

une **louche,** sorte de grande cuillère [luʃ]

louche, suspect, douteur [luʃ]

la couverture
le dos la tranche
le **livre**

un **loir**

une **longue-vue**

un **loquet**

il **louche**

loucher • *v.* [luʃe]

louer *v.* prêter une maison etc. à une autre personne pour un prix arrangé [lwe]

louer *v.* célébrer le mérite de; honorer

les **louanges,** ce qu'on dit en louant une personne etc. [lwɑ̃:ʒ]

un **louis (d'or)** • pièce valant 20 francs [lwi]

un **loup,**• une **louve,** animal féroce qui ressemble à un gros chien (p. 9) [lu—lu:v]

un **loup de mer,** vieux marin [ludmɛ:r]

entre chien et loup, à la tombée de la nuit

un **froid de loup,** un froid extrême

à pas de loup, sans faire de bruit

un **louveteau,** le petit du loup [luvto]

une **loupe** (1) une tumeur; (2) lentille de verre qui grossit les objets minuscules [lup]

lourd,• qui pèse (*weighs*) beaucoup [lu:r]

un **lourdaud,** homme lourd et stupide [lurdo]

la **lourdeur,** qualité de ce qui est lourd [lurdœ:r]

une **loutre** • [lu:tr]

une **lubie,** un caprice [lybi]

une **lucarne,**• petite fenêtre du toit [lykarn]

une **luciole,** ver luisant [lysjɔl]

une **lueur,** lumière faible [lɥœ:r]

lugubre, triste, mélancolique [lygy:br]

lui, *to him, to her; he* [lɥi]

luire *v.* briller [lɥi:r]

luisant, qui luit, qui brille [lɥizɑ̃]

la **lumière,** clarté. On dit: la lumière du jour, d'une lampe, d'une chandelle [lymjɛ:r]

un **lundi,** deuxième jour de la semaine [lœ̃di]

la **lune,**• astre de la nuit (p. 16) [lyn]

une **lunette,** espèce de petit télescope [lynɛt]

une **paire de lunettes** • dans un étui • (p. 81)

un **lustre** • (1) chandelier (p. 204); (2) le brillant d'une perle etc.; (3) période de 5 ans [lystr]

un **luth,** instrument de musique [lyt]

un **lutin,** petit démon [lytɛ̃]

un **lutrin** • [lytrɛ̃]

une **lutte,** dispute; combat; guerre [lyt]

lutter *v.* combattre [lyte]

un **lutteur,** celui qui lutte [lytœ:r]

le **luxe,** richesse et splendeur exagérées [lyks]

un **louis** d'or

le sac est **lourd**

une **loutre**

une **lucarne**

un **lutrin**

LA **M**ADELEINE

luxueux (luxueuse) trop riche   [lyksɥø—lyksɥøːz]
un **lycéen,** une **lycéenne,** élève d'un lycée   [liseɛ̃—liseɛn]
un **lycée,** grande école secondaire   [lise]

macabre, sinistre, qui touche à la mort   [makaːbr]
un **macaque,** espèce de singe   [makak]
mâcher v. mastiquer   [maʃe]
une **mâchoire** •   [maʃwaːr]
mâchonner v. mâcher avec difficulté   [maʃɔne]
machinal, automatique, mécanique   [maʃinal]
une **machine à coudre** •   une **machine à écrire** •   [maʃin]
machiner v. préparer en secret un complot   [maʃine]
le **machiniste** change les décors • dans un théâtre (p. 204)   [maʃinist]
un **maçon** • (p. 149) ouvrier qui bâtit les murs d'une maison   [masɔ̃]
la **maçonnerie,** ouvrage de brique ou de pierre   [masɔnri]
Mademoiselle, titre d'une dame non mariée. Le mot, en abrégé,
    s'écrit **Mlle** et le pluriel, **Mesdemoiselles**   [ma-(me-)dəmwazɛl]
le **madère,** un vin sucré qui vient de **Madère** (*Madeira*)   [madɛːr]
une **madone,** image qui représente la Vierge Marie   [madɔn]
un **madrier,** une épaisse planche de bois   [madrie]
un **magasin,**• où on vend des marchandises (p. 172)   [magazɛ̃]
les trois **Mages,** les rois qui vinrent adorer Jésus   [maːʒ]
un **magicien,** une **magicienne,** personne qui pratique la magie
    [maʒis-jɛ̃, -jɛn]
la **magie,** art de produire des effets surnaturels   [maʒi]
magistral, digne d'un maître; remarquable   [maʒistral]
magnanime, courageux et généreux   [maɲanim]

magnifique, splendide, superbe [maɲifik]

un **magot** (1) figurine grotesque en porcelaine; (2) argent qu'on cache [mago]

maigre,° le contraire de **gras** ° (p. 73) Une personne maigre est dans un état de **maigreur** [mɛ:gr—mɛgrœ:r]

maigrir v. devenir maigre [mɛgri:r]

faire maigre, ne pas manger de viande

le **Mail,** promenade plantée d'arbres [ma:j]

les **mailles d'un filet,**° les cordes qui le composent (p. 87) [mɑ:j]

un **maillet,** espèce de marteau en bois [majɛ]

un **maillot,** vêtement (1) pour les danseuses de théâtre; (2) pour les baigneurs [majo]

une **main,**° extrémité du bras (p. 153) [mɛ̃]

en un tour de main, en un instant

faire main basse sur, voler: ne rien laisser

la **main-d'œuvre** (1) fabrication; (2) l'ensemble des ouvriers [mɛ̃dœ:vr]

maintenant, à présent [mɛ̃tnɑ̃]

maintenir v. (1) supporter; (2) conserver; (3) affirmer (se conj. c. tenir) [mɛ̃tni:r]

maintes fois, plusieurs fois [mɛ̃:t]

un **maintien,** support; attitude [mɛ̃tjɛ̃]

un **maire,**° premier citoyen d'une ville [mɛ:r]

la **mairie,** bureau du maire [mɛri]

mais, but [mɛ]

le **maïs,**° espèce de céréale (p. 127) [mais]

une **maison,**° une habitation (pl. E) [mɛzɔ̃]

une **maisonnette,** petite maison [mɛzɔnɛt]

un **maître,** une **maîtresse,** personne qui commande [mɛ:tr—mɛtrɛs]

le **maître d'hôtel** arrange les repas, le service

un **maître sot,** un sot complet et indiscutable

une **maîtresse femme,** une femme de caractère

maîtriser v. dominer; gouverner [mɛtrize]

majeur (1) plus grand, plus important; (2) qui a 21 ans ou plus [maʒœ:r]

un **mal,** douleur, maladie. Le **mal de tête;** le **mal de mer;** le **mal du pays**

j'ai mal au cœur = j'ai envie de vomir

le **mal,** evil. Les **maux** de la vie [mal—mo]

mal, le contraire de **bien**

la **mâchoire**

une **machine à coudre**

le clavier

une **machine à écrire**

il est **maigre**

le **maire**

125

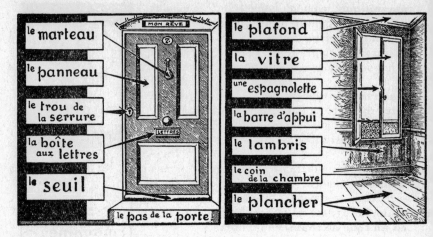

Labels on the illustration:

le marteau
le panneau
le trou de la serrure
la boîte aux lettres
le seuil
le pas de la porte

le plafond
la vitre
une espagnolette
la barre d'appui
le lambris
le coin de la chambre
le plancher

[*In many words beginning with* MAL- (*or* MAU-) *this syllable indicates an idea of evil or negation*]

malade, qui ne se porte pas bien [malad]

une **maladie.** L'influenza est une maladie [maladi]

maladif (maladive) souvent malade [mala-dif, -diːv]

une **maladresse,** absence d'habileté, de tact [maladrɛs]

maladroit, qui n'est pas à l'aise: gauche [maladrwɑ]

un **malaise,** sensation qu'on ne se porte pas bien [malɛːz]

malaisé, difficile [malɛze]

mâle et **femelle,** homme et femme [mɑːl—fəmɛl]

malencontreux, regrettable, malheureux [malɑ̃kɔ̃trø]

un **malentendu,** erreur qui vient de ce qu'on comprend mal [malɑ̃tɑ̃dy]

malfaisant, qui fait du mal. Le verbe est **malfaire** [mal-fəzɑ̃, -fɛːr]

un **malfaiteur,** une **malfaitrice,** voleur, criminel [malfɛ-tœːr, -tris]

malgré, contre la volonté de; en dépit de [malgre]

un **malheur** (1) état de tristesse et d'infortune; (2) accident regrettable, désastre [malœːr]

malheureux, infortuné, qui n'est pas heureux [malœrø]

malhonnête, qui n'est pas honnête [malɔnɛːt]

faire des malices = jouer des tours (*tricks*) à quelqu'un [malis]

dire des malices = dire des plaisanteries acides

malin (maligne) (1) qui aime à faire du mal; (2) rusé, adroit, vif d'esprit; (3) dangereux [malɛ̃—maliɲ]

malingre, qui n'est pas robuste: chétif [malɛ̃ːgr]

une **malle.** Quand on va en Amérique, on met ses vêtements etc. dans une malle [mal]

une **mallette,** une petite malle [malɛt]

126

malmener *v.* maltraiter [malməne]

un **malotru,** homme sans éducation, désagréable et impoli [malɔtry]

malpropre, sale [malprɔpr]

malsain, insalubre ; maladif [malsɛ̃]

un **Maltais,** habitant de l'île de **Malte** [maltɛ—malt]

maltraiter *v.* traiter brutalement [maltrɛte]

la **malveillance,** désir de faire du mal [malvɛjɑ̃ːs]

malveillant, qui veut faire du mal [malvɛjɑ̃]

la **maman** • ; la **bonne-maman** • (p. 84) [mãmã—bɔnmãmã]

la **mamelle** de la vache est pleine de lait [mamɛl]

un **mamelon,** une petite colline [mamlɔ̃]

un **manant,** rustre: homme mal élevé [manã]

UN **manche,** • partie d'un couteau etc. (p. 47)

UNE **manche** • d'un veston etc. (p. 211)

la **Manche** • [mãːʃ]

la **manchette** • d'une chemise (p. 211) [mãʃɛt]

un **manchon** • (voir aussi p. 72) [mãʃɔ̃]

un **manchot** • (pl. F) [mãʃo]

manchot, qui n'a qu'un seul bras

une **mandarine,** espèce de petite orange [mãdarin]

un **mandat** (1) *money-order;* (2) délégation de pouvoir [mãda]

un **manège,** école où l'on apprend à monter à cheval [manɛːʒ]

le **manège,** art de discipliner les chevaux

un **manège de chevaux de bois** •

une **mangeoire.** Marie a mis le petit Jésus dans une mangeoire [mãʒwaːr]

manger *v. to eat* [mãʒe]

le **manger,** la nourriture • (p. 143)

maniable, facile à manier; docile [manjaːbl]

manier *v.* prendre avec la main [manje]

une **manie,** obsession; habitude curieuse [mani]

une **manière,** façon, mode, méthode [manjɛːr]

maniéré, affecté [manjere]

la **manivelle** • d'un puits (*well*) [manivɛl]

une **manne,** un grand panier • (p. 11) [man]

UNE **manœuvre,** exercice militaire

UN **manœuvre,** ouvrier (non spécialisé) [manœːvr]

un **manoir,** petit château [manwaːr]

127

un **manque,** absence (de quelque chose) [mãːk]

manquer v. (1) Le pain manque = il n'y a pas assez de pain; (2) j'ai manqué le train = j'étais en retard pour le train [mãke]

une **mansarde** • (1) fenêtre dans le toit; (2) petite chambre sous le toit (pl. E) [mãsard]

une **mante,** grand manteau de femme [mãːt]

un **manteau** (1) vêtement qui couvre tout le corps; (2) partie de la cheminée (*fireplace*) [mãto]

une **mappemonde,** carte • qui représente les deux hémisphères du globe (p. 188) [mapmɔ̃ːd]

un **maquereau,**• poisson (pl. H) [makro]

le **maquillage,** peinture du visage [makijaːʒ]

se maquiller v. se peindre la figure [makije]

le **maquis,** nom donné, en Corse, aux broussailles où les bandits se cachent [maki]

prendre le maquis, se réfugier dans les bois

un **marais** • [marɛ]

une **marâtre,** mauvaise mère, *stepmother* [maraːtr]

un **maraud,** coquin. Un **maraudeur** vole dans les jardins et les champs [maro, -dœːr]

le **marbre,** pierre dont on fait les statues [marbr]

marbré, taché, coloré [marbre]

un **marchand,** commerçant [marʃã]

un **marchandage,** action de discuter le prix. Le verbe est **marchander** [marʃã-daːʒ, -de]

la **marchandise,** article de commerce [marʃãdiːz]

un **marché** (1) endroit où les paysans vendent leurs marchandises; (2) vente de ces objets [marʃe]

bon marché, qui n'est pas cher; **meilleur marché,** moins cher

par-dessus le marché, de plus; en plus; en outre

une **marche** (1) mouvement d'une troupe de soldats etc.; (2) degré (*step*) d'un escalier [marʃ]

le **marchepied** • d'une auto (p. 214) [marʃəpje]

marcher v. aller. Le train marche; une machine marche; une pendule marche [marʃe]

le **Mardi gras,** *Shrove-Tuesday* [mardigrɑ]

une **mare,** pièce d'eau stagnante dans un champ etc. Les vaches boivent à la mare [maːr]

un **marécage,**• un marais [marekaːʒ]

128

un mari et sa femme

un marais
un marécage

un marron d'Inde

un marsouin

un matou

l'extérieur de la maison

1. la porte
2. le perron
3. la fenêtre
4. le mur
5. le toit
6. la mansarde
7. la cheminée
8. le balcon
9. la marquise
10. la gouttière
11. le tuyau
12. le garage
13. le volet
14. le jardin
15. la grille

l'intérieur de la maison

les combles — une mansarde — une chambre de débarras

le premier étage — une chambre à coucher — un escalier — la salle de bains — la serre

le rez-de-chaussée — le salon — la salle à manger — la cuisine

le sous-sol — la cave

PLANCHE E   LA MAISON

128]

marécageux, plein de boue et d'eau stagnante [marekaʒø]

un **maréchal,** grade le plus élevé de l'armée

un **maréchal ferrant,** forgeron • (p. 89) [mareʃal]

la **marée,** mouvement régulier de la mer [mare]

une **marge,** bordure blanche d'une page [marʒ]

une **margelle,** petit mur autour d'un puits [marʒɛl]

un **mari** • [mari]

un **marin,** navigateur [marɛ̃]

la **marine,** force navale d'un pays [marin]

une **marionnette,** petite poupée [marjɔnɛt]

la **marmaille,** troupe d'enfants [marmɑːj]

une **marmite,** espèce de casserole • [marmit]

un **marmiton,** aide-cuisinier [marmitɔ̃]

un **marmot,** un petit garçon [marmo]

marmotter v. parler indistinctement [marmɔte]

un **Marocain,** habitant du **Maroc** • (p. 59) [marɔkɛ̃—marɔk]

le **maroquin,** espèce de cuir (*leather*) [marɔkɛ̃]

une **marotte,** idée fixe; manie [marɔt]

une **marque,** signe; trace; **marquer** v. [mark, -e]

une **marquise,** femme d'un marquis [markiːz]

une **marquise,** • espèce de petit toit (pl. E)

une **marraine,** *godmother* [marɛn]

un **marron,** grosse châtaigne. L'arbre est le **marronnier** [marɔ̃—marɔnje]

le **marron d'Inde** • n'est pas bon à manger

marron, couleur d'un marron

un **mars,** troisième mois de l'année [mars]

la **Marseillaise,** chant national [marsɛjɛːz]

un **marsouin** • [marswɛ̃]

un **marteau,** • outil (p. 149) [marto]

le **marteau** • de la porte (p. 126)

marteler v. battre avec un marteau [martəle]

un **martinet,** fouet • pour corriger les petits enfants [martinɛ]

un **martin-pêcheur,** • oiseau (pl. F) [martɛ̃]

un **martyre,** torture et mort d'un **martyr.** Le verbe est **martyriser** [mar-tiːr, -tirize]

un **bal masqué,** bal où les danseurs portent un **masque** [maske—mask]

un **massif,** groupe (d'arbres, de montagnes) [masif]

une **massue,** • sorte de gros bâton (p. 15) [masy]

un **mausolée**

une **mèche** de cheveux

un **médicament**

notre **femme** de ménage

il demande l'aumône

un **mendiant**

une **masure,** maison délabrée [•] (p. 56) [mazyːr]

mat (**mate**) (1) qui n'a pas de lustre; (2) qui ne rend pas d'écho [mat]

le **mât** [•] d'un bateau (p. 21) [mɑ]

On se couche sur un **matelas** [•] (p. 33) [matla]

un **matelot,** marin ordinaire [matlo]

mater v. vaincre, dompter, dominer [mate]

la **matière,** la substance [matjeːr]

les **menottes**

un **matin,** une **matinée,** les premières heures du jour [matɛ̃—matine]

faire la grasse matinée, rester au lit

de bon matin; de grand matin = de bonne heure; *early*

matinal, qui se lève de bon matin [matinal]

un **mâtin,** espèce de gros chien [mɑtɛ̃]

matois, rusé comme un renard [•] (p. 9) [matwa]

un **matou,**[•] un gros chat mâle (p. 128) [matu]

une **matraque,** un gros bâton [•] [matrak]

un **merle**

maudire v. prononcer (contre un traître, un tyran) une malédiction [modiːr]

maudit, détestable [modi]

un **mausolée,**[•] un tombeau imposant [mozɔle]

maussade, désagréable, déplaisant [mosaːd]

mauvais, le contraire de **bon** [mɔvɛ]

un **mauvais plaisant,** qui plaisante d'une façon impertinente

un **mauvais sujet,** homme indiscipliné

les **meubles**

le **mécanicien** conduit une locomotive [mekanisjɛ̃]

mécanique, automatique [mekanik]

méchamment, avec méchanceté [meʃamɑ̃]

la **méchanceté,** désir de faire du mal [meʃɑ̃ste]

méchant, cruel; détestable; sans valeur [meʃɑ̃]

la **mèche** [•] d'une lampe (p. 72) [mɛʃ]

une **mèche de cheveux** [•] (p. 129)

une **meule** de foin

[*Words beginning with the prefix* MÉ-, MÉS-, *have often a negative or unpleasant meaning*]

méconnaître v. (1) ne pas reconnaître; (2) ne pas apprécier [mekɔnɛːtr]

mécontent, qui n'est pas content [mekɔ̃tɑ̃]

le **mécontentement,** contraire de **satisfaction.** Le verbe est **mécontenter** [mekɔ̃tɑ̃t-mɑ̃, -e]

une **médaille.** Après la guerre, chaque soldat reçoit une médaille d'argent [medaːj]

LA **victime** →

un **meurtrier**

le **médecin,** le docteur.   Le médecin pratique la
   médecine [metsɛ̃—metsin]
un **médicament,**• un remède (p. 129) [medikamã]
   médire v. dire du mal de [mediːr]
la **médisance,** critique cruelle mais fondée
                        [medizãːs]
une **méduse** • (pl. H) [medyːz]
un **méfait,** une mauvaise action [mefɛ]
la **méfiance,** suspicion [mefjãːs]
   méfiant, qui suspecte; soupçonneux [mefjã]
   se méfier de v. n'avoir aucune confiance en:
     suspecter [mefje]
   par mégarde, par accident [megard]
une **mégère,** méchante femme [meʒɛːr]
   meilleur, comparatif de **bon** [mɛjœːr]
   méjuger v. juger mal [meʒyʒe]
   mélanger v. On mélange la farine avec de l'eau
     pour faire de la pâte: le résultat est un
     mélange [melãʒe—melãːʒ]
la **mélasse,** sirop de sucre [melas]
une **mêlée,** combat furieux et confus [mɛle]
   mêler v. mélanger [mɛle]
un **mélèze,** arbre des forêts, *larch* [melɛːz]
un (chapeau) **melon** • (p. 39) [məlɔ̃]
   même, *same; even; -self* [mɛːm]
la **mémoire,** faculté de se souvenir du passé
les **mémoires** d'un homme célèbre=souvenirs de
   ce qu'il a vu etc. [memwaːr]
un **ménage,** la famille et la maison; **faire le**
   ménage, faire les travaux de la maison
une **femme de ménage** • (p. 129) [menaːʒ]
   ménager v. (1) économiser; (2) traiter avec
     douceur [menaʒe]
un **ménagement,** circonspection [menaːʒmã]
une **ménagère,** femme qui s'occupe de sa maison
                     [menaʒɛːr]
un **mendiant** • (p. 129) [mãdjã]
la **mendicité,** action de mendier [mãdisite]
   mendier v. demander la charité [mãdje]
   mener v. conduire, diriger, guider [məne]
une **menotte,** petite main d'enfant [mənɔt]
les **menottes** • [mənɔt]
un **mensonge,** contraire d'une **vérité** [mãsɔ̃ːʒ]

un **mille-pattes**

un **miroir**

une **mitaine**

une **mitrailleuse**

une **mitraillette**

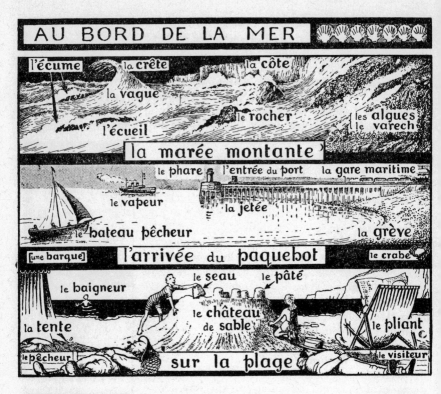

AU BORD DE LA MER

l'écume · la crête · la côte · la vague · le rocher · les algues · le varech · l'écueil · la marée montante · le phare · l'entrée du port · la gare maritime · le vapeur · la jetée · le bateau pêcheur · la grève · une barque · l'arrivée du paquebot · le crabe · le baigneur · le seau · le pâté · le château de sable · la tente · le pliant · le pêcheur · sur la plage · le visiteur

un **menteur,** personne qui dit ce qui n'est pas vrai   [mãtœːr]

     mentir *v.* dire ce qui est faux (*false*)   [mãtiːr]

       mentant; menti; (j'ai menti); je mens; je mentis; je mentirai

un **menton,**• partie du visage (p. 153)   [mãtɔ̃]

     menu, très petit   [məny]

la **menuiserie,** travail d'un **menuisier** •: celui-ci fait les plafonds,•

     les armoires,• les meubles en bois etc. (p. 149)   [mənɥiz-ri, -je]

     se méprendre *v.* se tromper   [meprãːdr]

       Je me suis mépris = j'ai fait une erreur

le **mépris,** contraire de **respect.** Le verbe est **mépriser**   [mepri, -ze]

     méprisable, qui ne mérite pas le respect   [mepriza:bl]

une **méprise,** une erreur   [mepriːz]

une **mercerie,** boutique où l'on vend de la **mercerie** (= fil, boutons etc.)

     La femme qui vend ces objets s'appelle une **mercière**

                                 [mɛr-səri, -sjɛːr]

     merci ! mot qui exprime (1) la gratitude; (2) le refus   [mɛrsi]

le **mercredi des Cendres,** *Ash Wednesday*   [mɛrkrədidesãːdr] une **mère,** femme qui a des enfants [mɛːr]

un **Méridional,** habitant du Midi (de la France) [meridjɔnal]

un **merisier,** cerisier sauvage [mərizje]

méritoire, qui mérite le respect, une récompense [meritwaːr]

un **merle,**• oiseau à plumage noir (p. 130) [mɛrl]

une **merveille,** chose admirable, extraordinaire. L'adjectif est **merveilleux** [mɛr-vɛːj, -vejø]

une **mésalliance,** mariage avec un inférieur [mezaljãːs]

une **mésaventure,** un accident [mezavãtyːr]

une **mésintelligence,** absence d'harmonie entre deux personnes [mezɛ̃teliʒãːs]

mesquin, pauvre, inférieur, *mean* [mɛskɛ̃]

la **mesquinerie,** avarice, parcimonie [mɛskinrɪ]

un **messager** porte un **message** [mesaʒe]

la **messe,** office de l'église; *mass* [mes]

' **battre la mesure** ' se dit en musique: *beat time* [batr la məzyːr]

une **métairie,** grande ferme • (p. 86) [meteri]

un **métayer,** un fermier [meteje]

un **métier,** occupation, profession etc. [metje]

un **métier,** machine pour faire du drap

le **métro,** chemin de fer souterrain [metro]

un **mets,** un plat de nourriture (p. 143) [mɛ]

mettre *v.* placer, poser [metr]
mettant; mis; (j'ai mis)
je mets; je mis; je mettrai; que je mette

se **mettre à,** commencer à

se **mettre en route,** commencer un voyage

un **meuble,**• table, chaise, lit etc. (p. 130) [mœbl]

meubler *v.* mettre des meubles dans [mœble]

un **meuglement,** cri d'une vache etc. Le verbe est **meugler** [mœgləmã—mœːgle]

une **meule** de moulin, grosse pierre [møːl]

une **meule** de foin • (p. 130)

un **meunier,** propriétaire d'un moulin • [mønje]

un **meurt-de-faim,** homme très pauvre [mœrdəfɛ̃]

un **meurtre,** un assassinat [mœrtr]

un **meurtrier,**• assassin (p. 130) [mœrtrie]

une **meurtrière,**• ouverture étroite dans le mur d'un château fort (p. 63) [mœrtriɛːr]

le **mitron**

les os

la **moelle**

un **moine**

la **moisson**

un **moissonneur**

133

meurtrir *v.* faire une **meurtrissure** (= une marque bleue ou noire sur la peau, causée par un coup, un choc) [mœr-triːr, -trisyːr]

une **meute,** troupe de chiens de chasse [møt]

[*In many words, the prefix* MI- *means 'half' or 'half-way', e.g.* **mi-mort,** *half-dead. Consider:*

la **mi-août,** milieu du mois d'août [miu]

la **mi-carême,** *mid-Lent* [mikarɛːm]

à **mi-chemin,** à **mi-côte,** à **mi-jambe** etc.

à **mi-voix,** d'une voix faible [amivwa]]

un **miaulement,** le cri du chat [mjolmɑ̃]

miauler *v.* Le chat miaule [mjole]

une **miche,** un gros pain • (p. 143) [miʃ]

un **midi,** le milieu du jour: douze heures [midi]

chercher midi à quatorze heures = trouver des difficultés où il n'y en a pas

le **Midi,** le sud (de la France)

une **midinette,** jeune ouvrière de Paris [midinɛt]

la **mie,** partie molle (*soft*) du pain [mi]

le **miel,**• liquide jaune sucré que font les abeilles (p. 2) [mjɛl]

mielleux, doux comme le miel [mjelø]

le **mien,** la **mienne,** à moi [mjɛ̃—mjɛn]

une **miette** de pain. Quand on mange du pain on laisse tomber des miettes [mjɛt]

mieux, comparatif de **bien** [mjø]

mièvre, affecté, efféminé [mjɛːvr]

mignard, gentil avec affectation [miɲaːr]

mignon (mignonne) (1) gentil, joli; (2) favori [miɲɔ̃—miɲɔn]

une **migraine,** mal de tête violent [migrɛn]

mil = **mille** = 1000 [mil]

un **milan,** oiseau de proie, *kite* [milɑ̃]

la **milice,** corps militaire [milis]

le **milieu,** le centre [miljø]

au beau milieu de, juste au centre de

un **mille** = 1609 mètres **mille marin,** *knot*

un **mille-pattes** • (p. 131) [milpat]

un **milliard,** mille millions [miljaːr]

un **milliardaire,** homme très riche [miljardɛːr]

un **millier,** mille [milje]

mimer *v.* imiter par des gestes [mime]

minable, pauvre, misérable [minaːbl]

une **moissonneuse**

le **mollet**

le **couvercle** le **sarcophage** une **momie**

le **monastère** de la **Grande Chartreuse**

une **montagne** [le mont **Cervin**]

minauder *v.* sourire avec affectation [minode]

mince, le contraire d'**épais** (*thick*) [mɛ̃ːs]

la **minceur,** qualité d'une chose mince [mɛ̃sœːr]

la **mine** d'une personne (1) expression du visage; (2) apparence générale [min]

faire bonne mine à, recevoir avec bonne grâce

faire grise mine à, recevoir avec froideur

faire mine de, faire semblant de; *pretend*

le **minerai,** métal tel qu'il sort de la terre [minrɛ]

le **mineur** travaille dans une **mine**

mineur, qui n'a pas encore 21 ans [minœːr]

un **minet,** une **minette,** petit chat [minɛ, -t]

un **ministère** (1) service; (2) fonctions d'un ministre, et (3) son bureau [ministɛːr]

un **ministre** du gouvernement. Churchill était premier ministre pendant la guerre [ministr]

un **minois,** joli petit visage [minwa]

un **minuit,** le milieu de la nuit [minɥi]

minuscule, très petit [minyskyl]

une **minutie,** un détail [minysi]

minutieux, qui aime les détails [minysjø]

un **mioche,** petit enfant [mjɔʃ]

le **point de mire,** la cible • [miːr]

un **miroir,**• une glace (p. 131) [mirwaːr]

miroiter *v.* briller comme un miroir [mirwate]

le **miroitement** de l'eau: l'éclat [mirwatmɑ̃]

mis, habillé [mi]

la **mise** d'une personne, sa manière de s'habiller

la **mise,** action de mettre [miːz]

misérable, (1) malheureux; (2) très pauvre [mizeraːbl]

la **misère,** pauvreté, malheur [mizɛːr]

la **miséricorde,** pitié, pardon, compassion. L'adjectif: **miséricordieux** [mizerikɔrd, -jø]

le **mistral,** vent froid des Alpes [mistral]

une **mitaine,**• espèce de gant (p. 131) [mitɛːn]

une **mite,** petit papillon • (p. 112) qui détruit les vêtements [mit]

mitiger *v.* modérer [mitiʒe]

la **mitraille,** une grêle de projectiles [mitraːj]

une **mitraillette,**• arme à feu (p. 131) [mitrajɛt]

une **mitrailleuse,**• arme à feu (p. 131) [mitrajøːz]

un **mitron,**• garçon pâtissier (p. 133) [mitrɔ̃]

un **montagnard**

le remontoir →

le verre

une **montre**

une **montre-bracelet**

une **monture** curieuse

la **monture** d'un diamant

le **mors** d'un cheval

le **mobilier,** les meubles • [mɔbilje]

la **mode,** la manière (de s'habiller) [mɔd]

à la mode, au goût du jour

modéré, qui aime la modération [mɔdere]

modérer v. diminuer [mɔdere]

modifier v. changer [mɔdifje]

modique, de peu de valeur [mɔdik]

une **modiste** fait les chapeaux de dame [mɔdist]

la **moelle** • d'un os (p. 133) [mwal]

moelleux (moelleuse) plein de moelle; doux, mou; riche, lustré [mwalø—mwaløːz]

un **moellon,** pierre d'un bâtiment [mwalɔ̃]

les **mœurs,** les habitudes des gens [mœːr(s)]

moi, forme forte du pronom **me** [mwa]

moindre, plus petit [mwɛ̃ːdr]

un **moine,**• un religieux (p. 133) [mwan]

un **moineau,**• petit oiseau (pl. F) [mwano]

moins, *less* ; **au moins** ; **du moins,** *at least*

à moins que . . . ne, *unless* [mwɛ̃]

la **moire,** étoffe de soie luisante [mwaːr]

un **mois,** douzième partie de l'année [mwɑ]

moisi, gâté (*spoiled*) par l'effet de l'humidité. Le verbe est **moisir** [mwa-zi, -ziːr]

la **moisson** • (p. 133) [mwasɔ̃]

moissonner v. couper le blé etc. [mwasɔne]

un **moissonneur,**• une **moissonneuse,** personne qui fait la moisson (p. 133) [mwasɔnœːr]

une **moissonneuse** • (p. 134) [mwasɔnøːz]

moite, humide [mwat]

la **moiteur,** l'humidité [mwatœːr]

une **moitié,** un demi: ½ [mwatje]

mol, molle (voir **mou**) [mɔl]

la **mollesse,** état de ce qui n'est ni ferme, ni fort, ni vigoureux [mɔlɛs]

le **mollet,**• partie de la jambe (p. 134) [mɔlɛ]

momentané, qui ne dure qu'un moment [mɔmɑ̃tane]

une **momie** • (p. 134) [mɔmi]

mon (ma, pl. **mes)** *my* [mɔ̃—ma—me]

un **monastère** • (p. 134) [mɔnastɛːr]

un **monceau,** accumulation (de pierres etc.) [mɔ̃so]

mondain (mondaine) qui aime les bals, les soirées, le théâtre etc. [mɔ̃-dɛ̃, -dɛn]

un **morse**

une **mosquée**

le **mouchoir**

il **se mouche**

le **moulin à café**

elle **moud** le café

elle fait la **moue**

136

le **monde** (1) la terre; (2) les gens. Le **beau monde**, le **grand monde** = les gens riches

le **Nouveau Monde**, l'Amérique [mɔ̃ːd]

mondial, du monde entier [mɔ̃djal]

la **monnaie**, les pièces d'argent [monɛ]

monotone, sans variété [monotɔn]

monseigneur, titre d'un évêque [mɔ̃sɛɲœːr]

un **monstre**, créature hideuse et cruelle [mɔ̃ːstr]

un **mont**, une **montagne** • (p. 134) [mɔ̃—mɔ̃taɲ]

un **montagnard** • (p. 135) [mɔ̃taɲaːr]

le **mont-de-piété**, établissement où l'on prête de l'argent sur des objets de valeur [pjete]

la **montée**, action de monter [mɔ̃te]

monter v. le contraire de **descendre** [mɔ̃te]

un **monticule**, petite colline [mɔ̃tikyl]

une **montre** • (p. 135) [mɔ̃ːtr]

une **montre-bracelet** • (p. 135) [mɔ̃ːtrəbraslɛ]

montrer v. faire voir, indiquer [mɔ̃tre]

une **monture** • (p. 135) [mɔ̃tyːr]

se **moquer de** v. ridiculiser [mɔke]

moqueur, qui aime à se moquer [mɔkœːr]

un **morceau**, un fragment [mɔrso]

morceler v. diviser en morceaux [mɔrsle]

mordant, très ironique [mɔrdɑ̃]

mordiller v. mordre à petits coups de dents [mɔrdije]

mordre v. couper avec les dents [mɔrdr]

la **morgue**, arrogance [mɔrg]

une **morgue**, bâtiment où l'on expose les morts

moribond, qui est près de mourir [mɔribɔ̃]

morigéner v. réprimander [mɔriʒene]

morne, triste, mélancolique [mɔrn]

un **mors**,• chaîne qui passe dans la bouche du cheval (p. 135) [mɔːr]

un **morse**,• animal des mers arctiques [mɔrs]

une **morsure** (1) action de mordre; (2) blessure faite par les dents [mɔrsyːr]

la **mort**, fin de la vie [mɔːr]

un **mort**, un homme mort

une **morte**, une femme morte [mɔrt]

une **morue**, poisson des mers froides, *cod* [mɔry]

une **mosquée** • [mɔske]

un **mot.** CHAT est un mot de 4 lettres [mo]

il est **mouillé**

le **moulage**

le **moule**

les **moules**

les **ailes**

un **moulin** à vent

un **moulin** à eau

une **motte,** gros morceau (de terre etc.) [mɔt]

motus ! silence ! [mɔtyːs]

mou, mol (molle) contraire de **dur** [mu—mɔl]

un **mouchard,** espion de la police [muʃaːr]

une **mouche °**; une **mouche à viande °** (p. 112) [muʃ]

le **moucheron** ressemble au moustique [muʃrɔ̃]

se moucher ° (p. 136) On se mouche dans un **mouchoir °** [muʃe—muʃwaːr]

moudre ° v. (p. 136) [mudr]
moulant; moulu; (j'ai moulu)
je mouds; je moulus; je moudrai

une **moue,°** grimace de mécontentement [mu]

une **mouette,°** oiseau de mer (pl. F) [mwɛt]

mouillé,° trempé d'eau; humide (p. 137) [muje]

mouiller v. (1) rendre humide; (2) jeter l'ancre (en parlant d'un bateau) [muje]

un **moulage °** (p. 137) [mulaːʒ]

UN **moule °** Le verbe est **mouler** [mul, -e]

UNE **moule,°** mollusque à coquille noire (p. 137)

un **moulin à vent °**; un **moulin à eau °** [mulɛ̃]

un **moulin à paroles,** un bavard

un **mourant,** homme qui va mourir [murɑ̃]

mourir v. cesser de vivre [muriːr]
mourant; mort; (je SUIS mort)
je meurs; je mourus; je mourrai

un **mousquet,** une arme à feu [muskɛ]

UN **mousse,°** très jeune marin [mus]

LA **mousse,** (1) plantes très petites qui poussent sur les pierres etc.; (2) la mousse du vin, de la bière ° (p. 36)

le champagne est un vin **mousseux °** [musø]

la **mousseline,** étoffe très légère [muslin]

une **moustiquaire,°** rideau de mousseline qui protège le dormeur contre les **moustiques °** (p. 112) [mustikɛːr—mustik]

un **moutard,** un petit enfant [mutaːr]

la **moutarde,** condiment jaune, piquant [mutard]

un **mouton °** (p. 8) [mutɔ̃]

mouvoir v. mettre en mouvement, changer de position [muvwaːr]
mouvant; mû (mue); j'ai mû
je meus; je mus; je mouvrai; que je meuve

un **MOUSSE**

un **vin MOUSSEUX**

une **moustiquaire**

le rais

le **moyeu** d'une **roue**

un **perroquet** en **pleine mue**

moyen (**moyenne**) modéré; qui tient le milieu
   entre deux extrêmes   [mwajɛ̃—mwajɛn]

le **moyen âge**, 475–1453

les **moyens**, l'argent, les ressources   [mwajɛ̃]

    au moyen de, à l'aide de

la **moyenne**, *average*   [mwajɛn]

le **moyeu** d'une roue •   [mwajø]

la **mue**,• changement de plumage d'un oiseau.
   Le verbe est **muer**   [my—mɥe]

    muet (**muette**) qui ne parle pas [mɥɛ—mɥɛt]

un **mufle**, extrémité du museau   [myfl]

    mugir *v.* crier (en parlant des bœufs) [myʒiːr]

un **mugissement**, cri d'un bœuf etc.   [myʒismɑ̃]

le **muguet**,• fleur blanche (pl. B)   [mygɛ]

une **mule**, pantoufle • très légère   [myl]

un **mulet**,• une **mule**, animal (p. 20) [mylɛ—myl]

un **muletier**, homme qui conduit des mulets

                        [myltje]

un **mulot**,• petit rat des champs   [mylo]

    munir *v.* pourvoir de, donner   [myniːr]

    muni de, pourvu de; *provided with*   [myni]

un **mur** • de briques, de pierre (pl. E)   [myːr]

une **muraille**, grand mur   [myrɑːj]

    murer *v.* entourer de murs   [myre]

un fruit **mûr**, prêt à cueillir   [myːr]

la **mûre**, fruit du **mûrier** (*mulberry*)   [myrje]

la **mûre sauvage**,• fruit des ronces •   [myːr]

    mûrir *v.* devenir mûr   [myriːr]

un **museau**,• nez d'un chien etc.   [myzo]

    museler *v.* empêcher un chien de mordre
   en attachant à son museau une **muselière** •
                     [myzle—myzljɛːr]

une **musette**,• petit sac   [myzɛt]

un **musée**, comme le Musée Britannique ; MAIS

un **muséum** d'histoire naturelle   [myze, -ɔm]

un **mutilé**, un blessé de guerre   [mytile]

    mutin, rebelle   [mytɛ̃]

    se mutiner *v.* se révolter   [mytine]

une **mutinerie**, une révolte   [mytinri]

un(e) **myope**,• personne qui a la vue courte [mjɔp]

le **myosotis**, petite fleur bleue appelée parfois
   ' Ne m'oubliez pas '   [mjɔzɔtis]

le **myrte**, arbrisseau: *myrtle*   [mirt]

le **mulot**

la ronce

les **mûres sauvages**

le museau du chien

une **muselière**

une œillère →

une **musette**

il est **myope**

un **nabot,** nain [nabo]
la **nacelle** d'un ballon
(p. 119) [nasεl]
la **nacre,** *mother of pearl*
[nakr]
nacré, qui brille comme de
la nacre [nakre]
la **nage** = la natation [naːʒ]
à la nage, en nageant
en nage •
nager • *v.* [naʒe]
la **nageoire** • d'un poisson (pl.
H) [naʒwaːr]
un **nageur** • [naʒœːr]
naïf (naïve) simple
[na-if, -iːv]

un **nain,** une **naine,** personne de très petite stature [nε̃—nεn]
la **naissance,** commencement (de la vie) [nεsɑ̃ːs]
naître *v.* commencer à vivre [nεːtr]
naissant; né; je suis né (née)
je nais; je naquis; je naîtrai; que je naisse
la **naïveté,** simplicité [naiːvte]
un **napoléon,** pièce d'or valant vingt francs [napɔleɔ̃]
une **nappe,** linge blanc qu'on met sur la table [nap]
une **nappe d'eau,** petit lac tranquille [napdo]
narguer *v.* se moquer de; montrer du mépris à [narge]
une **narine,**• une des deux cavités du nez (p. 153) [narin]
narquois, qui aime à se moquer; méprisant [narkwa]
narrer *v.* raconter; faire une **narration** de [na-re, -rɑsjɔ̃]
les **naseaux,** narines d'un cheval [nazo]
nasillard, qui parle du nez. Le verbe est **nasiller** [nazi-jaːr, -je]
la **natation,** l'art de nager • [natɑsjɔ̃]
une **natte** (1) espèce de tapis fait de paille, de jonc etc.; (2) cheveux
tressés (*plaited*) en une sorte de queue [nat]
natter *v.* tresser [nate]
un **naufrage,** destruction d'un vaisseau sur les rochers [nofraːʒ]
Un vaisseau **fait naufrage** lorsqu'il échoue sur un écueil •
un **naufragé,**• celui qui a fait naufrage (p. 151)
nauséabond, dégoûtant, qui cause des nausées [nozeabɔ̃]
une **nausée,** un désir de vomir [noze]
un **navet,**• un légume (voir pl. D) [navε]
une **navette,** instrument dont se sert le tisserand; *shuttle* [navεt]
un **navire,** un grand vaisseau [naviːr]

140

navrant, qui attriste, qui afflige. Le verbe est
navrer [navrã—navre]

[**ne** *is usually the first half of a negative. Look
carefully for the second half. The possibilities are :*
ne ... pas, *not;* **ne ... point,** *not at all;*
**ne ... pas de, ne ... aucun(e), ne ... nul
(-le),** *no, not any;* **ne ... jamais,** *never;* **ne ...
personne,** *nobody;* **ne ... plus,** *no more, no
longer;* **ne ... rien,** *nothing;* **ne ... ni ...
ni,** *neither ... nor;* **ne ... que,** *only*]

bien né, de bonne famille [bjẽne]

néanmoins, cependant [neãmwẽ]

un **nécessaire à ouvrage,** boîte où l'on met les
ciseaux, le dé, les aiguilles etc. [nesɛsɛːr]

nécessiter *v.* rendre nécessaire [nesɛsite]

nécessiteux, très pauvre [nesɛsitø]

un **Néerlandais,** habitant des Pays-Bas • [neɛrlãde]

une **nef,** • partie centrale d'une église (p. 68) [nɛf]

néfaste, fatal, terrible [nefast]

négligemment, avec négligence [negliʒamã]

négliger *v.* traiter avec négligence [negliʒe]

le **négoce,** le commerce [negɔs]

un **négociant,** commerçant important [negɔsjã]

négocier *v.* arranger [negɔsje]

un **nègre,** une **négresse,** personne de race noire
[nɛːgr—negrɛs]

un **négrillon,** • petit nègre (p. 3) [negrijɔ̃]

le **négrier** vend des esclaves [negrie]

la **neige** • (p. 88) **neiger** *v.* [nɛːʒ—neʒe]

un **bonhomme de neige** • (p. 89)

neigeux, blanc comme la neige [neʒø]

un **nerf,** *nerve; sinew; vigour* [nɛrf]

une **crise de nerfs,** attaque de nerfs [nɛːr]

nerveux (1) irritable; (2) vigoureux [nɛrvø]

net (**nette**) propre, clair ou précis [nɛt]

nettement, clairement [nɛtmã]

la **netteté,** précision, exactitude [nɛtte]

un **nettoyage,** action de **nettoyer** (= laver, rendre
propre) [nɛtwa-jaːʒ, -je]

neuf = 9. Septembre est le **neuvième** mois
de l'année [nœf—nœvjɛm]

neuf (**neuve**) J'ai acheté un chapeau neuf. (Le
contraire est **vieux**) [nœf—nœːv]

Je suis en nage

le nageur

il nage

les Pays-Bas
LA HOLLANDE
Amsterdam
Anvers
LA BELGIQUE

une niche

le chien

la pâtée

une statue dans sa niche

neutre, ni pour ni contre; ni mâle ni femelle; ni acide ni alcalin [nøːtr]

un **neveu,** fils d'un frère ou d'une sœur [nəvø]

le **nez,**• partie du visage (pl. G) [ne]

ni ... ni, *neither ... nor* [ni]

niais, jeune, simple et stupide [njɛ]

une **niaiserie,** simplicité stupide [njɛzri]

une **niche,**• enfoncement (*recess*) dans un mur où on met une statue etc. [niʃ]

la **niche** • du chien (p. 141)

une **nichée** • d'oiseaux [niʃe]

nicher *v.* faire son nid [niʃe]

un **nid,**• où l'oiseau pond ses œufs [ni]

nier *v.* dire qu'une chose n'est pas vraie, n'a pas eu lieu [nje]

un **nigaud,** homme stupide [nigo]

le **niveau,** *level.* Le verbe est **niveler** [nivle]

un **passage à niveau,** lieu où la route traverse la voie ferrée [nivo]

le **nivellement,** action de niveler [nivɛlmã]

la **noblesse** (1) grandeur, élévation; (2) la classe des nobles [nɔblɛs]

la **noce,** les **noces,** le mariage [nɔs]

nocturne, qui se montre, la nuit [nɔktyrn]

le **Noël,** fête de la nativité de Jésus [nɔɛl]

le **nœud** • (p. 35 et p. 211) [nø]

noir, le contraire de **blanc** [nwaːr]

un **noir,** un nègre ; le **noir,** l'obscurité

noirâtre, qui est presque noir [nwaraːtr]

la **noirceur** (1) couleur de ce qui est noir; (2) méchanceté [nwarsœːr]

noircir *v.* rendre noir [nwarsiːr]

une **noisette,**• fruit du **noisetier** [nwaz-ɛt, -tje]

une **noix,**• fruit du noyer (pl. C) [nwa]

un **nom.** Mon nom est Philippe [nɔ̃]

un **nombre,** une quantité [nɔ̃ːbr]

nombreux, en grande quantité [nɔ̃brø]

nommer *v.* donner un nom à [nɔme]

non ! *no !* **non seulement,** *not only* [nɔ̃]

la **nonchalance,** inattention, indolence. L'adjectif est **nonchalant** [nɔ̃ʃa-lãːs, -lã]

une **nonne,** une religieuse [nɔn]

un **Normand,** habitant de la Normandie [nɔrmã]

une **nichée** de petits oiseaux

un **nid**

une **noisette**

la **Norvège**
la **Suède**
le **Danemark**

le **noyau**
[coupe d'une prune]

les **nues**
le **nuage**

le ciel est **nuageux**

142

LA NOURRITURE · LES ALIMENTS

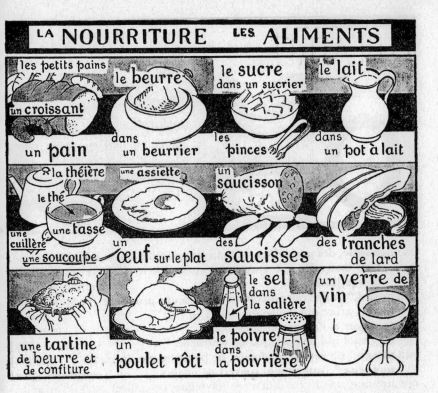

les petits pains — le beurre — le sucre dans un sucrier — le lait

un croissant

un **pain** — dans un **beurrier** — les **pinces** — dans un **pot à lait**

la théière — une assiette — un **saucisson**

le thé

une cuillère — une **tasse** — une **soucoupe** — un **œuf** sur le plat — des **saucisses** — des **tranches** de lard

le **sel** dans la salière — un **verre** de **vin**

le **poivre** dans la **poivrière**

une **tartine** de beurre et de confiture — un **poulet rôti**

---

un **Norvégien,** habitant de la **Norvège** •   [nɔrveʒjɛ̃—nɔrvɛːʒ]

la **nostalgie,** mélancolie de l'exil   [nɔstalʒi]

un **notaire,** avoué (*solicitor*) qui s'occupe surtout des contrats   [nɔtɛːr]

une **note.**   Le professeur corrige un exercice et donne à l'élève une bonne (ou une mauvaise) note   [nɔt]

notoire, connu publiquement   [nɔtwaːr]

notre (pl. **nos**) *our*   le **nôtre,** *ours*   [nɔtrə—no—noːtr]

nouer *v.* faire un **nœud** • (p. 35)   [nwe—nø]

un bois **noueux** est plein de **nœuds,** de parties dures   [nwø—nø]

une **nourrice,** femme qui soigne un **nourrisson,** un bébé   [nuris, -ɔ̃]

nourrir *v.* donner à manger à; élever; fortifier   [nuriːr]

nourrissant, bon à manger; fortifiant   [nurisɑ̃]

nouveau, nouvel (nouvelle) qu'on voit pour la première fois: *new, fresh*   **de nouveau,** encore une fois   [nuvo—nuvel]

un **nouveau-né,** un très jeune bébé   [nuvone]

une **nouveauté,** chose nouvelle.   Dans un **magasin de nouveautés** on vend de la lingerie, des robes, des rubans etc.   [nuvote]

la loggia

une automobile   l'entrée du métro

une **nouvelle,** des **nouvelles.**   On lit les nouvelles du jour dans le journal.
    Une **nouvelle** est aussi un roman court: l'auteur s'appelle un
    nouvelliste   [nuvɛl—nuvelist]
un **noyau,** graine dure qu'on trouve dans une prune etc. (p. 142) [nwajo]
un **noyer,** arbre qui donne des noix (pl. C)   [nwaje]
    se noyer *v.* s'asphyxier dans l'eau   [sənwaje]
    nu (nue) qui ne porte pas de vêtements   [ny]
un **nuage** de vapeur, de fumée, de poussière etc. (p. 142)   [nɥaːʒ]
    nuageux (**nuageuse**) couvert de nuages   [nɥaʒø—nɥaʒøːz]
une **nuance,** une légère différence (de teinte, de couleur etc.) [nɥɑ̃ːs]
une **nue,** nuage léger haut dans le ciel (p. 142)   [ny]
    une **nuée** (1) un nuage; (2) une multitude   [nɥe]
    nuire *v.* causer du mal à.   L'adjectif est **nuisible** [nɥiːr—nɥizibl]
la **nuit.**   La lune brille pendant la nuit   [nɥi]
une **nuit blanche,** nuit où l'on ne dort pas
    nuitamment = **de nuit** = pendant la nuit   [nɥitamɑ̃]
    nul (nulle) no, *not any*   **nulle part,** *nowhere*   [nyl]
    nullement, d'aucune manière   [nylmɑ̃]
    le **numéro** de ma maison est 32   [nymero]
la **nuque,** partie postérieure du cou   [nyk]

    obéir à *v.* exécuter les ordres de   [ɔbeiːr]
une **obéissance,** action d'obéir   [ɔbeisɑ̃ːs]
    un élève **obéissant,** qui obéit à son maître: docile   [ɔbeisɑ̃]
    un **objet** (1) une chose, comme un livre, une table; (2) un
        but, une raison, comme ' l'objet de la guerre '   [ɔbʒɛ]
obligatoire, qu'on est forcé de faire   [ɔbligatwaːr]

une aile →

un oiseau de proie

le bec crochu

les serres

les plumes

un oiseau nocturne

un **vautour**   un **aigle**   un **hibou**

un **corbeau**   une **mouette**   un **manchot**   un **pélican**

un martin-pêcheur

un rouge-gorge

un **perroquet**

un **faisan**

une **hirondelle**

un **paon**

une **cigogne**

un **flamant**

une **autruche**

les **moineaux**

un **cygne**

PLANCHE **F**

LES OISEAUX

[145

obscur, sombre; vague, difficile à comprendre [ɔpskyːr]

obscurcir *v.* rendre obscur [ɔpskyrsiːr]

obséder *v.* importuner, tourmenter [ɔpsede]

les **obsèques,** les funérailles [ɔpsɛk]

obstiné, tenace, persistant [ɔpstine]

s'obstiner à *v.* persister à [sɔpstine]

obtenir *v.* recevoir; réussir à avoir; *obtain* (se conj. comme tenir) [ɔptəniːr]

un **obus,** projectile qui fait explosion [obyːs]

un **obusier,**• canon qui lance des obus [obyzje]

obvier à *v.* empêcher, remédier à [ɔbvje]

un livre **d'occasion,** livre acheté de seconde main [ɔkɑzjɔ̃]

occasionner *v.* causer [ɔkɑzjɔne]

occupé, qui a quelque chose à faire [ɔkype]

une maison **occupée,** où il y a des locataires

le **bureau de l'octroi,** sorte de douane à l'entrée de la ville, où le paysan paie la taxe d'importation de ses poulets, ses fromages etc. [ɔktrwa]

odieux, détestable [odjø]

une **odeur.** La rose a une bonne odeur [odœːr]

odorant, odoriférant, qui exhale une odeur agréable [ɔdɔrɑ̃—ɔdɔriferɑ̃]

un **odorat,** un des cinq sens [ɔdɔra]

une **odyssée,** un voyage aventureux [ɔdise]

un **œil** • (p. 153) [œːj]

un **coup d'œil,** un regard

à vue d'œil, visiblement

un **œil-de-bœuf,**• petite fenêtre ronde

une **œillade,** regard plein de signification [œjad]

les **œillères** • d'un cheval (p. 139) [œjɛːr]

un **œillet,**• fleur très odorante (pl. B) [œjɛ]

un **œuf,** des **œufs** [œ̃nœf—dezø] Un **œuf à la coque** • (p. 44); un **œuf sur le plat** • (p. 143)

une **œuvre,** ouvrage, travail, création [œːvr]

offenser *v.* choquer, fâcher [ɔfɑ̃se]

UN **office** (1) fonction ; (2) service de l'église [ɔfis]

UNE **office,** pièce d'une grande maison où on garde les nappes, les couteaux, les cuillères etc.

une **offrande,** argent qu'on offre à Dieu [ɔfrɑ̃ːd]

une **offre,** une proposition [ɔfr]

un **obusier**

un **œil-de-bœuf**

une **fenêtre ogivale**

un **oiseau-mouche**

un **écran**

l'ombre

145

LES **OISEAUX** DE [LA] **BASSE COUR**

un **coq**   une **poule**   un **poussin**   un **canard**

une **oie**   un **dindon**   un **pigeon**   une **colombe**

offrir *v.* présenter: *offer*   [ɔfriːr]
    offrant; offert; (j'ai offert); j'offre; j'offris; j'offrirai
une **fenêtre ogivale** • (p. 145)   [ɔʒival]
une **oie,**• grand oiseau domestique à plumage blanc   [wɑ]
un **oignon** • (1) plante potagère (pl. D); (2) bulbe de tulipe etc.   [ɔɲɔ̃]
un **oiseau** • (pl. F) Diminutifs: un **oiselet,** un **oisillon**   [waz-o, -lɛ, -ijɔ̃]
un **oiseau-mouche,**• très petit oiseau à plumage brillant (p. 145)
un **oiseleur,** homme qui attrape des oiseaux   [wazlœːr]
des paroles **oiseuses,** paroles sans intérêt   [wazøːz]
oisif (**oisive**) qui ne fait rien   [wazif—waziːv]
une **oisiveté,** état d'une personne qui ne fait rien   [wazivte]
un **oison,** le petit de l'oie   [wazɔ̃]
olivâtre, de la couleur de l'**olive**   [ɔlivɑːtr—ɔliːv]
un **olivier,** arbre qui porte des olives   [ɔlivje]
Olympe, dans la mythologie grecque, le séjour des dieux   [ɔlɛ̃ːp]
une **ombre,**• obscurité (projetée par un corps opaque) (p. 145)   [ɔ̃ːbr]
ombrager *v.* donner de l'ombre   [ɔ̃braʒe]
ombrageux, timide, qui craint même son ombre   [ɔ̃braʒø]
une **ombrelle,**• un parasol (p. 211)   [ɔ̃brɛl]
ombreux (**ombreuse**) qui donne de l'ombre   [ɔ̃brø—ɔ̃brøːz]
omettre *v.* ne pas faire, ne pas mentionner (c. mettre)   [ɔmɛtr]
le **train omnibus** s'arrête à toutes les gares   [ɔmnibyːs]
on = les gens, les autres personnes, le monde en général   [ɔ̃]
un **oncle,**• le frère de votre père ou de votre mère (p. 84)   [ɔ̃ːkl]
une **onde** (1) une petite vague; (2) l'eau en général; la mer   [ɔ̃ːd]

146

une **ondée,** une pluie soudaine [ɔ̃de]

ondoyant, qui ondule ; qui varie [ɔ̃dwajɑ̃]

une **ondulation,** mouvement pareil à celui des
vagues [ɔ̃dylasjɔ̃]

Le toit de la baraque (dans l'image voisine) est
en **tôle ondulée** [ɔ̃dyle]

onduler *v.* produire de petites vagues [ɔ̃dyle]

onéreux, lourd, coûteux [ɔnerø]

un **ongle** ● du doigt (p. 153) [ɔ̃ːgl]

une **onglée,** douleur aux doigts, causée par le froid
[ɔ̃gle]

un **onguent,** pommade [ɔ̃gɑ̃]

onze = 11. Le onze octobre = le **onzième**
jour d'octobre [ɔ̃ːz—ɔ̃zjɛm]

opiniâtre, très obstiné [ɔpinjɑːtr]

une **opiniâtreté,** obstination [ɔpinjatrəte]

opprimer *v.* tyranniser [ɔprime]

un **opprobre,** infamie, déshonneur [ɔprɔbr]

opter *v.* choisir [ɔpte]

or, *now,* . . . [ɔːr]

un **or,** métal précieux de couleur jaune: Au

un **orage,**● tempête accompagnée de tonnerre.
L'adjectif est **orageux** [ɔraːʒ—ɔraʒø]

une **oraison** (1) discours grave; (2) prière [ɔrezɔ̃]

un **oranger,** arbre qui donne des **oranges**
[ɔrɑ̃ʒe—ɔrɑ̃ːʒ]

d'ordinaire, usuellement [dɔrdinɛːr]

une **ordonnance** (1) prescription du docteur; (2)
ordre; (3) soldat, *orderly* [ɔrdɔnɑ̃ːs]

ordonner *v.* (1) donner des ordres; (2) mettre
en ordre [ɔrdɔne]

une **ordure,** chose sale ou obscène [ɔrdyːr]

à l'orée du bois = à la lisière du bois [ɔre]

une **oreille** ● (voir pl. G) [ɔrɛːj]

un **oreiller** ● (p. 33) [ɔrɛje]

les **oreillons,**● maladie des glandes du cou [ɔrɛjɔ̃]

un **orfèvre,** artisan qui vend ou fabrique des objets
en or. Ces objets constituent l'**orfèvrerie** ●
[ɔrfɛːvr—ɔrfɛvrəri]

une **orge,**● espèce de grain (p. 148) [ɔrʒ]

un **orgue,** instrument de musique [ɔrg]

un **orgue de Barbarie** ● (p. 148)

un **orgueil,** arrogance [ɔrgœːj]

une **baraque**

un **éclair**

un **orage**

les **oreillons**

L'ORFÈVRERIE

les **boutons**
de
manchette

une
épingle
de cravate

une
bague
en or

une
broche

une
chaîne
de montre

orgueilleux (orgueilleuse) arrogant [ɔrgœjø—ɔrgœjøːz]

s'orienter *v.* chercher où il faut aller [sɔrjɑ̃te]

le **pays d'origine,** le pays natal [ɔriʒin]

un **orme,** grand arbre, *elm* [ɔrm]

un **ormeau,** jeune orme [ɔrmo]

orner *v.* décorer [ɔrne]

une **ornière,** trace profonde laissée par les roues d'une voiture (p. 186) [ɔrnjɛːr]

un **orphelin** n'a ni père ni mère. On élève les orphelins dans un **orphelinat** [ɔrfə-lɛ̃, -lina]

un **orteil,** le doigt du pied (pl. G) [ɔrtɛːj]

une **faute d'orthographe,** manière incorrecte d'écrire un mot [ɔrtɔgraf]

un **os,** des **os** (p. 133) [oːs—dezo]

les **ossements,** squelettes des morts [oːsmɑ̃]

osseux, composé d'os [osø]

osé (1) hardi, courageux; (2) obscène [oze]

oser *v.* avoir l'audace de faire [oze]

un **otage,** personne arrêtée et détenue comme un **gage** (*pledge*) [ɔtaːʒ]

ôter *v.* enlever; faire disparaître; *take off* [ote]

ou, *or* **ou bien,** *or else* **où,** *where* [u]

les **ouailles,** nom que le curé donne aux chrétiens de sa paroisse [waj]

ouais ! expression de surprise [wɛ]

la **ouate** [wat]

un **oubli,** action d'oublier [ubli]

oublier *v.* perdre le souvenir de [ublie]

oublieux, qui oublie souvent [ubliø]

l' **ouest,** un point cardinal: l'occident [wɛst]

oui, le contraire de **non** [wi]

les **ouïes** d'un poisson (pl. H) [ui]

un **ouragan,** tempête violente [uragɑ̃]

un **ours,** une **ourse,** bête carnivore (p. 9) [urs]

un **ourson,** le petit de l'ours [ursɔ̃]

la **Grande Ourse,** constellation (p. 16)

un **oursin,** petite bête marine (pl. H) [ursɛ̃]

un **outil,** instrument de travail [uti]

un **outrage,** insulte; injure; ravage [utraːʒ]

outrageux, insultant [utraʒø]

à outrance, jusqu'à l'extrême limite [utrɑ̃ːs]

une **outre,** sac en peau où l'on met le vin etc. [utr]

l'orge

le singe

un orgue de Barbarie

les ossements

un bijou

la ouate

un ouvrier

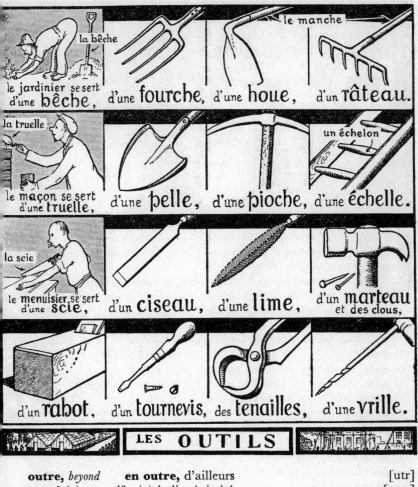

le jardinier se sert d'une **bêche**, d'une **fourche**, d'une **houe**, d'un **râteau**.

la bêche

le manche

le maçon se sert d'une **truelle**, d'une **pelle**, d'une **pioche**, d'une **échelle**.

la truelle

un échelon

le menuisier se sert d'une **scie**, d'un **ciseau**, d'une **lime**, d'un **marteau** et des clous,

la scie

d'un **rabot**, d'un **tournevis**, des **tenailles**, d'une **vrille**.

LES OUTILS

outre, *beyond*   **en outre,** d'ailleurs   [utr]
outré (1) excessif; (2) indigné, irrité   [utre]
un **outremer,** couleur bleue; **outre-mer,** au-delà des mers   [utrəmɛːr]
outrepasser *v.* aller plus loin que   [utrəpɑse]
une porte **ouverte,** porte par où l'on peut passer   [uvɛrt]
ouvertement, franchement, sans se cacher   [uvɛrtəmɑ̃]
une **ouverture,** orifice; commencement; pièce de musique   [uvɛrtyːr]
un **ouvrage,** travail. *Hamlet* est un ouvrage célèbre   [uvraːʒ]
une **ouvreuse,** femme qui, dans un théâtre, place les spectateurs   [uvrøːz]
un **ouvrier,**° une **ouvrière,** personne qui travaille   [uvrie—uvriɛːr]
ouvrir *v. to open* (se conj. comme couvrir)   [uvriːr]

Quai du Marché Neuf

PONT St MICHEL

une pile   une arche du pont

le fleuve [la Seine]

une **pacotille,** marchandise de qualité inférieure   [pakɔtiːj]

un **païen,** une **païenne,** adore les faux dieux   [pajɛ̃—pajɛn]

une **paillasse,** matelas de paille   [pɑjas]

un **paillasson,**• espèce de natte placée à la porte   [pɑjasɔ̃]

la **paille,** la tige du blé, après la moisson. En été, nous
portons un **chapeau de paille** • (p. 39)   [pɑːj]

une **paillette** (1) petits grains d'or mêlés au sable; (2) petit rond de métal
brillant qu'on coud sur un vêtement: *spangle*   [pajɛt]

le **pain** • (p. 143)   le **pain bis** = pain de couleur grise   [pɛ̃—pɛbi]

un **pair,** un noble; un lord; membre de la **pairie**   [pɛːr—peri]

pair (1) égal; (2) divisible par 2, en parlant d'un nombre

paisible, calme, qui aime la paix   [pɛzibl]

paître *v.* manger l'herbe (se conj. comme connaître)   [pɛːtr]

la **paix,** le contraire de la **guerre**   [pɛ]

un **palais,** la maison d'un roi, d'un prince etc.   [palɛ]

le **palais,** partie supérieure de l'intérieur de la bouche

un **palefrenier,** domestique qui soigne les chevaux   [palfrənje]

un **paletot,** espèce de manteau   [palto]

pâle; pâlot (**pâlotte**); blanc: qui a perdu ses couleurs naturelles

une **pâleur,** couleur pâle   [pɑːl—palo—palɔt—palœːr]

pâlir *v.* devenir pâle; rendre pâle   [paliːr]

un **palier,** plancher en haut de l'escalier; *landing*   [palje]

une **palissade,**• clôture de bois (p. 186)   [palisad]

une **palme,** branche d'un **palmier** •   [palm—palmje]

un **pied palmé,**• comme celui du canard, de l'oie etc.   [palme]

palper *v.* toucher (le corps etc. comme fait le médecin)   [palpe]

se pâmer *v.* s'évanouir • (p. 81) On se pâme de rire, lorsqu'on rit beaucoup, longtemps [pɑme]

une **pâmoison,** état de faiblesse momentanée
[pɑmwazɔ̃]

une **pamplemousse,*** espèce d'orange [pɑ̃pləmus]

un **pampre,** une branche de vigne [pɑ̃ːpr]

un **pan de mur,** une partie du mur.   On dit aussi
les **pans** (*skirts*) d'un vêtement [pɑ̃]

une **panacée,** remède universel [panase]

un **panache,*** plumes d'un casque militaire

le **panache,** fierté, bravoure, audace [panaʃ]

panaché, de couleurs variées [panaʃe]

une **pancarte,** une petite affiche [pɑ̃kart]

un **panier,*** ustensile fait d'osier (p. 11) [panje]

une automobile est **en panne** quand elle ne peut plus
avancer [pan]

la porte a trois **panneaux** * (p. 126) [pano]

une **panse,*** un gros ventre [pɑ̃ːs]

panser v. (1) nettoyer et bander une blessure;
(2) brosser un cheval [pɑ̃se]

un **pansement,** action de panser [pɑ̃smɑ̃]

un **pantalon,*** vêtement (p. 211) [pɑ̃talɔ̃]

pantelant, palpitant, haletant [pɑ̃tlɑ̃]

un **pantin,** figure en carton [pɑ̃tɛ̃]

une **pantoufle,*** soulier léger (p. 35) [pɑ̃tufl]

un **paon,*** une **paonne** (pl. F) [pɑ̃—pan]

le **Pape,** chef de l'église catholique [pap]

les **paperasses,** papiers sans valeur [papras]

une **papeterie,** magasin où on vend du **papier,** de
l'encre, des plumes etc. [paptri—papje]

On se sert du **papier peint** pour tapisser les
murs, du **papier timbré** pour un document
légal [papje pɛ̃—tɛ̃bre]

un **papillon,*** insecte (p. 112) [papijɔ̃]

papillonner v. voler de fleur en fleur [papijɔne]

une **papillote** * (p. 152) [papijɔt]

un **paquebot,*** bateau à vapeur (p. 209) [pakbo]

une **pâquerette,*** petite fleur blanche [pɑkrɛt]

Pâques, fête de la Résurrection [pɑːk]

un **paquet** de tabac, de cigarettes, de biscuits

un **paquet de mer,** grosse vague qui tombe sur le
pont d'un bateau [pakɛ]

par, *by*; *through* [paːr]

par-dessous, *under*   **par-dessus,** *over*

un **paillasson**

un **palmier**

le **naufragé**

un **pied palmé**

le **panache**

un **casque**

la **panse**

un **homme pansu**

le **paradis** (d'un théâtre), la galerie la plus haute [paradi]

un **paradisier,** oiseau de paradis [paradizje]

dans ces **parages,** dans cette région [paraːʒ]

paraître v. se montrer; *appear* [parɛːtr]
paraissant; paru; (j'ai paru)
je parais; je parus; je paraîtrai

un **parapluie** • (p. 211) [paraplɥi]

un **paratonnerre** • [paratɔnɛːr]

un **paravent** • [paravɑ̃]

parbleu ! exclamation [parblø]

le **parc à moutons,** enclos dans les champs où l'on
enferme les moutons [park]

une **parcelle,** une très petite partie [parsɛl]

parce que, pour la raison que [parskə]

le **parchemin,** peau de mouton préparée, sur
laquelle on écrit [parʃəmɛ̃]

parcimonieux, très économe [parsimɔnjø]

parcourir v. (1) traverser dans tous les sens;
(2) lire rapidement (un livre) [parkuriːr]

le **parcours,** le chemin suivi [parkuːr]

un **pardessus,** • vêtement (p. 211) [pardəsy]

le **pare-chocs** • d'une auto (p. 214) [parʃɔk]

pareil à (**pareille à**) semblable à [parɛja]

pareillement, de la même façon [parɛːjmɑ̃]

mes **pareils,** les personnes comme moi [parɛːj]

un **parement,** ornement [parmɑ̃]

les **parents,** père et mère. L'oncle, les cousins etc.
sont aussi nos parents [parɑ̃]

la **parenté,** alliance de sang [parɑ̃te]

parer v. (1) orner; (2) éviter un coup [pare]

la **paresse,** désir de ne pas travailler [parɛs]

paresseux (**paresseuse**) qui n'aime pas le
travail [parɛsø, -øːz]

parfait, qui n'a pas d'imperfections [parfɛ]

parfois, de temps en temps [parfwa]

un **parfum,** • odeur agréable; et liquide qui a cette
odeur [parfœ̃]

parfumer v. donner un parfum à [parfyme]

parier v. faire un **pari** (*bet*) [parje—pari]

un **parjure,** faux serment [parʒyːr]

se **parjurer** v. faire un faux serment: manquer
à son serment [parʒyre]

les cheveux en **papillotes**

une **pâquerette**

le **paratonnerre**

un **paravent**

un **vaporisateur**
un **flacon de parfum**

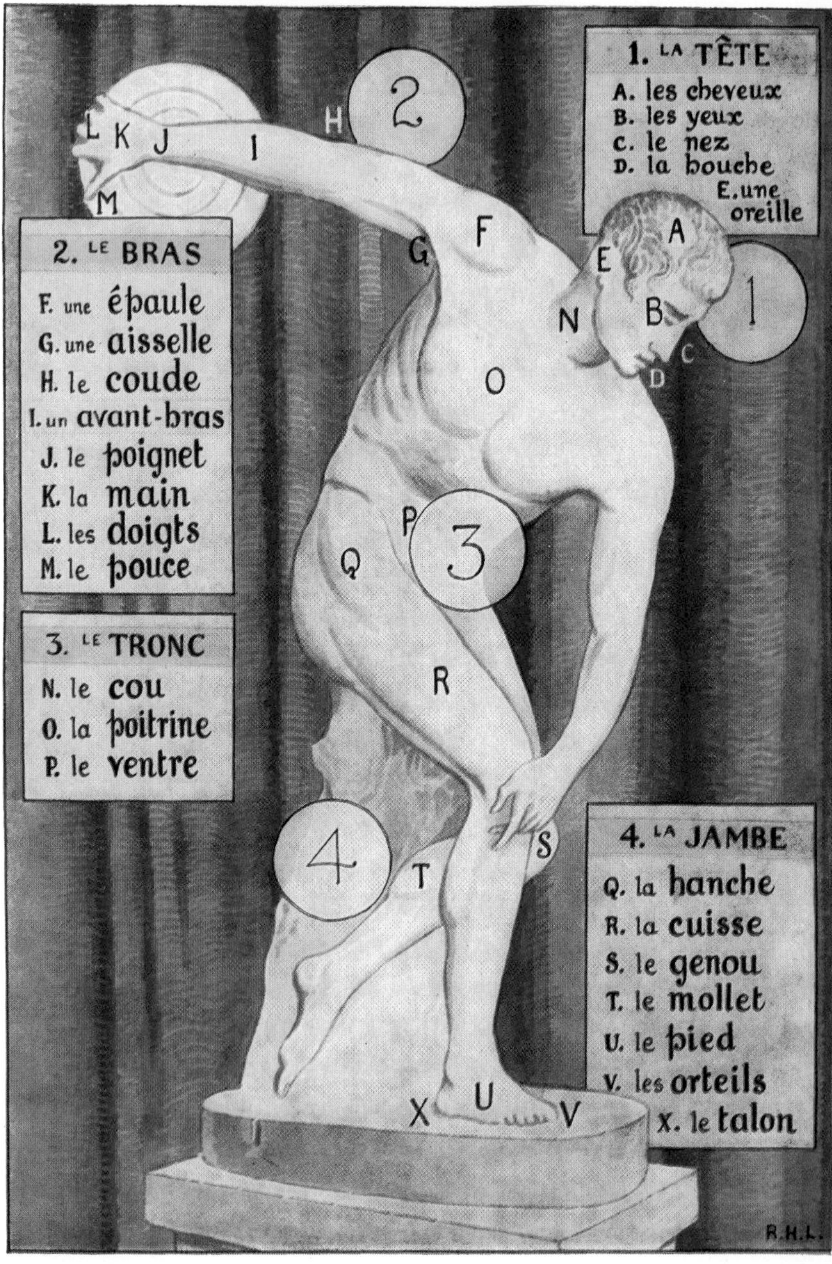

1. LA TÊTE
A. les cheveux
B. les yeux
C. le nez
D. la bouche
E. une oreille

2. LE BRAS
F. une épaule
G. une aisselle
H. le coude
I. un avant-bras
J. le poignet
K. la main
L. les doigts
M. le pouce

3. LE TRONC
N. le cou
O. la poitrine
P. le ventre

4. LA JAMBE
Q. la hanche
R. la cuisse
S. le genou
T. le mollet
U. le pied
V. les orteils
X. le talon

R.H.L.

PLANCHE **G**   LES PARTIES DU CORPS

[158

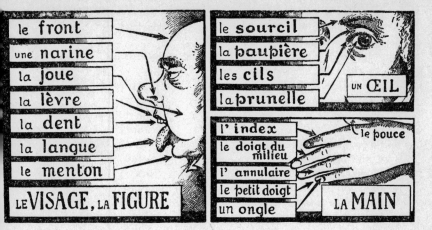

le front	le sourcil
une narine	la paupière
la joue	les cils
la lèvre	la prunelle
la dent	UN ŒIL
la langue	l' index
le menton	le doigt du milieu

LE VISAGE, LA FIGURE

le pouce

l' annulaire
le petit doigt
un ongle

LA MAIN

parlementer *v.* temporiser, faire des propositions [parləmɑ̃te]
parler *v. to speak* [parle]
un **beau parleur,** homme qui parle bien [parlœːr]
le **haut parleur,** partie d'un poste de T.S.F. qui amplifie la voix
un **parloir,** petite salle de l'école où l'élève peut recevoir ses parents
[parlwaːr]
parmi, au milieu de [parmi]
une **paroi,** un mur (intérieur) ; une surface intérieure [parwa]
la **paroisse,** territoire administré par le curé [parwas]
un **paroissien** (1) homme de la paroisse; (2) livre de prières [parwasjɛ̃]
une **parole,** mot prononcé; **ma parole,** ce que je dis: ma promesse [parɔl]
parquer *v.* enfermer (dans un espace étroit) [parke]
un **parquet,** plancher de construction soignée [parkɛ]
un **parrain,** *godfather* [parɛ̃]
parsemer *v.* jeter çà et là [parsəme]
une **part,** portion **la part du lion,** la part la plus grande [paːr]
un **partage** (1) portion; (2) action de partager [partaːʒ]
partager *v.* diviser en portions [partaʒe]
le **parterre** (1) dans un jardin, terrain planté de fleurs; (2) dans un
théâtre, les places derrière les fauteuils [partɛːr]
particulier (**particulière**) spécial, remarquable [partikyl-je, -jɛːr]
un **parti,** personne à marier [parti]
un **parti politique,** les Conservateurs, les Libéraux, les Travaillistes etc.
prendre un parti, prendre une résolution
de parti pris, délibérément, résolument
une **partie,** une portion. MAIS on dit aussi:
une **partie de cartes,** d'échecs,• de tennis, de cricket etc. [parti]

prendre à partie, critiquer avec violence

partir *v.* quitter un endroit   [parti:r]
     partant; parti; (je suis parti)
     je pars; je partis; je partirai; que je parte

à partir de, *starting from*

partout, en tout lieu   [partu]

une **parure,** ornement de diamants etc.   [pary:r]

parvenir à *v.* arriver à, atteindre (se conj. c. venir)   [parvəni:r]

un **parvenu,** homme pauvre qui arrive à la fortune, aux honneurs   [parvəny]

le **parvis,**• place devant l'église (pl. A)   [parvi]

un **pas,** chaque mouvement des jambes en marchant

le **pas de la porte** • (p. 126)   [pɑ]

un **faux pas,** une faute, une erreur   [fopɑ]

un **mauvais pas** (1) endroit dangereux; (2) difficulté

au pas, lentement   **au pas de charge,** vite

passager, qui passe vite   [pɑsaʒe]

un **passager,** voyageur sur un bateau

le **passé,** le temps passé, qui n'est plus   [pɑse]

un **passe-partout,** clef qui ouvre toutes les portes   [pɑspartu]

passer par les armes, fusiller   [pɑse]

un **passereau,** un moineau • (pl. F)   [pɑsro]

une **passerelle** • (1) petit pont de la gare (p. 95); (2) pont mobile; (3) pont (*deck*) d'un bateau réservé au capitaine   [pɑsrɛl]

un **passe-temps,** occupation amusante   [pɑstã]

passionnant, très intéressant   [pasjɔnã]

passionnément, avec passion   [pasjɔnemã]

se passionner *v.* s'intéresser beaucoup   [pasjɔne]

une **passoire,**• ustensile de cuisine   [pɑswa:r]

un **pastel,** espèce de crayon de couleur   [pastɛl]

une **pastèque,** melon d'eau   [pastɛk]

un **pasteur** (1) ministre de la religion protestante; (2) pâtre, berger   [pastœ:r]

un **pastiche,** imitation   [pastiʃ]

patatras! patapouf! exclamations imitant quelque chose qui tombe   [pata-tra, -puf]

pataud, gauche, maladroit   [pato]

patauger *v.* marcher dans la boue   [patoʒe]

la **pâte,** farine mélangée avec de l'eau   [pɑ:t]

la **passerelle**

une **passoire**

un **pâté**

une **patère**

le **patineur** **patine** sur la glace

le **patin**

les **pâtes d'Italie,** macaroni etc.   Vivre comme un
  coq en pâte, vivre très bien, sans se fatiguer

un **pâté** • (voir aussi p. 132)   [pate]

la **pâtée,** • nourriture du chien (p. 141)   [pate]

  patelin, cajolant, caressant, trompeur [patlɛ̃]

une **patère** •   [patɛːr]

  paterne, paternel   [patɛrn]

  patiemment, avec patience   [pasjamɑ̃]

  patienter v. attendre avec patience   [pasjɑ̃te]

le **patineur** • se sert de **patins** • pour **patiner**
  sur la glace   [patinœːr—patɛ̃—patine]

un **pâtissier** fait de la **pâtisserie** • [patis-je, -ri]

une **pâtisserie,** • magasin du pâtissier [patisri]

un **patois,** le langage des paysans   [patwa]

un **pâtre,** berger qui garde les moutons [pɑːtr]

la **patrie,** le pays de nos pères   [patri]

un **patrimoine,** argent et biens qu'on hérite du
  père   [patrimwan]

un **patron** (1) capitaine d'un bateau; (2) chef d'une
  fabrique •; (3) saint qui nous protège [patrɔ̃]

une **patrouille,** groupe mobile de soldats.   Le verbe
  est **patrouiller**   [patruːj—patruje]

une **patte,** le pied (d'un animal)   [pat]

un **pâturage,** prairie   [pɑtyraːʒ]

une **pâture** (1) pâturage; (2) nourriture [pɑtyːr]

la **paume,** le dedans de la main   [poːm]

le **jeu de paume,** espèce de tennis

la **paupière** • (p. 153)   [popjɛːr]

  pauvre, le contraire de **riche**   [poːvr]

la **pauvreté,** l'indigence   [povrəte]

  se **pavaner** v. se promener fièrement [pavane]

le **pavé,** partie de la rue pavée de pierres [pave]

un **pavillon** (1) tente; (2) maison; (3) drapeau
  (d'un bateau)   [pavijɔ̃]

  pavoiser v. décorer (les rues etc.) de drapeaux
                 [pavwaze]

un **pavot,** • fleur   [pavo]

la **paye** (**paie**) d'un soldat, d'un ouvrier [pɛj (pɛ)]

un **pays.**   La France est un pays   [pei]

les **Pays-Bas,** • la Hollande (p. 141) [peiba]

un **paysage** (1) étendue de pays qu'on regarde;
  (2) tableau qui représente des champs, des
  forêts, des montagnes etc.   [peizaːʒ]

une **pâtisserie**

un **pavot**

un **paysan**
une **paysanne**

la canne à pêche
un **pêcheur**
à la ligne

les dents
un **peigne**

un **paysan,**• une **paysanne,**• personne qui travaille
  dans les champs (p. 155)   [peizã—peizan]
la **peau** • d'une orange, d'un homme etc.   [po]
une **pêche,**• fruit du **pêcher** (pl. C)   [pɛːʃ]
{ **pêcher** v. prendre des poissons   [peʃe]
  la **pêche,** action de prendre des poissons   [pɛːʃ]
  un **pêcheur,**• une **pêcheuse**   [peʃœːr—peʃøːz]
{ un **péché,** une faute très grave   [peʃe]
  pécher v. commettre un péché   [peʃe]
  un **pécheur,** une **pécheresse,** personne qui pèche
       [peʃœːr—peʃrɛs]
un **peigne** •   Le verbe est **peigner**   [pɛɲ, -e]
un **peignoir,**• manteau de bain   [pɛɲwaːr]
  peindre v. colorier (c. craindre)   [pɛ̃ːdr]
un **peintre,**• homme qui fait de la peinture   [pɛ̃ːtr]
la **peinture** • (1) action de peindre; (2) tableau;
  (3) les couleurs   [pɛ̃tyːr]
une **peine** (1) une punition; (2) un chagrin; (3) un
  travail très dur, très difficile   [pɛn]
à peine, *scarcely*
à grand'peine, avec difficulté
peiner v. fatiguer; affliger   [pene]
pêle-mêle, en désordre   [pɛlmɛːl]
peler v. enlever la peau d'un fruit etc.   [pəle]
une **pelure** • d'orange   [pəlyːr]
un **pèlerin** visite le tombeau d'un saint: il fait un
  pèlerinage   [pɛlrɛ̃—pɛlrinaːʒ]
une **pelle,**• outil de jardinier (p. 149)   [pɛl]
une **pelletée,** le contenu d'une pelle   [pɛlte]
une **pelote,**• boule (de laine, de neige etc.)
une **pelote** • **à épingles** (p. 4)   [pəlɔt]
un **peloton,** groupe (de soldats)   [pəlɔtɔ̃]
se pelotonner v. dormir en rond comme un
  chat   [sə pəlɔtone]
une **pelouse,** terrain couvert de gazon •   [pəluːz]
penaud, honteux et confus (comme le Corbeau
  de la fable)   [pəno]
un **penchant,** une inclination   [pãʃã]
pencher v. incliner   [pãʃe]
pendant, durant   [pãdã]
un **pendard,** homme criminel   [pãdaːr]
pendiller v. Un (homme) pendu pendille au
  haut du gibet • lorsqu'il fait du vent [pãdije]

156

la chandelle

un **peignoir**

la peinture

le **peintre**

une **pelure** *la peau* **d'orange**

une **pelote** *de laine*

le cadran

une **pendule**

pendre *v.* to hang [pɑ̃ːdr]

UNE **pendule** • [pɑ̃dyl]

LE **pendule,** partie de la pendule qui oscille de droite à gauche et vice versa

pénible, fatigant, dur, difficile [penibl]

une **péniche,** un grand chaland • [peniʃ]

mettre un enfant **en pénitence** = le mettre dans un coin pour le punir [penitɑ̃ːs]

une **pensée** • (1) idée; méditation; manière de penser; (2) une fleur (pl. B) [pɑ̃se]

penser *v.* réfléchir, méditer; *think* [pɑ̃se]

un **penseur,** celui qui pense [pɑ̃sœːr]

une **pension,** un **pensionnat,** école où les élèves sont logés et nourris [pɑ̃sjɔ̃—pɑ̃sjɔna]

une **pension de famille,** maison où l'on est logé

un **pensionnaire,** personne qui demeure dans une pension [pɑ̃sjɔnɛːr]

une **pension de retraite,** *pension*

un **pensum,** travail donné à un écolier comme punition [pɛ̃sɔm]

une **pente,** descente (en parlant d'un chemin) [pɑ̃ːt]

la **Pentecôte,** fête de l'Église qui arrive 50 jours après Pâques [pɑ̃tkoːt]

pépier *v.* crier comme font les petits oiseaux [pepje]

un **pépin** • [pepɛ̃]

une **pépinière,** endroit où l'on cultive les jeunes plantes pour les vendre [pepinjɛːr]

un **cri perçant,** cri qui perce (l'oreille) [pɛrsɑ̃]

percer *v.* faire un trou dans; traverser [pɛrse]

une **perce-neige,** • fleur de printemps [pɛrsnɛːʒ]

un **perce-oreille,** • insecte (p. 112) [pɛrsɔrɛːj]

percevoir *v.* recevoir une taxe. Le fonctionnaire qui reçoit les taxes s'appelle le **percepteur** [pɛrsəvwaːr—pɛrsɛptœːr]

une **perche** (1) un poisson d'eau douce; (2) un très long bâton [pɛrʃ]

un **perchoir** • [pɛrʃwaːr]

perdre *v.* le contraire de **gagner.** En 1815, Napoléon **a** perdu la bataille de Waterloo [pɛrdr]

un **perdreau,** une **perdrix,** *partridge* [pɛr-dro, -dri]

un **père,** homme qui a des enfants [pɛːr]

les **pépins** d'une pomme

une **perce-neige**

un **perchoir**

un collier de **perles**

une **perruque**

157

péremptoire, impérieux [perãptwaːr]
perfectionner v. rendre meilleur [pɛrfɛksjone]
perfide, traître, *treacherous* [pɛrfid]
périlleux, dangereux [perijø]
un ticket **périmé** n'a plus de valeur [perime]
les **péripéties,** accidents, incidents [peripesi]
périr v. mourir [periːr]
périssable, qui va périr bientôt [perisaːbl]
une **périssoire,** un canot léger [periswaːr]
une **perle** • (p. 157) [pɛrl]
permettre v. laisser (c. mettre) [pɛrmɛtr]
un **permis,** permission écrite [pɛrmi]
le soldat **en permission** (= le **permissionnaire**)
    peut passer quelques jours à la maison
             [pɛrmisjɔ̃—pɛrmisjɔnɛːr]
  à perpétuité, pour toute la vie; pour l'éternité
             [pɛrpetɥite]

il **pèse**
la viande

un
pétard

un **perron,**• marches de pierre (pl. E) [pɛrɔ̃]
un **perroquet** • (pl. F) [pɛrɔkɛ]
une **perruche,** femelle du perroquet [pɛryʃ]
une **perruque,**• faux cheveux (p. 157) [pɛryk]
le **perruquier** fait des perruques [pɛrykje]
un **Persan,** habitant de la **Perse** [pɛrsã—pɛrs]
une **persienne,** espèce de volet • (pl. E) [pɛrsjɛn]
le **persiflage,** ironie, moquerie [pɛrsiflaːʒ]
persifler v. railler, se moquer de [pɛrsifle]
perspicace, qui voit clair [pɛrspikas]
une **perte,** action de perdre; son résultat [pɛrt]
  à perte de vue, très, très loin
une **pervenche,** fleur bleue, *periwinkle* [pɛrvãːʃ]
pesamment, lourdement, lentement [pəzamã]
pesant, lourd, le contraire de **léger.** Le nom
  est la **pesanteur** [pəzã—pəzãtœːr]
peser • v. On pèse la viande etc. sur le plateau
  d'une balance [pəze]
un **pestiféré,** homme malade de la **peste**
             [pɛstifere—pɛst]
un **pétard,**• espèce de petite grenade [petaːr]
péter v. faire explosion [pete]
pétiller v. produire une série de petites explo-
  sions, qu'on appelle un **pétillement**
            [petije—petijmã]
petit, le contraire de **grand** [pəti]

le
pétrin

une
phalène

un
phoque

la **petitesse.**   Contraire: la **grandeur**   [pətitɛs]

un **petit-fils,** *a grandson*   [De la même façon, une
    petite-fille, des **petits-enfants** etc.]

un **pétrin** •   [petrɛ̃]

    pétrir *v.* mélanger la farine avec de l'eau pour
    faire de la pâte   [petriːr]

le **pétrole,** huile minérale, *paraffin*   [petrɔl]

peu, *little*   **avant peu,** avant longtemps

sous peu, bientôt   **à peu près,** presque

pour peu que, si   **tant soit peu,** très peu

peu de chose, chose sans importance   [pø]

une **peuplade,** une tribu sauvage   [pœplad]

un **peuple,** une nation   [pœpl]

    peupler *v.* mettre des gens dans un pays désert
    [pœple]

un **peuplier,**• arbre élancé (p. 186)   [pœplie]

la **peur,** sentiment désagréable qui affecte les
    poltrons en présence du danger   [pœːr]

    peureux (**peureuse**) qui a peur   [pœr-ø, -øːz]

    peut-être, probablement; c'est possible [pøtɛːtr]

une **phalange** (1) corps de soldats; (2) os des doigts
    [falɑ̃ːʒ]

une **phalène,**• papillon de nuit   [falɛːn]

un **phare** • (p. 132; et 214 aussi)   [faːr]

une **pharmacie,** magasin où le **pharmacien** vend
    les médicaments etc.   [farma-si, -sjɛ̃]

un **phoque,**• animal des mers arctiques   [fɔk]

un **physicien** étudie les lois de la nature (c'est-à-
    dire, la **physique**)   [fizisjɛ̃—fizik]

    piaffer *v.* frapper le sol (en parlant d'un cheval)
    [pjafe]

    piailler *v.* pousser des cris perçants (en parlant
    des oiseaux)   [pjɑje]

un **piano à queue** •   [pjanoakø]

un **pic,** une montagne haute et pointue   [pik]

    à pic, perpendiculairement   [apik]

un **pic,** oiseau grimpeur, *woodpecker*

    picorer *v.* manger le grain (en parlant des
    oiseaux)   [pikɔre]

une **pie,**• oiseau à plumage noir et blanc   [pi]

une **pièce** (1) demusique; (2) d'argent; (3) de théâtre;
    (4) d'eau (= petit lac); (5) d'étoffe, *patch*

une **pièce de campagne,** canon   [pjɛs]

un **piano** à queue

une **pie**

un **piège**

le **pignon**
d'une maison

les **pincettes**

159

une **pièce d'une maison,** salle ou chambre [pjɛs]
un **pied,** partie de la jambe (pl. G) [pje]
    au pied de la lettre, littéralement
un **pied-à-terre,** appartement temporaire
                                [pjetatɛːr]
un **piédestal,** base d'une statue (p. 28) [pjedestal]
un **piège** (p. 159) [pjɛːʒ]
une **pierre,** morceau de roc. Le diamant est une
    pierre précieuse [pjɛːr]
les **pierreries,** les pierres précieuses [pjɛrəri]
    pierreux, plein de pierres [pjɛrø]
un **pierrot** (1) moineau; (2) espèce de clown [pjɛro]
un **piétinement,** action de piétiner [pjetinmɑ̃]
    piétiner v. (1) remuer les pieds; (2) frapper le
    sol avec les pieds [pjetine]
un **piéton,** personne qui va à pied [pjetɔ̃]
    piètre, misérable [pjɛtr]
un **pieu,** pièce de bois pointue [pjø]
une **pieuvre** (pl. H) [pjœːvr]
    pieux (pieuse) très religieux [pjø—pjøːz]
un **pigeonnier,** colombier (p. 41) [piʒɔnje]
un **pignon** Avoir **pignon sur rue** = avoir une
    maison qui est à vous; être riche [piɲɔ̃]
    pile ou **face,** les deux côtés d'une pièce de
    monnaie
une **pile** (1) d'assiettes etc.; (2) petite batterie qui
    donne l'électricité [pil]
un **pilier,** espèce de colonne (p. 172) [pilje]
un **pillard,** homme qui pille [pijaːr]
    piller v. faire du pillage, voler [pije]
une **pilule,** petite boule de médicament [pilyl]
    pimpant, élégant [pɛ̃pɑ̃]
un **pin,** arbre forestier [pɛ̃]
une **pince,** les **pinces,** outil (p. 143) [pɛ̃ːs]
les **pincettes** (p. 159) [pɛ̃sɛt]
    pincer v. faire mal à une personne en lui serrant
    la peau entre les doigts [pɛ̃se]
une **pincée** de = un petit peu de [pɛ̃se]
un **pince-nez,** binocle; espèce de lunettes [pɛ̃sne]
un **pinceau** [pɛ̃so]
un **pingouin,** espèce de manchot (pl. F) [pɛ̃gwɛ̃]
un **pinson,** petit oiseau chanteur, *finch* [pɛ̃sɔ̃]
une **pintade,** oiseau bon à manger [pɛ̃tad]

le verre

un **pince-nez**
= un binocle

une **palette** et
des **pinceaux**

une
pintade

le moustique
pique l'homme

il **plonge**
dans la **piscine**

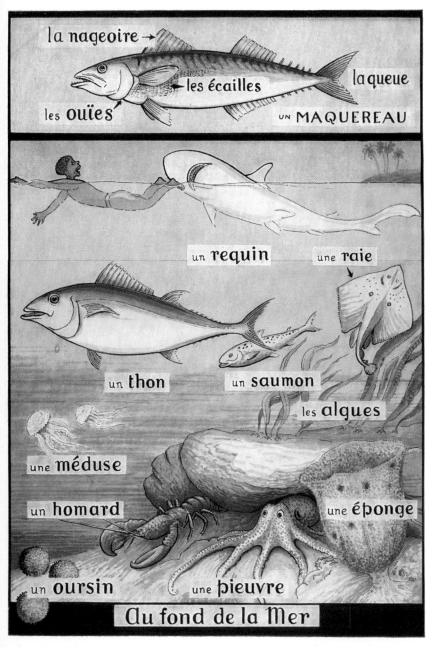

la nageoire →

les écailles

la queue

les ouïes

UN MAQUEREAU

un requin

une raie

un thon

un saumon

les algues

une méduse

un homard

une éponge

un oursin

une pieuvre

Au fond de la Mer

PLANCHE H

LES POISSONS ETC.

piocher v. (1) ouvrir le sol avec une **pioche** • (p. 149); (2) travailler dur à l'école [pjɔʃe—pjɔʃ]

un **pion** (1) espèce de maître d'école; (2) pièce du jeu d'échecs • [pjɔ̃]

piper v. attirer, tromper [pipe]

piquant, qui pique, qui excite [pikɑ̃]

les **piquants** • d'un porc-épic etc. (voir p. 9)

une **pique** (1) espèce de lance; (2) couleur des cartes • (p. 30) [pik]

piquer • v. percer (avec une épingle, un couteau etc.) Les moustiques piquent terriblement [pike]

une **piquette,** mauvais vin qui pique la langue [pikɛt]

une **piqûre,** blessure faite quand on est piqué [pikyːr]

pire, plus mauvais **pis,** plus mal [piːr—pi]

une **piscine,**• bassin où l'on nage [pisin]

une **piste,** trace d'un animal dans l'herbe etc. [pist]

piteux (piteuse) misérable [pitø—pitøːz]

pitoyable, qui inspire la **pitié,** la compassion [pitwajaːbl—pitje]

un **pitre,** un **paillasse,** un clown [pitr—pɑjas]

pittoresque, joli, comme dans un tableau; coloré, vivant [pitɔrɛsk]

une **pivoine,** belle fleur rouge ou blanche: *peony* [pivwan]

un **placard** (1) une affiche; (2) une armoire dans le mur [plakaːr]

la **Place de l'Étoile,**• place publique de Paris (p. 1) [plas]

une **place d'armes,** grande place où les soldats font l'exercice

placer son argent = mettre son argent à intérêt [plase]

un **plafond** • (p. 126) [plafɔ̃]

la **plage** • (p. 132) [plaːʒ]

plaider • v. prononcer un plaidoyer (p. 17) [plɛde]

un **plaidoyer,** une **plaidoirie,** discours d'un avocat • [plɛdwa-je, -ri]

une **plaie** (1) une blessure; (2) une affliction [plɛ]

de **plain-pied** (1) de même niveau; (2) aisément [dəplɛ̃pje]

plaindre v. montrer de la compassion pour [plɛ̃ːdr]

se **plaindre** v. se lamenter (se conj. c. craindre)

une **plainte,** une lamentation [plɛ̃ːt]

plaire à une personne = lui faire plaisir [plɛːr]
plaisant; plu; (j'ai plu); je plais; je plus; je plairai

plaisant (adverbe, **plaisamment**) agréable; comique [plɛ-zɑ̃, -zamɑ̃]

une **plaisanterie,** parole ou action qui fait rire [plɛzɑ̃tri]

plaisanter v. dire des plaisanteries [plɛzɑ̃te]

le **plaisir,** joie, amusement [pleziːr]

une **planche** de bois. Le **plancher** • (p. 126) est fait de planches placées côte à côte [plɑ̃ːʃ—plɑ̃ʃe]

une **planche** • de livre = illustration en couleur, comme la planche A

faire la planche (en nageant), flotter sur le dos

un **planton,** soldat qui porte les ordres [plɑ̃tɔ̃]

plantureux, copieux; riche, fertile [plɑ̃tyrø]

une **plaque** • de cuivre est fixée à la porte du médecin, du dentiste etc. [plak]

un **plat** • de viande, de légumes etc. (p. 143) [pla]

plat (plate) *flat* [pla, -t]

un **platane,** • l'arbre des boulevards [platan]

un **plateau** • (1) plaine élevée; (2) ustensile. De plus, une balance • a deux plateaux [plato]

une **plate-bande** du jardin, terrain où l'on plante les fleurs [platbɑ̃ːd]

le **platine,** métal blanc, dur, précieux [platin]

le **plâtre.** Le plafond est fait de plâtre [plɑːtr]

plein. Le soldat est plein de courage [plɛ̃]

la **pleine lune** • (p. 16) [plɛːn]

les **pleurs,** les larmes • (p. 118) [plœːr]

pleurer *v.* laisser couler des larmes [plœre]

un **pleureur,** personne qui pleure [plœrœːr]

pleurnicher *v.* faire semblant de pleurer. Les enfants pleurnichent quelquefois pour attirer l'attention [plœrniʃe]

un **pleutre,** un poltron [pløːtr]

pleuvoir • *v.* tomber (en parlant de la pluie) pleuvant; plu; (il a plu) il pleut; il plut; il pleuvra [plœvwaːr]

un **pli** • Le verbe est **plisser** [pli, -se]

un **pliant,** • chaise qui se plie (p. 132) [pliɑ̃]

plier *v.* Pour prier, je plie les genoux [plie]

le **plomb,** métal gris et lourd: Pb [plɔ̃]

un **plombier,** ouvrier qui répare les tuyaux (*pipes*) de plomb [plɔ̃bje]

plonger • *v.* (voir aussi p. 160) [plɔ̃ʒe]

faire un plongeon, plonger (dans l'eau) [plɔ̃ʒɔ̃]

un **plongeur,** personne qui plonge [plɔ̃ʒœːr]

ployer *v.* plier, courber, céder [plwaje]

la **pluie,** • l'eau qui tombe du ciel [plɥi]

une **plume** • [plym]

un **plumeau** • [plymo]

plumer *v.* enlever les plumes [plyme]

un **plumet** • de shako etc. (p. 39) [plymɛ]

un **plumier,** boîte où l'élève met les plumes, les crayons etc. [plymje]

la **plupart,** la majorité [plypaːr]

plus, *more*; **plusieurs,** *several* [ply, -zjœːr]

une **plaque**

DOCTEUR J. DUPONT
MALADIES DE LA GORGE
CONSULTATIONS DE 2 À 7.

un **platane**

un **plateau**

la **pluie**

il **pleut** à verse

le **pli** d'un pantalon

plutôt, assez; de préférence [plyto]

un **pneu,** un **pneumatique** • (p. 214) [pnø, -matik]

une **poche,** • partie du vêtement où l'on met son mouchoir etc. (p. 211) [pɔʃ]

un **œil poché,** • résultat d'un coup de poing (p. 24)

un **œuf poché,** œuf qu'on sert sur un toast [pɔʃe]

une **pochette,** une petite poche [pɔʃɛt]

UN **poêle,** • espèce de fourneau [pwaːl]

UNE **poêle,** • ustensile de cuisine

un **poêlon,** espèce de casserole • [pwalɔ̃]

un **poids** • (p. 164) [pwa]

un **poignard,** espèce de dague • (p. 53) Le verbe est **poignarder** [pwaɲaːr—pwaɲarde]

la **poignée** • d'une épée (p. 76) d'un vélo (p. 23)

une **poignée** de farine, de sel etc. = tout ce qu'on peut prendre dans une main

une **poignée de main,** geste de politesse de deux amis qui se rencontrent: *hand-shake* [pwaɲe]

le **poignet,** • partie du bras (pl. G) [pwaɲɛ]

un **poil.** Le corps du chien est recouvert de poils [pwal]

poilu, qui a beaucoup de poils [pwaly]

un **poilu,** nom populaire du soldat français

le jour commence à **poindre,** à paraître [pwɛ̃ːdr]

un **poing,** • la main fermée (p. 46) [pwɛ̃]

pointer *v.* diriger un canon vers un point [pwɛ̃te]

pointilleux, scrupuleux; susceptible [pwɛ̃tijø]

pointu, qui finit en **pointe** [pwɛ̃ty—pwɛ̃ːt]

la **pointure,** numéro (en parlant des gants, des souliers etc.) [pwɛ̃tyːr]

une **poire,** • fruit du **poirier** (pl. C) [pwaːr—pwarje]

un **poireau** • (pl. D) [pwaro]

les **petits pois** • (pl. D) [pwa]

poisseux, très sale; gluant [pwasø]

un **poisson** • (pl. H) [pwasɔ̃]

poissonneux, plein de poissons [pwasɔnø]

le **poitrail,** poitrine d'un cheval [pwatraːj]

la **poitrine** • (pl. G) Le **poitrinaire** a une maladie de poitrine [pwatrin, -ɛːr]

le **poivre,** • condiment (p. 143) Le verbe est **poivrer** [pwaːvr—pwavre]

une **poivrière** • (p. 143) [pwavriɛːr]

la **poix,** substance noire, graisseuse; *pitch* [pwa]

il lui plonge
le couteau dans le dos

deux **plumes**

un **plumeau**

le tuyau
un **poêle**

la queue

une **poêle**
à frire

163

l' étoile **polaire,** l'étoile du nord (p. 16) [pɔlɛːr]

poli, brillant; courtois; bien élevé [pɔli]

poliment, d'une façon affable [pɔlimɑ̃]

polir *v.* frotter (*rub*) un objet pour le rendre brillant [pɔliːr]

la **politesse,** civilité [pɔlitɛs]

un **polichinelle,** espèce de poupée [pɔliʃinɛl]

un roman **policier,** oú il s'agit de crime [pɔlisje]

un **polisson,** un mauvais garçon [pɔlisɔ̃]

polluer *v.* rendre sale; profaner [pɔlɥe]

un **Polonais,** habitant de la **Pologne** [pɔlɔ-nɛ, -ɲ]

un **poltron** n'a pas de courage [pɔltrɔ̃]

la **poltronnerie,** absence de courage [pɔltrɔnri]

une **pomme,** fruit du **pommier** (pl. C) [pɔm, -je]

la **pomme** d'une canne

une **pomme de pin**

une **pomme de terre,** légume (pl. D) [pɔmdətɛːr]

le **pommeau,** partie d'une selle (p. 12) [pɔmo]

les **pommettes** du visage [pɔmɛt]

une **pompe,** machine qui sert à élever l'eau

une **pompe à incendie,** appareil pour lancer de l'eau sur une maison qui brûle [pɔ̃ːp]

pomper *v.* se servir d'une pompe [pɔ̃pe]

un **pompier** [pɔ̃pje]

ponceau, rouge vif [pɔ̃so]

une **pondeuse,** poule qui pond beaucoup d'œufs. Le verbe est **pondre,** *to lay* [pɔ̃døːz—pɔ̃ːdr]

un **pont** (p. 150) [pɔ̃]

un **pont-levis** [pɔ̃ləvi]

un **ponton,** pont composé de bateaux [pɔ̃tɔ̃]

un **porc,** un cochon (p. 8) [pɔːr]

un **porc-épic** (p. 9) [pɔrkepik]

la **porcherie,** partie de la ferme où vivent les cochons [pɔrʃəri]

une **PORTE** (p. 126) [pɔrt]

un **portail,** porte imposante (pl. A) [pɔrtaːj]

une **porte-fenêtre,** porte vitrée qui est en même temps une fenêtre

une **porte cochère** laisse entrer les voitures

un **portier,** celui qui garde la porte [pɔrtje]

une **portière** (1) porte d'une auto etc. (p. 214); (2) rideau qui cache une porte (p. 207) [pɔrtjɛːr]

un **poids**

un **polichinelle**

Danzig

Varsovie

[1939]

la **Pologne**

la **pomme** d'une canne

une **pomme de pin**

PORTER *v.* to carry, wear [pɔrte]
bien portant, en bonne santé [bjɛ̃pɔrtɑ̃]
portatif, facile à porter [pɔrtatif]
à portée de fusil, aussi loin qu'un fusil peut
    lancer un projectile [pɔrte]
[*Many compounds beginning with* PORTE *mean
objects destined to hold others, e.g.* **un porte-
plume,** *a pen-holder. Such are :*
  un **porte-allumettes** un **porte-cigare**
  un **porte-crayon**   un **portefeuille**
  un **porte-monnaie**   un **porte-parapluies**
If second word is plural the meaning may change
  un **porte-cigares** (*case*)
  un **porte-plumes** (*case*)]
un **portefaix,** un porteur [pɔrtfɛ]
un **portemanteau,** crochet auquel on suspend les
    pardessus etc. [pɔrtmɑ̃to]
un **porte-plume-réservoir,**• un stylo
un **porte-voix,** espèce de trompette dans laquelle
    on parle [pɔrtvwa]
un **Portugais,** habitant du Portugal [pɔrtygɛ]
posé, sérieux [poze]
posément, avec calme [pozemɑ̃]
poser *v.* placer [poze]
un **possédé,** homme violent, comme inspiré par le
    démon [pɔsede]
posséder *v.* avoir en sa possession [pɔsede]
un **poste** de T.S.F.: installation de radio [pɔst]
un **potage,** une soupe [pɔtaːʒ]
potager, qui concerne les légumes [pɔtaʒe]
un jardin **potager,** où l'on cultive les légumes
 le **pot à eau** • (p. 33); le **pot à lait** • (p. 143)
 le **pot-au-feu,** soupe de viande etc. [potofø]
un **poteau indicateur** • (p. 186) [poto]
potelé, assez gras; rond [pɔtle]
une **potence,** un gibet • [pɔtɑ̃ːs]
un **pou,**• insecte dégoûtant (p. 112) [pu]
une **poubelle,** boîte pour les ordures [pubɛl]
 le **pouce** • (1) la douzième partie d'un pied; (2)
    un des doigts (p. 153) [pus]
 la **poudre** (1) poussière; (2) *powder*
 la **poudre à canon,** la **poudre de riz** • [pudr]
 poudrer *v.* mettre de la poudre sur [pudre]

les **pommettes**

un **pompier**

un **pont-levis**

une **porte vitrée**

le **levier** de remplissage

un **porte-plume réservoir,** un **stylo**

165

poudreux, couvert de poussière [pudrø]

une **poudrière,** bâtiment où l'on garde la poudre à canon [pudriɛːr]

pouffer de rire *v.* rire beaucoup; rire **aux éclats** [pufe—ozekla]

un **poulain,** une **pouliche,** jeune cheval [pu-lɛ̃, -liʃ]

un **poulailler,** où logent les poules [pulɑje]

la **poule,**• oiseau domestique (p. 146) [pul]

une **poule mouillée,** homme sans courage

un **poulet,**• petit de la poule (p. 143) [pulɛ]

une **poulie** • [puli]

tâter le pouls = compter les pulsations du cœur [tɑtələpu]

les **poumons,**• organe de la respiration [pumɔ̃]

la **poupe,**• l'arrière d'un bateau [pup]

une **poupée,**• jouet [pupe]

un **poupon,** un bébé [pupɔ̃]

pour, *for* **pour que,** afin que [puːr]

pour peu que, *if ever so little*

un **pourboire,** petite somme d'argent donnée à un garçon de café, à un chauffeur de taxi etc. [purbwaːr]

un **pourceau,** un cochon • (p. 8) [purso]

un **pourpoint,**• vêtement d'homme [purpwɛ̃]

à brûle-pourpoint, brusquement

LE **pourpre,** rouge foncé [purpr]

LA **pourpre,** (1) étoffe teinte en rouge; (2) majesté

pourquoi ? pour quelle raison ? *why ?* [purkwa]

pourri, putride, décomposé [puri]

pourrir *v.* tomber en putréfaction [puriːr]

la **pourriture,** putréfaction: putridité [purityːr]

une **poursuite,** action de poursuivre [pursɥit]

poursuivre *v.* (1) courir après; (2) demander justice contre (devant un tribunal) [pursɥiːvr]

pourtant, cependant, mais [purtɑ̃]

pourvoir *v.* fournir ce qui est nécessaire [purvwaːr]

pourvu que, à condition que [purvykə]

une **pousse,** une très jeune branche [pus]

une **poussée,** action de **pousser** [puse]

pousser *v.* (1) Je pousse la porte du pied. (2) Les fleurs poussent dans le jardin [puse]

une **boîte** de poudre

une **poulie**

les **poumons**

la **poupe** d'un bateau

les jouets

une **poupée**

pousser un cri, jeter (*utter*) un cri [puse]

la **poussière** • [pusjɛːr]

poussiéreux, couvert de poussière [pusjerø]

un **poussin,** • très petit poulet (p. 146) [pusɛ̃]

ıne **poutre,** • énorme barre de fer ou de bois [putr]

ıne **poutrelle,** petite poutre [putrɛl]

pouvoir *v. to be able* [puvwaːr]
    pouvant; pu; (j'ai pu)
    je peux (*I can*); je pus (*I could*); je pourrai

le **pouvoir,** autorité; force

ıne **prairie,** champ d'herbe [prɛri]

un homme **pratique,** homme d'action et d'expé-
    rience: homme positif [pratik]

la **pratique,** application de ce qu'on a appris;
    expérience; habitude

pratiquer *v.* faire (habituellement) [pratike]

un **pré,** • une petite prairie (p. 186) [pre]

le **préau,** • espace couvert de la cour [preo]

précaire, très incertain [prekɛːr]

précédemment, avant [presedamɑ̃]

prêcher *v.* Le curé prêche dans l'église [prɛʃe]

une **précieuse,** femme affectée [presjøːz]

se **précipiter** *v.* se jeter, se hâter [presipite]

précipitamment, très vite [presipitamɑ̃]

précisément, exactement [presizemɑ̃]

précoce, qui vient avant la saison [prekɔs]

un **prédicateur,** homme qui prêche [predikatœːr]

prédire *v.* dire d'avance [prediːr]

la **préfecture,** bureau du **préfet** • (= chef d'un
    département) [prefɛktyːr—prefɛ]

un **préjugé,** opinion admise sans examen [preʒyʒe]

les **prémices,** les premiers fruits [premis]

premier (**première**) qui arrive avant les
    autres [prəmje—prəmjɛːr]

Je demeure **au premier** (= au premier étage •
    pl. E)

prendre *v. to take* [prɑ̃ːdr]
    prenant; pris; (j'ai pris)
    je prends; je pris; je prendrai; que je prenne

un **prénom,** premier nom. Le prénom de Victor
    Hugo est Victor [prenɔ̃]

les **préparatifs,** ce qu'on fait d'avance [preparatif]

près de, *near* [prɛdə]

un **pourpoint**

un **nuage** de **poussière**

la **hache**

une **poutre**

le **préau** dans la **cour** de l'école

le **préfet**

167

le **presbytère**, maison du curé [prezbitɛːr]

presque, à peu près, *almost* [presk]

une **presqu'île**,• petite péninsule [preskiːl]

Je suis **pressé** = il faut que je me dépêche [prese]

pressentir *v.* avoir un **pressentiment**: l'impression mystérieuse que quelque chose va arriver [presɑ̃tiːr—presɑ̃timɑ̃]

la **pression**, action de presser [presjɔ̃]

un **pressoir**,• machine à **pressurer** (= presser) les raisins, les pommes [preswaːr—presyre]

preste, vif, agile [prest]

un **prestidigitateur** • [prestidiʒitatœːr]

prêt à, préparé à [preta]

un **prêt**, somme d'argent qu'on prête [pre]

prêter *v.* donner pour un certain temps [prete]

un **prêteur**, celui qui prête [pretœːr]

un **prétendant**, celui qui prétend [pretɑ̃dɑ̃]

prétendre *v. to claim* [pretɑ̃ːdr]

un **prêtre**,• une **prêtresse**, ministre d'une religion (p. 196) [preːtr—pretres]

une **preuve**, ce qui prouve [prœːv]

prévaloir *v.* remporter la victoire [prevalwaːr]

les **prévenances**, les petits soins, tout ce qu'on fait pour plaire [prevnɑ̃ːs]

prévenir *v.* anticiper; informer [prevniːr]

le **prévenu**, le prisonnier [prevny]

prévoir *v.* voir par avance [prevwaːr]

une **prévoyance**, action de prévoir [prevwajɑ̃ːs]

prévoyant, prudent [prevwajɑ̃]

un **prie-Dieu** • [pridjø]

prier *v.* demander; implorer Dieu [prie]

une **prière**, supplication [priɛːr]

de prime abord, à première vue [prim abɔːr]

prime-sautier, impulsif [primsotje]

les **primeurs**, premiers fruits [primœːr]

une **primevère**,• fleur de printemps [primvɛːr]

princier, digne d'un prince [prɛ̃sje]

le **printemps**, 1ère saison de l'année [prɛ̃tɑ̃]

une **prise** (1) action de prendre; (2) ce qu'on prend

Ils sont **aux prises**, ils se battent [priːz]

priser *v.* (1) apprécier; (2) prendre du **tabac à priser** (*snuff*) [prize]

la **presqu'île** de Morée

un **pressoir**

un **prestidigitateur**

un **prie-Dieu**

une **primevère**

privé, qui n'est pas public [prive]

priver *v.* enlever; déposséder; *deprive* [prive]

un **prix** • (1) argent que le marchand demande pour ce qu'il vend; (2) récompense [pri]

hors de prix, extrêmement cher

probe, honnête [prɔb]

un **procédé,** façon d'agir [prɔsede]

un **procès,** contestation légale [prɔsɛ]

un **procès-verbal,** rapport fait par le garde champêtre, • le gendarme • etc. [prɔsɛverbal]

proche, prochain, tout près [prɔʃ, -ɛ̃]

prochainement, dans peu de temps [prɔʃɛnmã]

un **prodige,** chose extraordinaire [prɔdiːʒ]

prodigieux, étonnant [prɔdiʒjø]

l' **Enfant Prodigue,** personnage de la Bible (S. Luc XV) [prɔdig]

prodiguer *v.* donner généreusement [prɔdige]

produire *v. produce* (c. conduire) [prɔdɥiːr]

un **produit,** production, résultat [prɔdɥi]

proférer *v.* prononcer [prɔfere]

un **professeur** • (p. 188) [prɔfɛsœːr]

profond, *deep.* Le contraire est **peu profond**; l'adverbe est **profondément**; le nom: la **profondeur** [prɔfɔ̃, -demã, -dœːr]

la **proie,** tout animal attaqué et mangé par une bête féroce [prwa]

un **projecteur** • [prɔʒɛktœːr]

un **projet,** un plan [prɔʒɛ]

projeter *v.* jeter en avant; faire le plan de [prɔʒte]

se promener *v.* marcher, aller. On se promène à pied, à bicyclette, en auto etc. [prɔmne]

un **promeneur,** homme qui se promène [prɔmnœːr]

une **promesse,** ce qu'on a promis de faire [prɔmɛs]

promettre *v.* (c. mettre) Mon père m'a promis une bicyclette pour Noël [prɔmɛtr]

propice, favorable [prɔpis]

les **propos,** discours; conversation [prɔpo]

arriver **à propos** (= au moment favorable)

à propos de, quant à; au sujet de

une chemise **propre,** chemise qui a été lavée: MAIS

ma **propre** chemise, celle qui est à moi [prɔpr]

la **propreté,** qualité d'une chose propre [prɔprəte]

l'élève qui a gagné des **prix**

un **projecteur**

il **se prosterne**

la **proue** d'un bateau

Durance

Nice

Marseille Toulon

Mer Méditerranée

la **Provence**

un **propriétaire,** celui à qui appartient une chose [prɔprietɛːr]

une **propriété,** maison avec le terrain y attenant [prɔpriete]

prospère, florissant [prɔspɛːr]

se prosterner • *v.* se baisser dans la poussière (p. 169) [prɔsterne]

protéger *v.* défendre [prɔteʒe]

la **proue,** • l'avant d'un bateau (p. 169) [pru]

une **prouesse,** acte de bravoure; exploit [pruɛs]

un **Provençal,** habitant de la **Provence** • (p. 169) [prɔvɑ̃sal—prɔvɑ̃ːs]

les **pucerons**
(plus grands que nature)

des **punaises**

un **proviseur,** directeur d'un lycée [prɔvizœːr]

provisoire, temporaire [prɔvizwaːr]

un **agent provocateur,** espion qui incite les suspects à se trahir [prɔvɔkatœːr]

provoquer *v.* inciter; exciter, causer [prɔvɔke]

à proximité de, près de [prɔksimite]

prudemment, avec prudence [prydamɑ̃]

une **prune,** • fruit du **prunier** (pl. C) [pryn, -je]

un **pruneau,** prune séchée, noire, qu'on achète chez l'épicier [pryno]

la **prunelle** • de l'œil (p. 153) [prynɛl]

un **psaume,** cantique de la Bible [psoːm]

une **puanteur,** odeur dégoûtante [pɥɑ̃tœːr]

puer *v.* sentir très mauvais [pɥe]

une **puce,** • insecte qui pique (p. 112) [pys]

les **pucerons** • vivent sur les rosiers [pysrɔ̃]

la **pudeur,** modestie, chasteté [pydœːr]

pudique, très modeste [pydik]

puéril, enfantin, frivole [pɥeril]

puis, *then* **puisque,** *since* [pɥi, -sk]

puiser *v.* tirer de l'eau d'un **puits** • (p. 127) [pɥize—pɥi]

une **punition**

un **putois**

puissamment, avec puissance [pɥisamɑ̃]

une **puissance,** force, pouvoir [pɥisɑ̃ːs]

puissant, qui a un grand pouvoir [pɥisɑ̃]

pulluler *v.* (1) se multiplier; (2) exister en grande quantité [pylyle]

une **punaise** • (1) insecte (p. 112); (2) petit clou pour fixer le papier à dessin [pynɛːz]

punir *v.* donner un châtiment à [pyniːr]

une **punition,** • un châtiment [pynisjɔ̃]

un **pygmée**

la **pupille** de l'œil, le point noir [pypil]

un(e) **pupille,** enfant placé sous l'autorité d'un tuteur

un **pupitre** • (p. 188) [pypitr]

la **pureté,** état de ce qui est pur [pyrte]

un **putois,**• petit carnivore qui sent très mauvais; *skunk* [pytwa]

un **pygmée,**• nègre de très petite taille [pigme]

le **quai de la gare.** En quittant le train, le voyageur descend
sur le quai [ke]

le **quai** • **d'un port,** rive cimentée où l'on décharge les
marchandises (pl. A)

quand, lorsque; **quant à,** *as for* [kɑ̃—kɑ̃ta]

quarante = 40 [karɑ̃:t]

une **quarantaine,** à peu près quarante [karɑ̃tɛn]

un **quart,** la quatrième partie. MAIS on dit un **quartier** de pomme, de
mouton etc. [ka:r]

le **quartier** d'une ville. Fulham est un quartier de Londres [kartje]

quatre = 4; **quatorze** = 14; **quatre-vingts** = 80 [katr—katɔrz]

On descend l'escalier **quatre à quatre,** on le descend très vite

que, *which, that, how* **quel** (**quelle**) *what* [kə—kɛl]

quelque, *some* **quelconque,** *of some sort or other* [kɛlk—kɛlkɔ̃:k]

quelquefois, parfois, de temps en temps [kɛlkəfwa]

quelqu'un, une personne [kɛlkœ̃]

une **querelle,** dispute violente [kərɛl]

quereller *v.* réprimander; chercher querelle **à** [kərɛle]

se quereller *v.* se disputer avec

querelleur, qui aime à chercher querelle [kərɛlœ:r]

une **quête** (1) action de chercher; (2) action de demander de l'argent pour
les pauvres [kɛ:t]

quêter *v.* faire la quête, demander l'aumône [kɛte]

la **queue** • d'un oiseau, d'un quadrupède etc. (pl. F) [kø]

une **queue de billard,** long bâton avec lequel on pousse les billes

qui, *who* **quiconque,** *whoever* **qui que ce soit,** *whoever* [ki, -kɔ̃:k]

la **quille** • d'un bateau (p. 21) [ki:j]

les **quilles:** on les abat avec une boule dans le **jeu de quilles** (*ninepins*)

la **quincaillerie,** casseroles,• bouilloires,• entonnoirs,• bougeoirs • et
autres objets de métal [kɛ̃kɑ:jəri]

un **quincaillier,** marchand qui vend des ustensiles de métal [kɛ̃kɑje]

un **quinquet,** une espèce de lampe [kɛ̃kɛ]

On a une **quinte de toux** lorsqu'on tousse (*coughs*) beaucoup et
longtemps [kɛ̃:tdətu]

une **quinzaine,** deux semaines; à peu près **quinze** (= 15) [kɛ̃zɛn—kɛ̃z]

171

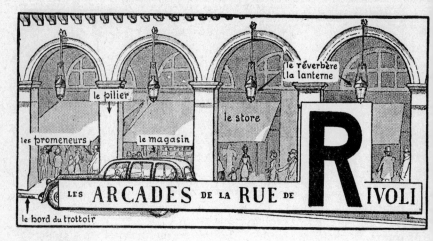

Les **ARCADES** de la **RUE** de **R**ivoli

le réverbère / la lanterne
le pilier
le store
les promeneurs
le magasin
le bord du trottoir

une **quittance,** un reçu [kitɑ̃ːs]
   quitter v. laisser; partir de; *leave* [kite]
   qui vive ? cri de la sentinelle, qui veut dire: Halte! [kiviːv]
   quoi, *what*   **quoi que,** *whatever*   **quoique,** *although* [kwa]
une **quote-part,** contribution [kɔtpaːr]
   quotidien (quotidienne) de chaque jour [kɔtid-jɛ̃, -jɛn]
  un (journal) **quotidien** paraît tous les jours

   un **rabais,** réduction du prix [rabɛ]
    rabaisser v. mettre plus bas; diminuer (le prix) [rabɛse]
   un **col rabattu** • (voir p. 211) [rabaty]
   un **rabot,**• outil (p. 149); **raboter** v. [rabo—rabɔte]
    le bois est **raboteux** quand il n'est pas uni [rabɔtø]
  rabougri, petit, de petite taille [rabugri]
un **raccommodage,** réparation d'un vêtement déchiré [rakɔmɔdaːʒ]
  raccommoder v. réparer [rakɔmɔde]
  raccourcir v. rendre plus court [rakursiːr]
  la **racine** • d'un arbre etc. (voir p. 13) [rasin]
  racler v. rendre net avec un **racloir** (*scraper*) [rɑ-kle, -klwaːr]
  raconter v. faire un récit, dire une histoire [rakɔ̃te]
un **raconteur,** personne qui aime à raconter des histoires [rakɔ̃tœːr]
une **rade,**• étendue de mer, protégée des vents, où les grands bateaux
    peuvent jeter l'ancre (p. 61) [rad]
un **radeau,** embarcation faite de planches; *raft* [rado]
  radieux (radieuse) brillant, qui émet des rayons [radjø—radjøːz]
un **radis,**• légume (voir pl. D) [radi]
un **radotage,** discours ridicule. Le verbe est **radoter** [radɔ-taːʒ, -te]

radoucir *v.* rendre plus doux [radusiːr]

une **rafale,** une ⸤ourrasque • (p. 26) [rafal]

raffiner *v.* purifier (le sucre etc.) [rafine]

raffoler de *v.* aimer à la folie [rafɔle]

rafraîchir *v.* rendre frais; *refresh* [rafreʃiːr]

rafraîchissant, qui calme la soif, diminue la chaleur [rafreʃisã]

les **rafraîchissements,** • limonade, café, gâteaux etc. donnés dans une fête [rafreʃismã]

les rafraîchissements

la **rage,** terrible maladie des chiens [raːʒ]

un **ragoût,** plat de viande délicieux [ragu]

ragrafer *v.* agrafer de nouveau [*In this, as in many other verbs, the first* R- (*or* RE-, RES-) *has the same value as the English* RE *in re-write, to write again. Such are :*

rajouter *v.* ajouter de nouveau [raʒute]

rajuster *v.* ajuster de nouveau; etc. [raʒyste]

Sometimes this R- *is better translated ' back,' as in*

racheter *v.* to buy back [raʃte]]

la raie

raide, dur; inflexible; abrupt [red]

la **raideur,** rigidité [redœːr]

se raidir *v.* devenir rigide [rediːr]

une **raie,** • une ligne [re]

une **raie,** • un poisson plat (pl. H) [re]

la rainure

le pupitre

railler *v.* se moquer de; ridiculiser [raje]

la **raillerie,** moquerie, sarcasme [rajəri]

un **railleur** se moque de tout le monde [rajœːr]

une **rainette,** très petite grenouille [renet]

une **rainure** • [renyːr]

le **rais** • d'une roue (p. 138) [re]

le **raisin,** • fruit de la vigne (pl. C) [rezɛ̃]

une **raison,** argument; cause; intelligence [rezɔ̃]

j'ai raison = ce que je dis est juste

raisonner *v.* discuter; argumenter [rezone]

la rame

le rameur

un **raisonneur,** qui discute trop [rezonœːr]

rajeunir *v.* rendre plus jeune [raʒœniːr]

un **râle,** bruit qu'on fait en respirant, au moment de mourir. Le verbe est **râler** [raːl—rale]

ralentir *v.* rendre plus lent [ralãtiːr]

un **ralentissement,** diminution de vitesse etc. [ralãtismã]

rallumer *v.* allumer de nouveau [ralyme]

le **ramage,** le chant des oiseaux [ramaːʒ]

le ramoneur

ramasser *v.* (1) collectionner; (2) recueillir ce
qui est tombé [ramɑse]
un homme **ramassé,** robuste; court et solide
une **rame** • (p. 173) Le verbe est **ramer** [ram, -e]
un **rameur,** • celui qui rame [ramœːr]
un **rameau,** • une petite branche (p. 13) [ramo]
les **ramilles,** • très petits rameaux (p. 13) [ramiːj]
ramener *v.* amener de nouveau [ramne]
ramollir *v.* rendre mou [ramɔliːr]
ramoner *v.* nettoyer la cheminée [ramɔne]
le **ramoneur** • (p. 173) [ramɔnœːr]
une **rampe** • (1) balustrade de l'escalier (p. 78); (2)
au théâtre, rangée de lumières (p. 204) [rɑ̃ːp]
ramper *v.* se traîner sur le ventre [rɑ̃pe]
la **ramure** • (1) toutes les branches d'un arbre;
(2) les cornes du cerf etc. (p. 179) [ramyːr]
mettre au rancart = rejeter [rɑ̆kaːr]
rance, se dit du beurre qui n'est plus bon à
manger [rɑ̃ːs]
une **rançon,** argent qu'on donne pour délivrer un
prisonnier [rɑ̃sɔ̃]
la **rancune,** ressentiment prolongé [rɑ̆kyn]
un **rang** • Les soldats se mettent en rang [rɑ̃]
une **rangée** • d'arbres = arbres plantés sur la même
ligne [rɑ̃ʒe]
ranger *v.* mettre en rang, en ordre [rɑ̃ʒe]
ranimer *v.* rendre à la vie [ranime]
rapace, qui prend tout, qui mange tout [rapas]
une **râpe** • Le verbe est **râper** [rɑːp—rɑpe]
râpé, vieux, usé jusqu'à la corde (*thread*) [rɑpe]
rapetisser *v.* rendre plus petit [raptise]
un **rapide,** un train qui va très vite [rapid]
rapiécer *v.* mettre une **pièce** (*patch*) à [rapjese]
le **rappel,** action de rappeler [rapɛl]
rappeler *v.* (1) appeler de nouveau; (2) faire
revenir [raple]
se rappeler *v.* se souvenir de
un **rapport** (1) récit; (2) produit d'une terre
par rapport à, relativement à [rapɔːr]
rapporter *v.* (1) faire un rapport; (2) produire;
(3) apporter de nouveau [rapɔrte]
un **rapprochement** (1) une réconciliation; (2)
une comparaison [raprɔʃmɑ̃]

un **rang**
de soldats

une **rangée**
d'arbres

une **râpe**

le **manche**
la **lame**
un **rasoir**

un **râtelier**

rapprocher *v.* mettre plus près [raprɔʃe]

rarement, contraire de **souvent** [raːrəmã]

ras (rase) coupé très court [ra—raːz]

au ras de, au niveau de

raser *v.* faire la barbe avec un **rasoir •**
[raze—razwaːr]

rassasié, qui n'a plus faim [rasazje]

rassembler *v.* assembler de nouveau; réunir
[rasãble]

un **rassemblement,** une grande foule de personnes [rasãbləmã]

se rasseoir *v.* s'asseoir de nouveau [raswaːr]

le pain **rassis** n'est plus frais [rasi]

rassurer *v.* tranquilliser [rasyre]

ratatiné, petit et ridé [ratatine]

un **râteau,•** outil (p. 149) Les verbes sont **râteler**
et **ratisser** [rato—ratle—ratise]

un **râtelier •** Dans une écurie, on met le foin pour
les bêtes dans un râtelier [ratəlje]

un **râtelier,** rangée de fausses dents

rater *v.* ne pas réussir. J'ai **raté** mon train =
le train est parti sans moi [rate]

une **ratière,** piège • à rats [ratjɛːr]

rattraper *v.* prendre de nouveau [ratrape]

une voix **rauque,** désagréable, comme la voix d'un
corbeau • (pl. F) [roːk]

ravi, charmé [ravi]

ravir *v.* (1) charmer; (2) enlever de force
[raviːr]

ravissant, très joli; délicieux [ravisã]

un **ravissement,** transport de joie [ravismã]

ravitailler *v.* envoyer des provisions à
[ravitaje]

rayé,• marqué de raies [reje]

rayer *v.* faire des raies [reje]

un **rayon •** de lumière, de chaleur etc. [rejɔ̃]

les **rayons** (= rais) d'une roue

un **rayon de bibliothèque,•** planche sur laquelle
on range les livres

le **rayon de chaussures** etc., partie d'un grand
magasin où l'on achète des chaussures etc.

un **rayon de miel •** (voir p. 2)

rayonner *v.* émettre des rayons [rejɔne]

175

an raz de marée, vague immense survenant après un tremblement de terre [rɑ]

réagir v. exercer une réaction (contre) [reaʒiːr]

réaliser v. rendre réels, concrets (ses rêves, ses promesses ou sa fortune) [realize]

rébarbatif, rude, sévère [rebarbatif]

reboiser v. planter de nouveaux arbres [rəbwaze]

rebondi, rond et gras [rəbɔ̃di]

le **rebord** ● de la fenêtre (p. 175) [rəbɔːr]

rebrousser chemin, retourner subitement en arrière [rəbruse]

rebutant, désagréable [rəbytɑ̃]

recéler v. cacher [rəsɛle]

récemment, il y a peu de temps [resamɑ̃]

une **recette,** l'argent etc. qu'on reçoit [rəsɛt]

la **recette** d'un gâteau = la manière de le faire: la formule

le **receveur** ● d'autobus (p. 175) [rəsəvœːr]

recevoir v. Le contraire est **donner**
recevant; reçu; (j'ai reçu)
je reçois; je reçus; je recevrai [rəsəvwaːr]

réchapper v. échapper à un grand péril [reʃape]

un **réchaud** ● [reʃo]

réchauffer v. chauffer de nouveau [reʃofe]

rêche, rude et âpre [rɛːʃ]

la **recherche,** action de **rechercher** (= chercher avec soin) [rəʃɛrʃ, -e]

une **rechute,** action de tomber [malade] une seconde fois [rəʃyt]

un **récif,** rochers à la surface de l'eau [resif]

un **récipient,** vase pour contenir des liquides [resipjɑ̃]

un **récit,** une narration [resi]

la **réclame,** la publicité [reklam]

réclamer v. implorer; exiger [reklame]

la **récolte,** action de récolter et les produits qu'on récolte [rekɔlt]

récolter v. cueillir les fruits etc. [rekɔlte]

un **réconfort,** une consolation [rekɔ̃fɔːr]

réconforter v. encourager [rekɔ̃fɔrte]

reconnaissable, qu'on peut reconnaître [rəkɔnɛsaːbl]

un **réchaud**

une **redingote**

le **réfectoire**

un **visage renfrogné**

une **règle**

la **reconnaissance** (1) gratitude; (2) action d'examiner le terrain; (3) action de reconnaître une erreur etc. [rəkɔnɛsɑ̃ːs]

reconnaissant, qui a de la gratitude [rəkɔnɛsɑ̃]

reconnaître v. *to recognise* [rəkɔnɛːtr]

recoudre v. re + coudre [rəkuːdr]

recourir à v. avoir recours à [rəkuriːr]

un **recours,** demande de secours [rəkuːr]

recouvrer v. rentrer en possession de [rəkuvre]

recouvrir v. couvrir entièrement; couvrir de nouveau [rəkuvriːr]

se recroqueviller. Les feuilles exposées à la chaleur se recroquevillent [rəkrɔkvije]

UNE **recrue,** jeune soldat [rəkry]

un **reçu,** papier qui certifie qu'on a reçu une certaine somme d'argent etc. [rəsy]

un **recueil,** collection (de poésies) [rəkœːj]

le **recueillement,** méditation [rəkœːjmɑ̃]

recueillir v. (1) récolter; (2) recevoir

se recueillir v. méditer [rəkœjiːr]

un **recul,** mouvement en arrière [rəkyl]

reculer v. aller en arrière [rəkyle]

à reculons, en reculant [arəkylɔ̃]

récurer v. nettoyer [rekyre]

un **rédacteur,** homme qui arrange un journal etc. pour la publication [redaktœːr]

une **rédaction,** composition écrite [redaksjɔ̃]

une **reddition,** action de rendre [rɛdisjɔ̃]

rédiger v. arranger, compiler, écrire [rediʒe]

une **redingote,•** vêtement d'homme [rədɛ̃gɔt]

redire v. dire une seconde fois [rədiːr]

redouter v. avoir grand'peur de [rədute]

redresser v. On redresse une statue tombée, un poteau qui penche, une injustice [rədrɛse]

réduire v. rendre plus petit; changer; subjuguer (se conj. c. conduire) [redɥiːr]

un **réduit,** petite chambre misérable [redɥi]

réel (réelle) véritable [reɛl]

refaire v. faire de nouveau [rəfɛːr]

un **réfectoire •** [refɛktwaːr]

réfléchir v. penser, considérer, méditer sur [refleʃiːr]

les **reins**

la **reine**

un **remblai** de chemin de fer

un fauteuil **rembourré**

à **bourre**

le **bouchon**

le **flacon**

un **remède**

177

un **reflet,** réflexion de la lumière [rəflɛ]

refléter v. La lune reflète la lumière du soleil [rəflete]

le **reflux,** la mer qui se retire [rəfly]

refondre v. refaire en donnant une meilleure forme [rəfɔ̃dr]

un soldat **réformé,** soldat qui n'est plus bon pour le service armé [reforme]

se **refrogner (renfrogner•)** v. faire une grimace de mécontentement (p. 176) [rə(rã)froɲe]

refroidir v. rendre plus froid [rəfrwadiːr]

un **refroidissement,** diminution de température [rəfrwadismã]

un **réfugié,** un exilé [refyʒje]

se **réfugier** v. chercher la sécurité dans un lieu de refuge [refyʒje]

un **régal,** un grand repas [regal]

se **régaler** v. faire un bon repas [regale]

le **régime,** forme de gouvernement [reʒim]

régir v. gouverner [reʒiːr]

une **règle •** (p. 176) [rɛːgl]

un **règlement,** ordre, statut [rɛgləmã]

régler v. (1) se servir d'une règle • pour tracer des lignes; (2) diriger, arranger [regle]

un **règne,** gouvernement, domination [rɛɲ]

régner v. gouverner, dominer [reɲe]

regorger de v. être plein de [rəgorʒe]

rehausser v. augmenter, élever [rəose]

les **reins •** (p. 177) organe du corps; *kidneys* [rɛ̃]

une **reine,•** l'épouse d'un roi (p. 177) [rɛn]

une **reine-Claude,** espèce de prune [rɛnkloːd]

réitérer v. répéter [reitere]

rejeter v. jeter de nouveau; jeter; ne pas accepter; *reject* [rəʒte]

rejoindre v. réunir [rəʒwɛ̃ːdr]

réjoui, gai, heureux [reʒwi]

se **réjouir** v. s'amuser [reʒwiːr]

une **réjouissance,** une fête publique [reʒwisãːs]

relâcher v. libérer (un prisonnier) [rəlaʃe]

relever v. élever de nouveau. On dit aussi relever le courage, relever un plat, relever son style (avec idée d'amélioration) [rəlve]

relever une faute etc., faire remarquer

le toit de tuiles

une **remise**

le **remontoir** d'une montre

un **remorqueur**

le **rémouleur**

le **rempailleur** de chaises

relier *v.* (1) lier de nouveau; (2) fabriquer un livre. L'artisan qui relie les livres s'appelle un **relieur** [rəlje—rəljœːr]

la **reliure,** couverture d'un livre [rəljyːr]

reluire *v.* briller [rəlɥiːr]

remanier *v.* refaire [rəmanje]

rembarquer *v.* re + embarquer [rãbarke]

un **remblai** • de chemin de fer (p. 177) [rãblɛ]

un fauteuil **rembourré** • (p. 177) [rãbure]

rembourser *v.* rendre l'argent à [rãburse]

un **remède** • (p. 177) [rəmɛːd]

un **remerciement,** un **remercîment,** paroles qui expriment la gratitude [rəmɛrsimã]

remercier *v.* (1) exprimer sa gratitude; (2) refuser avec politesse [rəmɛrsje]

remettre *v.* (1) mettre une chose où elle était; (2) donner; (3) fixer à plus tard, *put off*; etc.

se remettre *v.* recouvrer la santé [rəmɛtr]

la **remise,** action de remettre [rəmiːz]

une **remise,** • espèce de garage

remiser *v.* mettre sous une remise [rəmize]

remonter *v.* (1) monter de nouveau; (2) se diriger vers la source d'une rivière. De plus, on remonte une montre • au moyen du **remontoir** • [rəmõte—rəmõtwaːr]

le **remords,** sentiment de vif regret [rəmɔːr]

remorquer *v.* traîner (un bateau) [rəmɔrke]

un **remorqueur** • [rəmɔrkœːr]

un **rémouleur** • [remulœːr]

un **remous,** *eddy* [rəmu]

un **rempailleur,** • homme qui raccommode les chaises [rãpajœːr]

les **remparts,** murs d'une ville [rãpaːr]

un **remplaçant,** un substitut [rãplasã]

remplacer *v.* occuper la place de [rãplase]

rempli de, • plein de [rãpli də]

remplir *v.* rendre plein [rãpliːr]

remporter *v.* enlever, *take away* [rãpɔrte]

On **remporte** une victoire •

remuant, qui bouge tout le temps [rəmɥã]

un **remue-ménage,** tumulte [rəmymenaːʒ]

remuer *v.* changer de place [rəmɥe]

une **renaissance,** une régénération [rənɛsãːs]

le verre est **rempli**

on **remporte** une victoire

la ramure

un **renne**

il tombe à la renverse

Cette image d'un rôdeur est renversée

un **renard,** •une **renarde** (p. 9) [rənaːr—rənard]

un **renardeau,** petit renard [rənardo]

une **rencontre** (1) réunion due au hasard; (2) choc; (3) duel ou combat [rãkɔ̃ːtr]

Le verbe est **rencontrer** [rãkɔ̃tre]

le **rendement,** le produit [rãdmã]

un **rendez-vous,** endroit où on doit rencontrer son ami [rãdevu]

rendre v. remettre à une personne ce qui lui appartient; *to render* [rãːdr]

se rendre v. (1) aller à; (2) se soumettre (en parlant des soldats, d'une ville etc.)

les **rênes,**• partie du harnais • (p. 103) [rɛːn]

renfermer v. (1) enfermer de nouveau; (2) contenir [rãfɛrme]

renforcer v. rendre plus fort [rãforse]

un **renfort,** augmentation de force [rãfɔːr]

renier v. Saint Pierre a renié Jésus trois fois, avant le chant du coq [rənje]

renifler v. aspirer l'air et les odeurs par les narines [rənifle]

un **renne** • habite les régions arctiques (p. 179) [rɛn]

le **renom,** la réputation [rənɔ̃]

la **renommée,** la célébrité [rənome]

renoncer à v. abandonner [rənɔ̃se]

un **renoncement,** renonciation [rənɔ̃smã]

renouveler v. (1) rendre nouveau; (2) répéter, recommencer [rənuvle]

des **renseignements,** des informations [rãsɛɲmã]

se renseigner v. prendre des renseignements [rãsɛɲe]

la **rente,** revenu annuel [rãːt]

un **rentier,** homme qui possède assez de rentes pour vivre sans travailler [rãtje]

la **rentrée,** premier jour d'école après les vacances [rãtre]

rentrer v. retourner à la maison [rãtre]

tomber **à la renverse** • (p. 179) [ɪãvɛrs]

un **renversement** (1) action de renverser; (2) ruine complète [rãvɛrsəmã]

renverser • v. (p. 179; p. 188) [rãvɛrse]

renvoyer v. chasser (un domestique); ajourner (**une affaire**); *send back* [rãvwaje]

le cuir

on repasse
un rasoir

la repasseuse

on repasse
une chemise

un repli
du terrain

il est repu

un ressort

un **repaire**, caverne etc. où se cachent les voleurs, les bêtes sauvages [rəpɛːr]

répandre v. jeter, verser [repɑ̃ːdr]

répandu, distribué partout [repɑ̃dy]

une **réparation**. Une maison trop vieille a besoin de réparation [reparasjɔ̃]

réparer v. restaurer [repare]

un **repas**, le dîner, le souper etc. [rəpɑ]

repasser ° v. On repasse un couteau pour le rendre plus tranchant, une chemise pour la rendre unie (*smooth*) [rəpase]

un **repasseur** = un rémouleur ° [rəpasœːr]

une **repasseuse**,° femme qui repasse le linge avec un fer à repasser ° (p. 86) [rəpasøːz]

répercuter v. répéter (un écho) [repɛrkyte]

répéter v. dire, faire pour la seconde fois [repete]

un **répétiteur**, jeune professeur [repetitœːr]

un **répit**, un délai, une pause [repi]

un **repli** ° du terrain: une ondulation [rəpli]

replier v. plier de nouveau [rəplie]

se replier v. Les soldats **se replient** lorsqu'ils se retirent en bon ordre

une **réplique**, une réponse vive [replik]

répliquer v. répondre [replike]

répondre v. faire une réponse [repɔ̃ːdr]

la **réponse** à cette question est: oui! [repɔ̃ːs]

Le dimanche est un jour **de repos** [rəpo]

repoussant, dégoûtant [rəpusɑ̃]

repousser v. rejeter; *repulse* [rəpuse]

reprendre v. (1) prendre de nouveau; (2) continuer (à parler); (3) recommencer; (4) réprimander, blâmer [rəprɑ̃ːdr]

les **représailles**, acte de vengeance [rəprezaːj]

réprimer v. arrêter, faire cesser [reprime]

à plusieurs reprises, souvent [rəpriːz]

repriser v. réparer (une étoffe) [rəprize]

reproduire v. re + produire [rəprɔdɥiːr]

repu,° qui a beaucoup **mangé** [rəpy]

il lui répugne de parler = il n'aime pas à parler [ilɥirepyɲ]

une **requête**, une demande [rəkɛːt]

un **requin**,° poisson féroce (pl. H) [rəkɛ̃]

à la rescousse, à l'aide [rɛskus]

un nez **retroussé**

un **rêve**

la sonnerie

un **réveille-matin**

un **revenant**

un **réverbère**

un **réseau** (1) un filet; (2) l'ensemble des lignes de
chemin de fer d'une région [rezo]

le **réséda,** fleur odorante; *mignonette* [rezeda]

résistant, solide, durable [rezistɑ̃]

résolu, brave, déterminé [rezɔly]

résonner v. La voix résonne dans la salle vide
(*empty*) [rezɔne]

se **résoudre** v. se décider [rezuːdr]

respectueux, qui montre du **respect**
[rɛspɛktɥø—rɛspɛ]

resplendir v. briller [rɛsplɑ̃diːr]

resplendissant, brillant [rɛsplɑ̃disɑ̃]

un **resplendissement,** splendeur [rɛsplɑ̃dismɑ̃]

ressaisir v. saisir de nouveau [rəseziːr]

le **ressentiment,** sentiment d'indignation et désir
de se venger [rəsɑ̃timɑ̃]

ressentir v. éprouver; *experience* [rəsɑ̃tiːr]

resserrer v. (1) rendre plus serré (*tight*); (2)
enfermer [rəsere]

un **ressort** • (p. 180) [rəsɔːr]

restaurer v. rétablir; **réparer** [rɛstɔre]

au **reste; du reste;** d'ailleurs [rɛst]

rester v. demeurer. **Il me reste** 5 francs =
je n'ai plus que 5 francs [rɛste]

restreindre v. limiter [rɛstrɛ̃ːdr]

un **résumé,** description en peu de mots [rezyme]

en **retard.** L'élève paresseux arrive en retard
à l'école [rətaːr]

les **retardataires,** élèves qui arrivent en retard
[rətardatɛːr]

retarder v. Ma montre retarde de cinq
minutes (Contraire: **avancer**) [rətarde]

retenir v. garder; se souvenir de [rətniːr]

retentir v. résonner; se faire entendre [rətɑ̃tiːr]

un **retentissement,** grand bruit; écho [rətɑ̃tismɑ̃]

un écolier est **en retenue** lorsqu'il doit rester à
l'école après la classe [rətny]

rétif (**rétive**) difficile, obstiné [retif—retiːv]

retiré, isolé, solitaire [rətire]

retomber v. tomber de nouveau [rətɔ̃be]

un **retour.** Le contraire est le **départ** [rətuːr]

retourner v. (1) tourner de l'autre côté; (2)
aller en sens contraire [rəturne]

le **revers**
de la main

les **rides**

un **visage**
ridé

un **rideau**

un **rire**

il rit
à gorge déployée

le **rivage**
de la mer

se retourner *v.* On se retourne pour voir ce qui arrive derrière soi [rəturne]

une retraite (1) refuge; (2) pension [rətrɛt]

une armée bat en retraite, après avoir perdu une bataille

retrancher *v.* supprimer [rətrɑ̃ʃe]

retrousser *v.* relever (les manches, le bas du pantalon etc.) [rətruse]

un nez retroussé • (p. 181) [rətruse]

retrouver *v.* trouver de nouveau [rətruve]

réussir *v.* avoir du succès [reysiːr]

une réussite (1) succès; (2) jeu de 'patience' [reysit]

une revanche. Nous avons perdu le match de football, mais samedi prochain nous prendrons notre revanche [rəvɑ̃ʃ]

rêvasser *v.* (1) faire de mauvais rêves; (2) avoir des pensées sans suite [revase]

un rêve • (p. 181) image que nous croyons voir pendant le sommeil [rɛːv]

rêver *v.* faire des rêves [reve]

un rêveur, personne qui rêve [revœːr]

revêche, âpre; rude; difficile [revɛʃ]

un réveil. Après le sommeil vient le réveil [revɛj]

un réveil, un réveille-matin • (p. 181)
 [revɛj—revɛjmatɛ̃]

se réveiller *v.* cesser de dormir [revɛje]

révélateur, qui révèle [revelatœːr]

révéler *v.* manifester; faire voir [revele]

un revenant,• un fantôme (p. 181) [rəvnɑ̃]

revendiquer *v.* demander, exiger [rəvɑ̃dike]

revenir *v.* re + venir [rəvniːr]

le revenu, argent etc. qu'on reçoit annuellement [rəvny]

un réverbère,• lanterne des rues [reverbɛːr]

reverdir *v.* redevenir vert [rəverdiːr]

le revers • de la main [rəvɛːr]

revêtir *v.* (1) vêtir ou couvrir complètement; (2) donner des vêtements à [rəvetiːr]

revivre *v.* revenir à la vie [rəviːvr]

une revue (1) espèce de journal; (2) inspection des soldats; (3) pièce de théâtre [rəvy]

le rez-de-chaussée • (pl. E) [redʃose]

rhabiller *v.* habiller de nouveau [rabije]

une **rivière**

un **robinet**

le trône

un **roi**

un **roitelet**

le ronflement

il **ronfle**

183

le **rhum,** une liqueur forte [rɔm]

un **rhume,** catarrhe du nez etc.   On dit souvent un
   rhume de cerveau [rym]

   ricaner *v.* se moquer en souriant [rikane]

les **richesses,** argent, bijoux etc. [riʃɛs]

un **rictus,** grimace de la bouche [riktyːs]

une **ride •** (p. 182)   Le verbe est **rider** [rid, -e]

un **rideau •** (p. 182) [rido]

   ne . . . rien (voir p. 141) [nə . . . rjɛ̃]

   rieur, qui rit souvent [rjœːr]

une **rigole,** très petit ruisseau [rigɔl]

   rigoler *v.* s'amuser ; rire [rigole]

   rigolo, comique, drôle [rigolo]

la **rigueur,** la sévérité [rigœːr]

la **rime,** similarité de son entre les dernières
   syllabes de 2 vers [de poésie] Le verbe est
   rimer [rim—rime]

un **rimailleur,** un mauvais poète [rimɑjœːr]

   rincer *v.* laver avec beaucoup d'eau [rɛ̃se]

   faire ripaille, faire bonne chère [ripaːj]

une **riposte,** réponse spirituelle, vive [ripɔst]

un **rire •** (p. 182) [riːr]

   rire • *v.* riant; ri; (j'ai ri)
      je ris; je ris; je rirai; que je rie

   risible, comique; ridicule [rizibl]

un **rivage,•** bord de la mer ou d'un lac [rivaːʒ]

une **rive,** bord d'un cours d'eau [riːv]

une **rivière •** (p. 183) [rivjɛːr]

une **rixe,** querelle violente [riks]

le **riz,** grain qui vient de la Chine [ri]

un **robinet •** (p. 183) [rɔbinɛ]

un **roc ;** un **rocher •** (p. 132) [rɔk—rɔʃe]

la **roche,** substance d'un rocher [rɔʃ]

   rocheux, couvert de rochers [rɔʃø]

   rôder *v.* errer furtivement [rode]

un **rôdeur,•** personne qui rôde (p. 179) [rodœːr]

les **rognons,** les reins • d'un animal [rɔɲɔ̃]

un **roi •** (p. 183) [rwa]

un **roitelet •** (1) petit roi; (2) oiseau, *wren* [rwatlɛ]

   romain, de Rome [rɔmɛ̃]

un **roman,** histoire imaginaire [rɔmɑ̃]

une **romance,** chanson douce et triste [rɔmɑ̃ːs]

un **romancier** écrit des romans [rɔmɑ̃sje]

un **rond**
de serviette

la **rose**
des vents

les **roseaux**

le **rossignol**

une **roue**

les **rouages**
d'une montre

romanesque, comme dans un roman; rêveur [rɔmanɛsk]

rompre *v.* mettre en pièces [rɔ̃:pr]
    rompant; rompu; (j'ai rompu)
    je romps; je rompis; je romprai

une **ronce,**° plante à épines (p. 139) [rɔ̃:s]

un **rond,**° objet en forme de cercle [rɔ̃]
    à la ronde (1) tout autour; (2) l'un après
    l'autre [rɔ̃:d]

un **rond-point,** grande place où plusieurs rues se
    croisent [rɔ̃pwɛ̃]

un **ronflement,**° respiration sonore [rɔ̃fləmɑ̃]

ronfler ° *v.* respirer bruyamment (*noisily*) pen-
    dant le sommeil (p. 183) [rɔ̃fle]

ronger *v.* manger à petits coups de dents. La
    souris est un **rongeur** [rɔ̃ʒe—rɔ̃ʒœ:r]

le **ronron,** bruit monotone que fait le chat lorsqu'il
    est content [rɔ̃rɔ̃]

ronronner *v.* faire un ronron [rɔ̃rɔne]

un **roquet,** petit chien [rɔkɛ]

une **rose,**° une **rosace,** vitrail circulaire (pl. A)

la **rose des vents** ° [roːz—rozas]

une **rose trémière,**° fleur (pl. B) [tremjɛ:r]

une **roseraie,** jardin de roses [rozrɛ]

un **rosier,** arbuste qui porte les roses [rozje]

un **roseau** ° [rozo]

une **rosse,** vieux cheval [rɔs]

rosser *v.* battre avec violence [rɔse]

un **rossignol,**° oiseau chanteur [rɔsiɲɔl]

un **rôt,** un **rôti,** viande rôtie (p. 143) [ro—rɔti]

rôtir *v.* faire cuire de la viande dans un four
    [rɔti:r]

les **rouages,**° les roues d'un mécanisme [rwaːʒ]

un **roucoulement,** bruit que font les pigeons. Le
    verbe est **roucouler** [rukul-mɑ̃, -e]

une **roue** ° (voir aussi p. 37) [ru]

un **roué,** homme (1) débauché; (2) rusé [rwe]

rouer de coups = battre violemment [rwe]

un **rouet,**° machine pour filer [rwɛ]

rouge, couleur du sang [ruːʒ]

rougeâtre, à peu près rouge [ruʒɑ:tr]

un **rouge-gorge,**° petit oiseau (pl. F) [ruʒgɔrʒ]

la **rougeur,** coloration du visage [ruʒœ:r]

un **rouet**

un **rouleau**

le **fauteuil**
les **roulettes**

une **roulotte**

le cheval
lance
une **ruade**

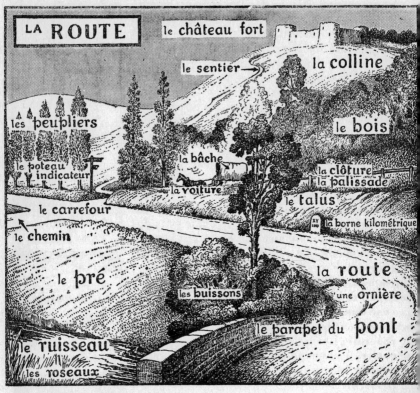

LA ROUTE

le château fort

le sentier → la colline

les peupliers

le bois

le poteau indicateur

la bâche

la clôture
la palissade

la voiture

le talus

le carrefour

la borne kilométrique

le chemin

le pré

la route

une ornière

les buissons

le parapet du pont

le ruisseau

les roseaux

rougir *v.* devenir rouge	[ruʒiːr
la **rouille,** substance rouge qui se forme sur le fer exposé à l'humidité	
Le verbe est **se rouiller**	[ruːj—ruje
les **taches de rousseur,** *freckles*	[rusœːr
roux (**rousse**) couleur des feuilles en automne	[ru—rus
un **rouleau** ° (p. 185) Le verbe est **rouler**	[rulo—rule
le **roulement** (1) action de rouler; (2) bruit des tambours	[rulmã
une **roulette,**° petite roue (p. 185)	[rulɛt
le **roulis d'un bateau,** balancement de droite à gauche et de gauche à droite	[ruli
une **roulotte,**° voiture de bohémiens (p. 185)	[rulɔt
un **royaume,** état gouverné par un roi ou par une reine	[rwajoːm
la **royauté,** la dignité de roi	[rwajote
une **ruade** ° (p. 185) Le cheval lance des ruades	[rɥad
un **ruban** ° (p. 39)	[rybã
un **rubis,** pierre précieuse d'un beau rouge	[rybi

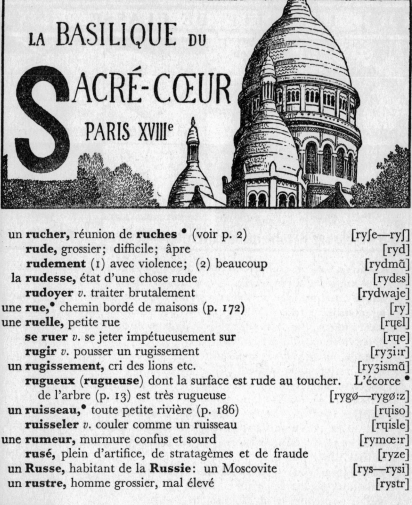

LA BASILIQUE DU **SACRÉ-CŒUR** PARIS XVIIIe

un **rucher**, réunion de **ruches** • (voir p. 2)   [ryʃe—ryʃ]
rude, grossier; difficile; âpre   [ryd]
rudement (1) avec violence; (2) beaucoup   [rydmã]
la **rudesse**, état d'une chose rude   [rydɛs]
rudoyer *v.* traiter brutalement   [rydwaje]
une **rue**,• chemin bordé de maisons (p. 172)   [ry]
une **ruelle**, petite rue   [rɥɛl]
se **ruer** *v.* se jeter impétueusement sur   [rɥe]
rugir *v.* pousser un rugissement   [ryʒiːr]
un **rugissement**, cri des lions etc.   [ryʒismã]
rugueux (**rugueuse**) dont la surface est rude au toucher. L'écorce •
de l'arbre (p. 13) est très rugueuse   [rygø—rygøːz]
un **ruisseau**,• toute petite rivière (p. 186)   [rɥiso]
ruisseler *v.* couler comme un ruisseau   [rɥisle]
une **rumeur**, murmure confus et sourd   [rymœːr]
rusé, plein d'artifice, de stratagèmes et de fraude   [ryze]
un **Russe**, habitant de la **Russie**: un Moscovite   [rys—rysi]
un **rustre**, homme grossier, mal élevé   [rystr]

le **sabbat** (1) jour de repos des Juifs; (2) tapage   [saba]
le **sable** • (p. 132) L'adjectif: **sablonneux**   [saːbl—sablɔnø]
un **sabot**,• soulier de bois (p. 35)   [sabo]
saboter *v.* détruire par malveillance   [sabɔte]
un **saboteur** détruit des machines etc.   [sabɔtœːr]
un **sac** •; un **sac de nuit** • (p. 189); un **sac à main** • (p. 211)   [sak]
saccadé, agité de mouvements brusques   [sakade]
saccager *v.* mettre une ville au pillage   [sakaʒe]

le professeur — un pupitre — le couvercle — un cahier — une plume — l'encre — un encrier (renversé)

les livres de classe — DICTIONNAIRE — la cheville — le torchon — la corbeille — le tableau noir — une carte géographique — FRANCE — un élève

une **sacoche,*** sac de cuir où l'on met l'argent, les lettres etc. (p. 83) [sakɔʃ]

un livre **sacré,** un livre religieux, vénérable.   Mais,

un **sacré** livre, un livre terrible, exécrable [mot vulgaire]   [sakre]

un **sacristain,** gardien d'une église   [sakristɛ̃]

une **sacristie,** pièce dans une église où l'on garde les livres, les ornements, les vêtements du prêtre etc.   [sakristi]

sagace, intelligent et perspicace   [sagas]

sage, raisonnable, prudent   [saːʒ]

la **sagesse,** qualité de l'homme sage   [saʒes]

saigner v. perdre son sang   [seɲe]

une **saillie** (1) attaque brève; (2) remarque spirituelle   [saji]

Une chose est **en saillie** quand elle avance, comme un balcon [ɑ̃saji]

sain et sauf (saine et sauve) en parfaite santé   [sɛ̃esoːf—sɛnesoːv]

la **sainte Bible**   [sɛ̃tbibl]

La **Saint-Jean** (etc.) = la fête de saint Jean (etc.)   [sɛ̃ʒɑ̃]

la **sainteté,** qualité de ce qui est **saint**   [sɛ̃təte—sɛ̃]

saisir v. prendre (d'un mouvement brusque)   [seziːr]

saisissant, impressionnant; étonnant; *striking*   [sezisɑ̃]

une **saison,** division de l'année qui dure trois mois   [sezɔ̃]

un **marchand des quatre saisons** *

un **saladier,** récipient pour la **salade**   [saladje—salad]

le **salaire,** argent qu'un employé reçoit tous les mois   [saleːr]

sale, malpropre, mal lavé; *dirty.*   Le verbe est **salir** [sal—saliːr]

la **saleté,** état d'une personne sale   [salte]

salé, qui contient du sel (*salt*)   Le verbe est **saler**   [sale]

une **salière** • (p. 143) [saljɛːr]

une **salle,** • pièce d'une maison, d'une école etc. [sal]

une **salle à manger** • (pl. E) [salamɑ̃ʒe]

une **salle de bain(s),** pièce où l'on se baigne

le **salon,** • pièce principale de la maison [salɔ̃]

un **saltimbanque,** espèce de jongleur • [saltɛ̃bɑ̃ːk]

salubre, bon pour la santé [salybr]

saluer v. Le soldat salue l'officier [salɥe]

le **salut** (1) salutation; (2) bonheur éternel [saly]

une **salve,** décharge de canons etc. [salv]

le **samedi,** 7e jour de la semaine [samdi]

le **sang,** liquide rouge qui se trouve dans nos veines. L'adjectif est **sanglant** [sɑ̃, -glɑ̃]

le **sang-froid,** le calme dans le danger

un **sanglier,** • cochon sauvage [sɑ̃glie]

sangloter v. pousser des **sanglots.** On sanglote après avoir beaucoup pleuré [sɑ̃-glɔte, -glo]

sans, *without;* **sans que,** *unless* [sɑ̃]

un **sans-culotte,** révolutionnaire de 1793

le **sans-gêne,** manque de tact [sɑ̃ʒɛːn]

la **santé,** état d'une personne qui n'a pas de maladie [sɑ̃te]

un **sapeur-pompier** = un pompier • [sapœːr]

un **sapin,** arbre toujours vert; *fir* [sapɛ̃]

sarcler v. enlever avec un **sarcloir** • les mauvaises herbes [sar-kle, -klwaːr]

un **sarment,** une branche de vigne [sarmɑ̃]

le **sarrasin,** le blé noir, *buckwheat* [sarazɛ̃]

un **sarrau,** une blouse de paysan [saro]

satisfaire v. donner satisfaction [satisfɛːr]

satisfait, content [satisfɛ]

une **saucière,** • récipient pour la sauce [sosjɛːr]

une **saucisse** •; un **saucisson** • (p. 143) [sosis, -ɔ̃]

sauf (sauve) hors du danger [soːf—soːv]

sauf, excepté

saugrenu, absurde [sogrəny]

un **saule** • (p. 190) [soːl]

saumâtre (1) qui a le goût de l'eau de mer; (2) désagréable [somɑːtr]

un **saumon,** • gros poisson (pl. H) [somɔ̃]

la **saumure,** solution de sel dans l'eau [somyːr]

saupoudrer v. poudrer (de sel etc.) [sopudre]

un **saut,** un bond; *a jump* [so]

des **sacs**

un **sac de nuit**

un **marchand des quatre-saisons**

un **sanglier**

le **manche**

un **sarcloir**

une **saucière**

un **saute-ruisseau,** petit gamin (qui fait les commissions) [sotʀɥiso]

sauter v. faire un saut [sote]

faire sauter = détruire au moyen d'un explosif, comme la dynamite

une **sauterelle,** ● espèce de locuste [sotʀɛl]

sautiller v. faire de petits sauts [sotije]

sauvage ● (1) qui vit dans les bois; (2) qui est rude, inculte ou farouche (p. 15) [sovaːʒ]

une **sauvegarde,** une protection [sovgard]

sauvegarder v. protéger [sovgarde]

un **sauve-qui-peut,** panique générale [sovkipø]

se sauver v. courir pour s'échapper [sove]

un **bateau de sauvetage** ● [sovtaːʒ]

un **savant,** contraire d'un **ignorant** [savɑ̃]

savant, docte, érudit

une **savate,** espèce de vieux soulier [savat]

le **savetier** raccommode les vieilles chaussures [savtje]

la **saveur,** goût [savœːr]

savoir v. *to know* [savwaːr]

sachant; su; (j'ai su)

je sais; je sus; je saurai; que je sache

le **savoir-faire,** le tact, la dextérité

le **savoir-vivre,** connaissance des lois de la politesse

le **savon** ● Le verbe est **savonner**; l'adjectif, **savonneux** [sa-vɔ̃, -vɔne, -vɔnø]

savourer v. apprécier le goût de [savure]

scabreux, indécent; difficile [skabrø]

un **scaphandrier** ● [skafɑ̃drie]

un **scarabée,** ● insecte (p. 112) [skarabe]

un **sceau** ● Le verbe est **sceller** [so—sɛle]

un **scélérat,** homme méchant [selera]

la **scélératesse,** perfidie [selerates]

la **scène,** ● partie du théâtre: *stage* (p. 204) [sɛn]

une **scie** ● (p. 149) Le verbe est **scier** [si—sje]

scruter v. examiner attentivement [skryte]

sculpter v. Le **sculpteur** sculpte une statue de marbre: il fait une **sculpture** [skylte— skyltœːr—skyltyːr]

se, pronom réfléchi, *himself, herself* etc. [sə]

une **séance,** *a sitting* [seɑ̃ːs]

sur son séant, assis (dans son lit) [seɑ̃]

un **saule**

une **sauterelle**

un bateau de **sauvetage**

le **savon**

le **scaphandrier**

190

un **seau** * [so]

une **sébile,** * espèce de bol en bois [sebil]

sec (sèche) Contraire: **humide** [sɛk—sɛːʃ]
un livre sec = un livre peu intéressant

parler **sèchement,** sans politesse [sɛʃmã]

sécher v. rendre sec [seʃe]

la **sécheresse,** absence d'eau, de pluie [seʃrɛs]

seconder v. aider [səgɔ̃de]

secouer v. agiter. On secoue la tête pour dire
" non! " [səkwe]

une **secousse,** un choc [səkus]

secourir v. aider [səkuriːr]

le **secours,** aide. On crie "**Au secours!**" quand
on est en danger [səkuːr]

séculaire, très vieux; qui dure depuis des
siècles [sekylɛːr]

séduire v. charmer; corrompre [sedɥiːr]

séduisant, très attrayant [sedɥizã]

le **seigle,** une espèce de céréale; *rye* [sɛːgl]

le **Seigneur,** nom donné à Dieu [sɛɲœːr]

le **sein,** la poitrine * (pl. G) [sɛ̃]

seize = 16. La **seizième** lettre [sɛːz—sɛzjɛm]

un **séjour** (1) temps qu'on reste dans un endroit;
(2) l'endroit où l'on reste [seʒuːr]

séjourner v. rester [seʒurne]

le **sel,** * NaCl (p. 143) [sɛl]

une **selle** * (p. 81) Le verbe est **seller** [sɛl, -e]

selon, *according to* [səlɔ̃]

les **semailles,** temps où l'on sème [səmɑːj]

la **semence,** le germe: *seed* [səmɑ̃ːs]

semer v. mettre la semence en terre [səme]

un **semeur** * (p. 74) [səmœːr]

une **semaine,** période de 7 jours [səmɛːn]

semblable à, similaire à [sɑ̃blaːbl]

faire **semblant** de = feindre [sɑ̃ːblã]

sembler v. avoir l'air; paraître [sɑ̃ːble]

une **semelle,** * partie du soulier (p. 35) [səmɛl]

une **semonce,** une réprimande [səmɔ̃ːs]

un **sens** (1) signification; (2) un des 5 sens que
nous possédons; (3) direction [sɑ̃ːs]

sens dessus dessous, en grand désordre

sens unique, rue où la circulation se fait dans
une seule direction

le **sceau**

un **seau**

la **sébile**
d'un **mendiant**

une
seringue

une
serpe

191

sensé, intelligent, raisonnable [săse]
sensible, susceptible; délicat [săsibl]
un progrès **sensible** = un progrès visible
une **senteur,** odeur forte [sătœːr]
un **sentier,** chemin étroit (p. 186) [sătje]
sentir v. *to feel; to smell* [sătiːr]
sentant; senti; (j'ai senti)
je sens; je sentis; je sentirai; que je sente
sept = 7. J'étais au **septième** ciel = j'étais
parfaitement heureux [set—setjem]
serein, calme et pur [sərɛ̃]
un **sergent de ville,** agent de police [serʒɑ̃]
un **serin,** oiseau jaune, canari [sərɛ̃]
une **seringue** (p. 191) [sərɛ̃ːg]
un **serment,** affirmation solennelle [sermɑ̃]
une **serpe,** une **serpette** (p. 191) [serp—serpet]
une **serre,** bâtiment vitré (pl. E) [seːr]
les **serres** d'un oiseau de proie (pl. F)
un **serrement,** action de serrer [sermɑ̃]
serrer v. (1) presser; (2) rendre une ceinture,
un nœud plus étroit (*tight*) [sere]
une **serrure** [seryːr]
une **serviette** (p. 184) [servjet]
[*Consider these 2 uses of* **servir,** *to serve.* (1) Le
bois sert à chauffer la maison; (2) cette
maison sert de refuge [serviːr]]
le **seuil,** le pas de la porte (p. 126) [sœːj]
seul, isolé; unique [sœl]
seulement, uniquement, *only* [sœlmɑ̃]
la **sève,** liquide à l'intérieur des plantes [seːv]
sévir v. faire des ravages; punir [seviːr]
un **shako,** casquette militaire (p. 39) [ʃako]
si (1) *if*; (2) *so*   **si bien que,** *so that* [si]
si, si fait, oui, vraiment; au contraire
un **siècle,** période de 100 ans [sjekl]
un **siège** (1) une chaise; (2) le banc du cocher ou
du chauffeur; (3) opérations d'une armée
pour encercler une ville, une forteresse [sjeːʒ]
le **sien,** la **sienne** (les **siens,** les **siennes**) = ce qui
est à lui, à elle [sjɛ̃—sjen]
les **siens,** ses amis, ses parents
un **sifflement,** bruit d'un sifflet [sifləmɑ̃]
un **sifflet**   Le verbe est **siffler** [si-fle, -fle]

la **serrure**

il **siffle** un air

un **sifflet**

les **sillons**
d'un champ

un **soldat**

le **signalement,** la description [siɲalmɑ̃]
se **signaler** v. se distinguer [siɲale]
se **signer** v. faire le signe de la croix [siɲe]
silencieux, sans bruit [silɑ̃sjø]
le **silex,** roche très dure, *flint* [silɛks]
un **sillage,** trace blanche qu'un bateau laisse sur
l'eau [sijaːʒ]
un **sillon,**• trace laissée par la charrue • [sijɔ̃]
sillonner v. (1) faire un sillon; (2) traverser
en tous sens [sijɔne]
un **singe** • (p. 9; p. 20 aussi) [sɛ̃ːʒ]
singer v. imiter [sɛ̃ʒe]
singulier, étrange, rare, unique [sɛ̃gylje]
sinistre, sombre et menaçant [sinistr]
un **sinistre,** un désastre (surtout un incendie)
sinon = si non **sitôt,** *so soon* [sinɔ̃–sito]
sinueux, qui serpente [sinɥø]
un **sirop,** liquide épais et sucré [siro]
sobre, modéré [sɔbr]
le **soc de la charrue** • (p. 34) [sɔk]
un **socle,** piédestal d'une statue [sɔkl]
une **sœur** • (voir Ma Famille, p. 84) [sœːr]
soi (**soi-même**) *oneself* [swa—mɛːm]
un **soi-disant** médecin: personne qui se dit médecin
sans qu'on en ait des preuves [swadizɑ̃]
la **soie,** tissu luisant et léger, très joli, dont on
fait les bas etc. [swa]
la **soif,** désir de boire [swaf]
soigner v. traiter avec soin [swaɲe]
soigneusement, avec soin [swaɲøːzmɑ̃]
le **soin,** attention, sollicitude [swɛ̃]
le **soir,** déclin du jour [swaːr]
la **soirée,** partie de la journée précédant le moment
où l'on se couche [sware]
soit . . . soit = ou . . . ou [swa]
une **soixantaine,** à peu près 60 [swasɑ̃tɛn]
soixante = 60 [swasɑ̃t]
le **sol,** la terre sous nos pieds [sɔl]
un **soldat,**• un militaire [sɔlda]
la **solde,** la paye d'un soldat etc. [sɔld]
solder v. (1) payer; (2) vendre des marchandises à très bon marché [sɔlde]
le **soleil** • (1) l'astre • du jour; (2) fleur [sɔlɛj]

un soleil

le bateau
sombre

le fardeau

une
bête de
somme

le sonneur,
de cloches

une
sonnette

solennel, grave et pompeux [sɔlanɛl]

solenniser *v.* célébrer [sɔlanize]

solide, contraire de **fragile** [sɔlid]

une **solive,** espèce de petite poutre qui soutient le plancher [sɔliːv]

sombre, noir, obscur ou triste [sɔ̃ːbr]

sombrer • *v.* couler (p. 193) [sɔ̃bre]

sommaire, exposé en peu de mots [sɔmɛːr]

une **somme,** un fardeau [sɔm]

une **bête de somme** • porte des fardeaux (p. 193)

UNE **somme,** une quantité d'argent

UN **somme,** sommeil de quelques minutes

le **sommeil,** *sleep* [sɔmɛːj]

sommeiller *v.* dormir [sɔmeje]

le **sommet,** le point le plus haut [sɔmɛ]

un **sommier,** • espèce de matelas (p. 33) [sɔmje]

somptueux, riche et magnifique [sɔ̃ptɥø]

son (**sa,** pl. **ses**) *his, her, its* [sɔ̃—sa—se]

un **son,** bruit plus ou moins musical [sɔ̃]

sonner *v.* rendre un son. La pendule • sonne l'heure; on sonne les cloches • [sɔne]

la **sonnerie** • d'un réveille-matin (p. 181) [sɔnri]

une **sonnette** • (p. 193) [sɔnɛt]

le **sonneur** • sonne les cloches (p. 193) [sɔnœːr]

sonore, qui rend un son profond [sɔnɔːr]

sonder *v.* mesurer la profondeur de [sɔ̃de]

un **songe,** un rêve, une illusion [sɔ̃ːʒ]

songer • *v.* rêver; penser [sɔ̃ʒe]

un **songeur,** celui qui songe [sɔ̃ʒœːr]

le **sorbet,** boisson sucrée et parfumée [sɔrbɛ]

la **sorcellerie,** la magie noire [sɔrsɛlri]

un **sorcier,** • une **sorcière,** • personne qui fait de la magie noire [sɔrsje—sɔrsjɛːr]

le **sort** • (1) destinée; (2) paroles magiques [sɔːr]

tirer au sort, choisir selon les indications de la chance; *draw lots*

de sorte que, *so that* [dəsɔrtkə]

un **sortilège,** acte de sorcellerie [sɔrtilɛːʒ]

une **sortie** (1) action de sortir; (2) porte etc. par où l'on sort [sɔrti]

sortir de *v.* quitter (une maison etc.) [sɔrtiːr]
sortant; sorti; (je SUIS sorti)
je sors; je sortis; je sortirai; que je sorte

il **songe**

le **sorcier**

la sorcière jette un **sort**

il **souffle** des plumes

un **soufflet**

sot (**sotte**) stupide [so—sɔt]

une **sottise**, une action stupide [sɔtiːz]

un **sou**, 5 centimes   un **gros sou**, 10 c. [su]

un **soubresaut**, un saut convulsif [subrəso]

une **soubrette**,• une femme de chambre [subrɛt]

la **souche** • d'un arbre (p. 13) [suʃ]

un **souci**,• fleur jaune (pl. B) [susi]

un **souci**, anxiété, inquiétude

se **soucier de** v. s'inquiéter [susje]

soucieux, anxieux [susjø]

une **soucoupe** • (p. 143) [sukup]

soudain, qui vient tout à coup [sudɛ̃]

un **souffle**, une respiration, un vent très léger.

Le verbe est **souffler** • [sufl—sufle]

un **soufflet** • [suflɛ]

souffleter v. donner un soufflet à [sufləte]

la **souffrance**, douleur, angoisse [sufrãːs]

souffrir v. supporter une douleur [sufriːr]

souffrant; souffert; (j'ai souffert)

je souffre; je souffris; je souffrirai

le **soufre**, substance jaune inflammable [sufr]

un **souhait**, un désir; un vœu [swɛ]

souhaiter v. désirer [swɛte]

souiller v. rendre sale [suje]

un (une) **souillon**,• personne sale [sujɔ̃]

une **souillure**, marque laissée par un objet sale

[sujyːr]

soûl (1) ivre; (2) repu   **manger son soûl**,

manger autant qu'on peut [su]

un **soulagement**, diminution (d'une douleur etc.)

Le verbe est **soulager** [sulaʒ-mã, -e]

un **soulèvement**, révolte générale [sulɛvmã]

soulever v. élever; causer, provoquer [sulve]

un **soulier** • (voir p. 35) [sulje]

souligner v. tirer une ligne sous [suliɲe]

se **soumettre** v. rendre les armes [sumɛtr]

soumis, obéissant, docile [sumi]

la **soumission**, action de se soumettre [sumisjɔ̃]

un **soupçon**, doute, suspicion [supsɔ̃]

soupçonner v. avoir des soupçons [supsɔne]

soupçonneux, qui a des soupçons [supsɔnø]

le **souper**, dernier repas du jour [supe]

une **soupière** • [supjɛːr]

elle lui donne un **soufflet**

une **soubrette**

une **souillon**

une **soupière**

il est **sourd**

195

soupeser *v.* peser dans la main [supəze]

un **soupir,** respiration bruyante et prolongée causée par la tristesse [supiːr]

soupirer *v.* pousser un soupir [supire]

soupirer après, désirer beaucoup

un **soupirail,** ouverture dans le mur d'une cave pour laisser entrer l'air [supiraːj]

souple, flexible [supl]

la **souplesse,** flexibilité [suplɛs]

un **sourcil** • (p. 153) [sursi]

sourciller *v.* remuer les sourcils en signe de colère ou de surprise [sursije]

sourd, • qui n'entend rien. Un **bruit sourd** = un bruit indistinct [suːr]

sourdement, indistinctement [surdəmã]

un **sourd-muet,** personne qui ne peut ni entendre ni parler [surmɥɛ]

à la sourdine, en secret [surdin]

un **souriceau,** jeune souris [suriso]

une **souris,** • petit rongeur gris. On attrape les souris à l'aide d'une **souricière**

[suri—surisjɛːr]

un **sourire,** • mouvement de la bouche qui indique le bonheur ou la joie

sourire • *v.* (se conj. comme rire) [suriːr]

sournois, hypocrite [surnwa]

sous, *under* **sous peu,** en peu de temps [su]

[*In many words, the prefix* **sous-** *represents the English* sub-, *'under.' Consider carefully :*

souscrire *v.* écrire son nom au bas d'un document, signer; contribuer [suskriːr]

un **sous-lieutenant** [suljøtnã]

sous-louer (une maison) *v.* [sulwe]

un **sous-marin,** • bateau submersible [sumarɛ̃]

un **sous-officier** de l'armée [suzɔfisje]

un **sous-préfet,** qui remplace le préfet [suprefɛ]

le **sous-sol,** • partie d'une maison (pl. E) [susɔl]

un **sous-titre,** titre secondaire [sutitr]

soustraire *v.* Le contraire est **additionner**

[sustrɛːr]]

une **soutane,** • vêtement de prêtre [sutan]

soutenir *v.* supporter; affirmer [sutniːr]

un **soutien,** ce qui supporte [sutjɛ̃]

196

une **SOURIS**

un **sourire**

il sourit

un **sous-marin**

le **prêtre:** le **curé**

une **soutane**

un **squelette**

un **souterrain,** galerie sous terre   [suterɛ̃]

se souvenir de *v.* garder en sa mémoire

       [suvniːr]

souvent, beaucoup de fois   [suvɑ̃]

soyeux (soyeuse) (1) fait de soie; (2) très doux

au toucher   [swa-jø, -jøːz]

spirituel, qui montre de l'esprit   [spirityɛl]

spiritueux, qui contient de l'alcool   [spirityø]

spolier *v.* voler, piller   [spɔlje]

spontané, qui vient du cœur   [spɔ̃tane]

UN **squelette** •   [skəlɛt]

un **stade,** terrain de sports   [stad]

une **stalle** (1) siège dans le chœur d'une église;

(2) place dans un théâtre   [stal]

stationner *v.* s'arrêter un moment: faire

une **station** (= pause)   [stɑs-jɔne, -jɔ̃]

un (une) **sténographe,** personne qui fait de la

sténographie (*shorthand*)   [stenɔgraf, -i]

un **store** •   [stɔːr]

un **strapontin,** • espèce de siège   [strapɔ̃tɛ̃]

stupéfait, très étonné   [stypefɛ]

un **suaire,** • un linceul   [sɥɛːr]

suave, doux et parfumé   [sɥaːv]

subir *v.* supporter (une douleur)   [sybiːr]

subit, soudain   [sybi]

subvenir à *v.* venir en aide à   [sybvəniːr]

le **suc,** le liquide des plantes   [syk]

succéder à *v.* venir après   [syksede]

sucer • *v.*   [syse]

le **sucre** dans un **sucrier** • (p. 143)   [sykr, -ie]

sucrer *v.* mettre du sucre dans   [sykre]

le **sud,** point cardinal opposé au nord   [syd]

un **Suédois,** habitant de la **Suède** • (p. 142)

       [sɥedwa—sɥɛːd]

la **sueur** • Le verbe est **suer** •   [sɥœːr—sɥe]

suffire *v.* être suffisant; *suffice*   [syfiːr]

suffisant (1) qui suffit; (2) vaniteux et insolent

       [syfizɑ̃]

suffisamment, assez   [syfizamɑ̃]

suffocant, qui rend la respiration difficile

       [syfɔkɑ̃]

suggérer *v.* fournir une indication de; donner

idée; *suggest*   [sygʒere]

un **store**

un **strapontin**

le **cadavre**

un **suaire**

il **suce** son pouce

les gouttes de **sueur**

il **sue** à grosses gouttes

la **suie,** matière noire déposée dans la cheminée [sɥi]

le **suif,** espèce de graisse, *tallow* [sɥif]

suinter *v.* tomber lentement, goutte à goutte, en parlant de l'eau [sɥête]

un **Suisse,** habitant de la **Suisse** • [sɥis]

un **suisse,** • bedeau (*beadle*) d'une église

une **suite,** continuation, succession [sɥit]

sans suite, incohérent

suivre • *v.* aller après [sɥiːvr]
suivant; suivi; (j'ai suivi)
je suis; je suivis; je suivrai; que je suive

un **sujet,** cause; matière; objet; personne [syʒɛ]

sujet à (**sujette à**) soumis à

la **superficie,** dimensions d'une surface [sypɛrfisi]

un **supplice,** torture, punition sévère [syplis]

supplicier *v.* torturer ; mettre à mort [syplisje]

supplier *v.* faire une supplication à une personne [syplie]

supprimer *v.* abolir, faire disparaître [syprime]

sur. Le pain est sur la table [syːr]

sur, acide [syːr]

sûr, certain   **à coup sûr,** avec certitude

suranné, vieux, démodé [syrane]

la **sûreté,** sécurité. **La Sûreté,** administration de la police de Paris [syrte]

surgir *v.* se dresser; jaillir; *spring up* [syrʒiːr]

le **surlendemain,** le 2ème jour après [syrlãdmê]

surmener *v.* fatiguer à l'excès [syrməne]

un **surplis,** • vêtement d'église [syrpli]

surplomber • *v.* [syrplɔ̃be]

surprenant, étonnant [syrprənã]

un **sursaut,** mouvement brusque [syrso]

sursauter *v.* faire un sursaut [syrsote]

surtout, spécialement [syrtu]

un **surtout,** espèce de pardessus • (p. 211)

un **surveillant,** sorte d'inspecteur [syrvejã]

surveiller *v.* regarder attentivement [syrveje]

survivre à *v.* demeurer en vie malgré un grand danger [syrviːvr]

susciter *v.* causer [sysite]

svelte, mince et gracieux [zvɛlt (ou) svɛlt]

le mot **surdité** (*deafness*) a trois **syllabes** [silab]

un **suisse** d'église

la **Suisse**

Berne
Lac de Genève

l'assassin **suit** sa victime

un **surplis**

le rocher **surplombe** la mer

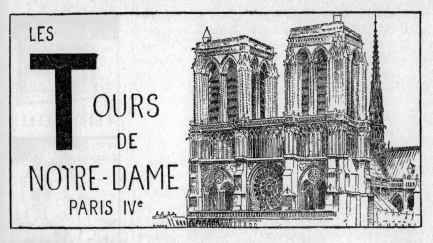

LES **T**OURS DE NOTRE-DAME PARIS IVᵉ

le **tabac.** On fume le tabac dans une pipe [taba]
le **tabac à priser,** tabac sous forme de poudre
une **tabatière,** petite boîte où l'on met le tabac [tabatjɛːr]
un **tableau** • (p. 200) un **tableau noir** • (p. 188) [tablo]
un **tablier** • La cuisinière porte un tablier (p. 200) [tablie]
un **tabouret,** petite chaise sans dossier [taburɛ]
une **tache** de graisse, de boue, d'encre • etc. (p. 71) [taʃ]
tacher v. faire une marque sale sur [taʃe]
tacheté, marqué de beaucoup de taches (*spots*) [taʃte]
une **tâche,** travail; ouvrage; devoir [taːʃ]
tâcher v. essayer [taʃe]
une **taille** (1) action de tailler, de couper; (2) stature du corps; (3) partie
du corps autour de laquelle on met la ceinture [taːj]
tailler v. couper (généralement pour fabriquer quelque chose) [taje]
un **tailleur,** ouvrier qui fait nos vêtements [tajœːr]
se taire v. rester silencieux [tɛːr]
se taisant; tu; (je me suis tu)
je me tais; je me tus; je me tairai; que je me taise
le **talon,**• partie du pied ou du soulier (pl. G et p. 35) [talɔ̃]
un **talus** • (voir p. 186) [taly]
un **tambour,**• instrument de musique qu'on bat (p. 43) [tãbuːr]
la **Tamise,** le fleuve qui traverse Londres [tamiːz]
tamiser v. passer par un **tamis** • (p. 200) [tamize—tami]
un **tampon** (1) morceau de bois pour boucher une ouverture; (2) boule
de ouate • etc. pour arrêter le sang; (3) partie d'une locomotive •
(p. 37) Le verbe dont on se sert dans les 3 cas est **tamponner**
[tãpɔ̃—tãpɔne]

199

tandis que, pendant que [tɑ̃dikə]

le **tangage,** mouvement du bateau lorsque la mer est agitée; *pitching* [tɑ̃gaːʒ]

une **tanière,** caverne de bête sauvage [tanjɛːr]

tant, *so much, so many* [tɑ̃]

tant mieux ! = j'en suis très content

tant pis ! = j'en suis triste, fâché

tant s'en faut = au contraire

si tant est que = s'il est vrai que

la **tante,** sœur du père ou de la mère [tɑ̃ːt]

tantôt (1) bientôt; (2) il y a quelque temps [tɑ̃to]

tantôt ... tantôt, quelquefois ... quelquefois

un **taon,** mouche qui pique les bœufs [tɑ̃]

un **tapage,** grand bruit. Un enfant qui fait du tapage est **tapageur** [ta-paːʒ, -paʒœːr]

taper *v.* donner des **tapes** à [tape—tap]

tapoter *v.* donner de petites tapes à [tapɔte]

un **tapis,**• tissu pour recouvrir (1) le plancher (p. 58); (2) la table [tapi]

tapisser un mur = y mettre du papier peint, de la **tapisserie** [tapis-e, -ri]

taquin, qui aime à taquiner [takɛ̃]

taquiner *v.* irriter par de petites plaisanteries [takine]

une **taquinerie,** action d'un taquin [takinri]

tard, après l'heure convenable; *late* [taːr]

il me tarde de partir = j'ai un grand désir de partir

tarir *v.* (1) mettre à sec (une mare, un puits); (2) faire cesser (l'eau qui coule) [tariːr]

une **tartine** • de beurre etc. (p. 143) [tartin]

un **tas de,** une quantité de [tɑ]

une **tasse** • de café, de thé etc. (p. 143) [tɑːs]

tâter *v.* toucher longuement avec la main [tɑte]

tâtonner *v.* chercher avec hésitation [tɑtɔne]

marcher **à tâtons,** marcher avec hésitation, en étendant les mains [atɑtɔ̃]

une **taupe** • [toːp]

une **taupinière** • [topinjɛːr]

un **taureau,** mâle de la vache [tɔro]

un **Tchèque,** habitant de **la Tchécoslovaquie** • [tʃɛk—tʃekɔslɔvaki]

le cadre

un **tableau**

notre cuisinière

un **tablier**

un **tamis**

un **tapis de table**

la taupinière

une **taupe**

200

teindre *v.* colorer (se conj. c. craindre) [tɛ̃:dr]

le **teint**, coloration du visage [tɛ̃]

une **teinte**, couleur [tɛ̃:t]

tel (telle); **tels (telles)** *such* [tɛl]

tellement, si; tant [tɛlmã]

téméraire, brave, mais imprudent [temerɛ:r]

le **témoignage**, évidence; preuve [temwaɲa:ʒ]

un **témoin**, celui qui a vu un événement et peut en
faire le récit [temwɛ̃]

la **tempe,** partie de la tête [tã:p]

tempéré, modéré [tãpere]

une **tempête**, grand vent [tãpɛ:t]

un **temple** (comme en anglais, mais aussi) l'église
des protestants [tã:pl]

le **temps** (1) Il est temps de partir (*time*); (2)
il fait beau temps (*weather*) [tã]

tenace, obstiné [tənas]

les **tenailles** [tənɑ:j]

la **tendresse**, affection, amour [tãdrɛs]

les **ténèbres**, obscurité complète [tenɛ:br]

ténébreux, très noir [tenebrø]

tenir *v. to hold, keep* [təni:r]
tenant; tenu ; (j'ai tenu)
je tiens; je tins; je tiendrai; que je tienne

un **tentateur**, celui qui tente [tãtatœ:r]

une **tentative**, essai pour réussir [tãtati:v]

tenter *v.* (1) essayer, tâcher; (2) exercer une
tentation (*temptation*) [tãte—tãtasjõ]

la **tenue**, façon de se conduire ou de se vêtir [təny]

la **terminaison**, la fin (d'un mot, d'un procès,
de ses études) [tɛrminɛzõ]

terne, qui n'est pas brillant [tɛrn]

ternir *v.* rendre sombre et gris [tɛrni:r]

un **terrain**, une étendue de terre [tɛrɛ̃]

une **terrasse** (1) espèce de promenade élevée;
(2) extérieur d'un café [tɛras]

la **terre** [tɛ:r]

la **terre cuite**, argile rouge cuite au four

le **terreau**, la terre molle de nos jardins [tɛro]

un **terre-neuve**, chien de Terre-Neuve [tɛrnœ:v]

un **terrier** (1) chien; (2) trou dans la terre où
vivent les lapins, le renard etc. [tɛrje]

une **terrine**, vase en terre cuite [tɛrin]

la **Tchécoslovaquie**

la **tempe**

les **tenailles**

la **terre**

CANADA

Terre-Neuve

un **territoire**, un pays [tɛritwaːr]

un **tesson**, fragment de bouteille etc. [tɛsɔ̃]

un **têtard**, première forme de la grenouille • quand elle sort de l'œuf [tetaːr]

la **tête**,• partie du corps (pl. G) [tɛːt]

un **tête-à-tête**, conversation strictement privée entre deux personnes [tɛtatɛːt]

têtu, excessivement obstiné [tety]

le **thé** • dans la **théière** • (p. 143) [te, -jɛːr]

un **thème**, traduction dans une autre langue d'un texte écrit dans la langue maternelle [tɛːm]

un **thon**,• espèce de gros poisson (pl. H) [tɔ̃]

tiède, ni chaud ni froid [tjɛd]

la **tiédeur** (1) état de ce qui est tiède; (2) manque d'ardeur [tjedœːr]

le **tien**, la **tienne**, ce qui est à toi [tjɛ̃—tjɛn]

une **tige** • rattache la feuille ou le fruit à la branche (pl. B) [tiːʒ]

une **tignasse** • [tiɲas]

un **tilleul**, arbre forestier, *lime* [tijœl]

une **timbale** (1) gobelet; (2) tambour [tɛ̃bal]

un **timbre** • de bicyclette (p. 23) [tɛ̃ːbr]

le **timbre d'une cloche**, le son particulier qu'elle a

un **timbre-poste** • Le verbe est **timbrer** [tɛ̃bre]

le **timon** • d'une voiture [timɔ̃]

un **timonier**, marin qui tient le gouvernail • d'un bateau [timɔnje]

timoré, très timide [timɔre]

un **tintamarre**, un grand bruit [tɛ̃tamaːr]

un **tintement**, le son d'une cloche [tɛ̃tmɑ̃]

tinter v. sonner lentement [tɛ̃te]

un **tir** (1) action de tirer une arme à feu; (2) lieu où le soldat s'exerce à tirer [tiːr]

tirailler v. (1) tourmenter; (2) tirer souvent (des coups de fusil) [tirɑːje]

un **tirailleur**, soldat déployé dans les champs pour tirer sur l'ennemi [tirajœːr]

tirer v. (1) le cheval tire la charrette; (2) le soldat tire un coup de fusil; (3) le petit garçon tire la langue • (p. 118); (4) on tire (ou trace) une ligne [tire]

un **tire-bouchon** • [tirbuʃɔ̃]

un **tiroir** • [tirwaːr]

une **tignasse**

des **timbres-poste**

le **timon** d'une voiture

un **tire-bouchon**

un **tiroir**

à tire-d'aile, très vite [atirdɛl]

une **tirelire,** boîte où l'on met l'argent qu'on
épargne [tirliːr]

un **tison,** morceau de bois qui brûle [tizɔ̃]

tisonner le feu, remuer les tisons, les charbons
etc. avec le **tisonnier**  [tizone—tizɔnje]

tisser v. faire du drap, de la toile [tise]

un **tisserand,** artisan qui fait le drap [tisrɑ̃]

un **tissu,** une étoffe [tisy]

un **titre,** nom donné (1) à un livre; (2) à une
personne pour indiquer sa dignité: duc,
marquis, lord etc. [titr]

le **tocsin,** cloche qui sonne l'alarme [tɔksɛ̃]

un **tohu-bohu,** bruit et désordre [tɔybɔy]

toi, forme forte du pronom **te** [twa—tə]

une **toile,** tissu de lin ou de coton [twal]

une **toile** de Rembrandt etc. = un tableau

une **toile d'araignée**  (voir p. 12)

toiser v. regarder avec mépris [twaze]

une **toison,** lainage (*wool*) d'un mouton [twazɔ̃]

le **toit**  ; la **toiture** (pl. E) [twa, -tyːr]

la **tôle,** fer forgé [toːl]

une **tombe,** (1) pierre plate qui recouvre une fosse
(*grave*); (2) un **tombeau**  [tɔ̃ːb—tɔ̃bo]

à la **tombée** de la nuit = à la fin du jour [tɔ̃be]

tomber  v. faire une chute (p. 2) [tɔ̃be]

un **tombereau**  [tɔ̃bro]

ton (**ta,** pl. **tes**) *thy* [tɔ̃—ta—te]

un **ton** (1) son musical; (2) manière de dire; expression de la voix [tɔ̃]

tondre v. couper la laine d'un mouton au moyen
d'une **tondeuse** (*clippers*) [tɔ̃ːdr—tɔ̃døːz]

une **tonne** (1) tonneau énorme pour contenir le vin;
(2) 1000 kilos [tɔn]

le **tonnelier** fait les **tonneaux**  [tɔ-nəlje, -no]

un **tonnelet,** petit tonneau [tɔnlɛ]

une **tonnelle,** *arbour* [tɔnɛl]

le **tonnerre,** bruit qui suit l'éclair [tɔnɛːr]

une **toque,** coiffure d'avocat  [tɔk]

un **torchon**  (p. 188) On essuie le tableau noir
avec un torchon [tɔrʃɔ̃]

tordre v. *to twist* [tɔrdr]

une **torpille**    **torpiller** v. [tɔr-piːj, -pije]

le **tisonnier**

le **tombeau**

un **tombereau**

un **tonneau**

on lance une **torpille**

un **torpilleur** • [tɔrpijœːr]
  tors (torse) • tordu
    [tɔːr—tɔrs]
  vous avez tort = vous
    êtes dans l'erreur [tɔːr]
  à tort et à travers, sans
    précaution
  tortiller v. tordre [tɔrtije]
une **tortue** • (p. 84) [tɔrty]
un chemin **tortueux** tourne
  souvent [tɔrtɥø]
  tôt, dans peu de temps [to]
  touchant, pathétique
une **touche** de piano • (p. 40)
  [tuʃɑ̃—tuʃ]
une **touffe** • de cheveux [tuf]
  touffu, épais [tufy]
  toujours, sans interruption
  always [tuʒuːr]
une **toupie,** • un jouet d'enfant
  [tupi]
UNE **tour d'église** • (pl. A)
  [tuːr]
une **tourelle,** petite tour [turɛl]

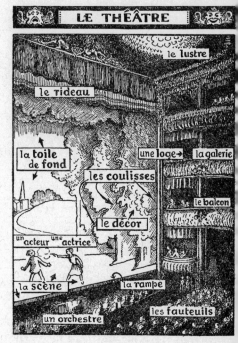

LE THÉÂTRE

le lustre
le rideau
la toile de fond
une loge→ la galerie
les coulisses
le balcon
le décor
un acteur une actrice
la scène — la rampe
les fauteuils
un orchestre

UN **tour** (1) mouvement en rond; (2) voyage; (3) plaisanterie
un **tour de force,** action brillante, extraordinaire
  en un tour de main = en un instant
un **tourbillon,** vent violent qui tournoie [turbijɔ̃]
  tourbillonner v. tournoyer avec violence [turbijɔne]
un **tournant,** endroit où un chemin change de direction [turnɑ̃]
un **tournevis,** • petit outil de menuisier (p. 149) [turnvis]
  tournoyer v. tourner (*turn*) continuellement [turnwaje—turne]
une **tournure,** façon de s'exprimer [turnyːr]
un **tourtereau,** une **tourterelle,** espèce de pigeon [turtəro—turtərɛl]
  tout, toute; (pluriel) **tous, toutes;** *all, every* [tu—tut]
  tout; toute; tout à fait, complètement; **tout de suite,** *at once*
  toutefois, cependant, pourtant [tutfwa]
une **toux,** *cough* Le verbe est **tousser** [tu—tuse]
  tracasser v. troubler; ennuyer; tourmenter [trakase]
  traduire v. mettre un texte dans une autre langue: faire une **traduction** (se conj. c. conduire) [tradɥiːr—tradyksjɔ̃]
  trahir v. abandonner un ami; livrer sa patrie; révéler un secret
  la **trahison,** action de trahir [traiːr—traizɔ̃]

mon **train de vie** = ma façon de vivre

    à fond de train, très vite.   Je suis **en train** =
je suis de bonne humeur

    en train de, occupé à   [trɛ̃]

un **traîneau** •   [trɛno]

    traîner *v.* tirer après soi   [trɛne]

    traire *v.* tirer le lait d'un animal   [trɛːr]
trayant; trait; (j'ai trait)
je trais; ——; je trairai

un **trait** (1) flèche; (2) ligne; (3) partie du visage,
feature; (4) partie du harnais d'un cheval,
trace   [trɛ]

un **traité,** convention faite entre deux gouverne-
ments, deux États   [trete]

un **traitement** (1) manière de traiter; (2) salaire
d'un professeur etc.   [trɛtmɑ̃]

    traiter *v.* (1) Vous m'avez traité comme un
prince.   (2) Ce livre traite de religion   [trete]

    traître (traîtresse) perfide   [trɛːtr—trɛtrɛs]

un **trajet,** un voyage   [traʒɛ]

    tramer *v.* préparer (une conspiration) [trame]

    tranchant, qui coupe bien   [trɑ̃ʃɑ̃]

une **tranche** • de pain, de citron etc. (p. 206) [trɑ̃ːʃ]
la **tranche** • d'un livre (p. 122)

une **tranchée,**• long fossé (p. 15)   [trɑ̃ʃe]

    trancher *v.* couper   [trɑ̃ʃe]

    transcrire *v.* recopier   [trɑ̃skriːr]

    transitoire, qui ne dure pas longtemps
                                [trɑ̃zitwaːr]

    transpirer *v.* suer •   [trɑ̃spire]

    trapu, gros et de petite taille   [trapy]

    traquer *v.* poursuivre   [trake]

le **travail,** le labeur nécessaire pour produire une
chose; la chose elle-même   [travaːj]

    travailler *v.* faire du travail, *work* [travaje]

un **travailleur,** une **travailleuse,** personne qui
travaille   [travajœːr—travajøːz]

    à travers ; au travers de, *through* [travɛːr]

    traverser *v.* passer à travers   [traverse]

une **traverse** • (p. 206)   [travɛrs]

un **traversin,**• long oreiller (p. 33) [travɛrsɛ̃]

    travestir *v.* déguiser   [travɛstiːr]

    trébucher *v.* perdre l'équilibre [trebyʃe]

un **torpilleur**

une **colonne torse**

une **touffe** de cheveux

une **toupie**

un **traîneau**

le **trèfle** • (1) plante, *clover*; (2) une des couleurs noires des cartes à jouer (p. 30)　[trɛːfl]

un **treillage**,• un **treillis** (p. 119)　[trɛ-jaːʒ, -ji]

la **treille,** la vigne　[trɛːj]

treize = 13. La **treizième** maison de la rue　[trɛːz—trɛzjɛm]

un **tremblement,** action de **trembler.** En 1755, Lisbonne, capitale du Portugal, fut détruite par un **tremblement de terre**　[trãbləmã—trãble]

trembloter *v.* trembler un peu　[trãblɔte]

tremper *v.* plonger dans un liquide　[trãpe]

un **tremplin** •　[trãplɛ̃]

une **trentaine,** à peu près trente　[trãtɛːn]

trente = 30　[trãːt]

le **trépas,** la mort　[trepɑ]

trépasser *v.* mourir　[trepɑse]

un **trépied,** meuble à trois pieds　[trepje]

trépigner *v.* exprimer sa joie, sa colère, en frappant des pieds contre terre　[trepiɲe]

un **trépignement,** action de trépigner　[trepiɲmã]

très, extrêmement, *very*　[trɛ]

un **trésor,** richesses accumulées　[trezɔːr]

un **tressaillement,** tremblement　[trɛsajmã]

tressaillir *v.* sursauter, *thrill*　[trɛsajiːr]

tresser *v.* faire des **tresses**, *plaits*　[trɛse—trɛs]

un **tréteau** •　[treto]

une **trêve,** suspension d'hostilités　[trɛːv]

un **triage,** action de trier　[triaːʒ]

une **tribu,** un petit peuple　[triby]

un **tribut,** une contribution　[triby]

tricher *v.* tromper au jeu, *cheat*　[triʃe]

la **tricherie,** la tromperie　[triʃri]

le **tricolore**,• drapeau français (p. 64)　[trikɔlɔːr]

un **tricorne**,• espèce de chapeau　[trikɔrn]

un **tricot,** jersey, vêtement de laine　[triko]

tricoter *v.* faire un tricot etc.　[trikɔte]

le **tricotage,** travail d'un **tricoteur,** d'une **tricoteuse** (*knitter*)　[trikɔtaːʒ—trikɔtœːr]

trier *v.* choisir dans une masse　[trie]

un **trimestre,** période de 3 mois　[trimɛstr]

une **tringle** •　[trɛ̃ːgl]

trinquer *v.* choquer les verres　[trɛ̃ke]

une **tranche** de citron

les **traverses**

le **tremplin**

un **tréteau**

un **tricorne**

une **trique,** un gros bâton [trik]

triste • Le contraire est **gai** [trist]

la **tristesse,** chagrin, mélancolie [tristɛs]

trois = 3 La **troisième** porte [trwa, -zjɛm]

une **trombe** • [trɔ̃:b]

une **trompe** • (1) nez de l'éléphant (p. 55); (2) instrument de musique, trompette [trɔ̃:p]

tromper v. décevoir [trɔ̃pe]

une **tromperie,** action de tromper [trɔ̃pri]

un **trompeur,** personne qui trompe [trɔ̃pœ:r]

le **tronc** • d'un arbre (p. 13) [trɔ̃]

un **tronçon,** fragment (d'une épée • etc.) [trɔ̃sɔ̃]

un **trône,** • siège d'un roi (p. 183) [tro:n]

trop, too; too much [tro]

troquer v. = faire le **troc**: échanger un objet contre un autre [trɔke—trɔk]

le **trottoir,** • partie de la rue (p. 28) [trɔtwa:r]

un **trou** • Le verbe est **trouer** [tru, -e]

une **trouée,** ouverture (dans un bois etc.) [true]

un **troupeau,** troupe de vaches, de moutons ou d'autres bêtes paisibles [trupo]

une **trouvaille,** objet de valeur trouvé par accident; découverte [truva:j]

trouver v. Avez-vous trouvé la solution de ce problème ? [truve]

une **truelle,** • outil de maçon (p. 149) [tryɛl]

une **truie,** femelle du cochon • (p. 8) [trɥi]

une **truite,** poisson d'eau douce [trɥit]

tuer v. mettre à mort [tɥe]

une **tuerie,** carnage, boucherie [tyri]

crier **à tue-tête,** crier très fort [atytɛ:t]

une **tuile** • Les toits des maisons sont souvent couverts de tuiles [tɥil]

la **tutelle,** protection, guardianship [tytɛl]

un **tuteur,** personne chargée d'une tutelle [tytœ:r]

tutoyer v. dire " tu " et " toi " en parlant à une personne [tytwaje]

un **tuyau,** • tube pour l'eau ou le gaz (pl. E) [tɥijo]

ultime, dernier [yltim]

un, une = 1 [œ̃-yn]

uni (1) joint à; (2)lisse [yni]

unir v. joindre ensemble [yni:r]

207

DANS LE PARC DE **V**ERSAILLES

les jets d'eau

le bassin

UN JOUR DE GRANDES EAUX

le **vingt et unième,** qui vient après le vingtième   [ynjɛm]
    urbain, de la ville   [yrbɛ̃]
un **usage,** (1) emploi; (2) habitude   [yzaːʒ]
    usé, qui a beaucoup servi   [yze]
une **usine,** une fabrique •   [yzin]
un **ustensile,** un instrument   [ystɑ̃sil]
    usuellement, ordinairement   [yzɥɛlmɑ̃]
une **usure,** action de prêter de l'argent à un prix excessif   [yzyːr]
une **usure,** détérioration d'un objet, due à l'usage
un **usurier,** homme qui prête de l'argent **à usure**   [yzyrje]
    utile, qui a de l'**utilité.** Un dictionnaire est souvent utile lorsqu'on
    fait un devoir   [ytil—ytilite]
    utiliser *v.* employer **utilement,** à son avantage   [ytil-ize, -mɑ̃]

    va, vas, vont, formes du verbe **aller**   [va—va—vɔ̃]
un **va-et-vient,** mouvement d'une foule qui entre et qui sort;
    mouvement d'un piston   [vaevjɛ̃]
un **va-nu-pieds,** vagabond extrêmement pauvre   [vanypje]
les **vacances,** jours de repos dans les écoles etc.   [vakɑ̃ːs]
un **vacarme,** grand bruit; tapage   [vakarm]
une **vache,**• animal domestique qui donne le lait (p. 8)   [vaʃ]
    vagir *v.* pousser des vagissements   [vaʒiːr]
un **vagissement,** le cri d'un très jeune bébé   [vaʒismɑ̃]
une **vague,**• masse d'eau soulevée par les vents (p. 132)   [vaːg]
un **terrain vague,** vide: qui n'est pas cultivé
    vaillamment, avec **vaillance,** avec courage   [vajamɑ̃—vajɑ̃ːs]
    vaillant, brave, courageux   [vajɑ̃]

vaincre *v.* maîtriser, conquérir   [vɛ̃ːkr]
    vainquant; vaincu; (j'ai vaincu)
    je vaincs [vɛ̃]; je vainquis; je vaincrai
un **vaincu,** celui qui a subi une défaite   [vɛ̃ky]
le **vainqueur** remporte la victoire   [vɛ̃kœːr]
un **vaisseau** (1) récipient; (2) grand bateau;
    (3) intérieur d'une grande église   [vɛso]
la **vaisselle,** tasses, soucoupes, assiettes   [vɛsɛl]
un **val,** un **vallon,** petite vallée   [val, -ɔ̃]
la **vallée** de la Tamise   [vale]
un **valet** * (1) domestique; (2) carte * (p. 30) [valɛ]
la **valeur** (1) prix; (2) courage   [valœːr]
une **valise** *   [valiːz]
  valoir *v.* Une livre vaut 1000 francs [valwaːr]
    valant; valu; (j'ai valu)
    je vaux; je valus; je vaudrai; que je vaille
une **valse,** espèce de danse   [vals]
  vaniteux, plein de vanité   [vanitø]
une **vanne,** porte d'une écluse *   [van]
un **vantard,** qui se vante souvent   [vɑ̃taːr]
  se vanter *v.* parler trop de son mérite [vɑ̃te]
LE **vapeur** * = le bateau à vapeur   [vapœːr]
LA **vapeur** * fait fonctionner les machines (p. 37)
un **vaporisateur** * (p. 152)   [vapɔrizatœːr]
le **varech,** plantes marines (p. 132)   [varɛk]
les **varices,** dilatation des veines   [varis]
UN **vase,** un pot   [vɑːz]
LA **vase,** boue au fond d'une mare   [vɑːz]
un **vasistas,** * espèce de fenêtre   [vazistɑːs]
  à vau l'eau, en suivant le cours de la rivière
    [avolo]
un **vaurien,** personne sans valeur   [vorjɛ̃]
un **vautour,** * oiseau de proie (pl. F) [votuːr]
  se vautrer *v.* se rouler dans la boue [votre]
un **veau,** le petit de la vache   [vo]
une **vedette** (1) sentinelle à cheval; (2) petit bâti-
    ment de guerre; (3) artiste en vue, personne
    dont on parle   [vədɛt]
la **veille** (1) absence de sommeil; (2) le jour
    précédent   [vɛːj]
une **veillée,** action de veiller   [veje]
  veiller *v.* (1) ne pas dormir; (2) passer la nuit
    auprès d'un malade   [veje]

une **valise**

un **vapeur**
[un **paquebot**]

un **vasistas**

une **veilleuse**

le **vent**

un **veilleur,** personne qui veille [vɛjœːr]
une **veilleuse,**• petite lumière (p. 209) [vɛjøːz]
le **vélin,** espèce de parchemin [velɛ̃]
un **vélo,** une bicyclette • (p. 23) [velo]
le **velours,** étoffe de soie: *velvet* [vəluːr]
   velouté, qui donne l'impression du velours; très
     doux au toucher [vəlute]
   velu, couvert de poils [vəly]
la **vendange,** la récolte des raisins [vɑ̃dɑ̃ːʒ]
un **vendeur** (une **vendeuse**) personne qui vend
            [vɑ̃dœːr—vɑ̃døːz]
   vendre *v.* donner pour de l'argent [vɑ̃ːdr]
un **vendredi,** 6ᵉ jour de la semaine [vɑ̃drədi]
une **venelle,** petite rue très étroite [vənɛl]
   vénéneux, qui contient du poison (en parlant
     des plantes) [venenø]
   venimeux, qui a du poison (en parlant des
     reptiles, comme le serpent) [vənimø]
   venger *v.* tirer vengeance [vɑ̃ʒe]
un **vengeur,** une **vengeresse,** personne qui se
   venge [vɑ̃ʒœːr—vɑ̃ʒrɛs]
le **venin,** poison [vənɛ̃]
   venir *v.* contraire d'**aller** [vəniːr]
     venant; venu; (je suis venu)
     je viens; je vins; je viendrai ; que je vienne
   venir de + infinitif = *to have just . . .*
   venir à + infinitif = *to happen to*
le **vent** •   Le verbe est **venter** [vɑ̃, -te]
la **vente,** action de vendre [vɑ̃ːt]
le **ventre,**• l'abdomen, les intestins (pl. G) [vɑ̃ːtr]
   aller **ventre à terre** = très vite (en parlant des
     chevaux)
   ventru, qui a un gros ventre [vɑ̃try]
la **venue,** l'arrivée [vəny]
les **vêpres,** office de l'église [vɛːpr]
un **ver de terre** •   un **ver à soie** • [vɛːr]
   verdâtre, presque vert [vɛrdɑːtr]
   verdir *v.* devenir vert [vɛrdiːr]
une **verge,** bâton mince, baguette   **donner les**
     verges à = battre, fouetter, punir [vɛrʒ]
un **verger,** jardin d'arbres fruitiers [vɛrʒe]
le **verglas,** pluie gelée qui couvre le sol [vɛrglɑ]
les **vergues** • d'un vaisseau [vɛrg]

un **ver de terre**

un **ver à soie**

le **mât** les **vergues** d'un voilier

un **verre**

un **verrou** la **porte** est **verrouillée**

une **verrue**

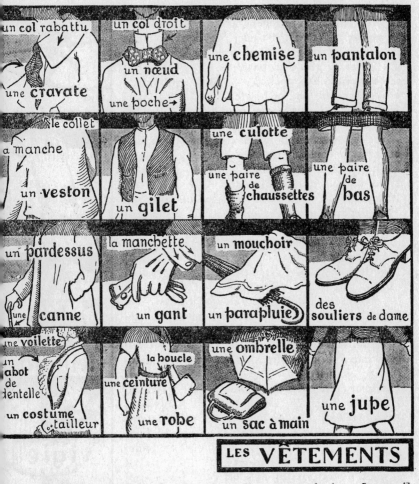

un col rabattu
une cravate
un col droit
un nœud
une poche→
une chemise
un pantalon

le collet
a manche
un veston
un gilet
une culotte
une paire de chaussettes
une paire de bas

un pardessus
une canne
la manchette
un gant
un mouchoir
un parapluie
des souliers de dame

une voilette
un jabot de dentelle
un costume tailleur
la boucle
une ceinture
une robe
une ombrelle
un sac à main
une jupe

LES VÊTEMENTS

vermeil (vermeille) rouge; le **vermeil** = argent doré   [vɛrmɛːj]
un **vermisseau,** petit ver de terre   [vɛrmiso]
le bois **vermoulu,** bois mangé par les vers   [vɛrmuly]
le **vernis,** liquide qu'on applique à un objet pour lui donner du lustre.
    Le verbe est **vernir** (ou **vernisser**)   [vɛr-ni, -niːr, -nise]
un **verre** °   [vɛːr]
un **verrou** °   Le verbe est **verrouiller** °   [vɛru—vɛruje]
une **verrue,**° petite excroissance de la peau   [vɛry]
un **vers** (*line of poetry*) de 12 pieds s'appelle un **alexandrin**   [vɛːr]
    vers, dans la direction de; aux environs de; *towards*   [vɛːr]

le **versant,** la pente (d'une montagne) [vɛrsɑ̃]

un **versement,** un paiement [vɛrsəmɑ̃]

verser v. (1) faire couler un liquide (d'une bouteille etc.); (2) renverser sur le côté (une charrette etc.); (3) payer [vɛrse]

une **version,** une traduction [vɛrsjɔ̃]

le **vert,** couleur de l'herbe etc. [vɛːr]

le **vertige,**° sensation que tout tourne autour de soi [vɛrtiːʒ]

vertigineux, qui donne le vertige [vɛrtiʒinø]

la **vertu,** le contraire du **vice** [vɛrty]

vertueux, plein de vertu [vɛrtɥø]

la **verve,** vivacité, enthousiasme [vɛrv]

le **vestiaire** d'un théâtre: pièce où on laisse son chapeau, son pardessus [vɛstjɛːr]

le **vestibule** ° d'une maison (pl. E) [vɛstibyl]

un **veston,**° vêtement d'homme (p. 211) [vɛstɔ̃]

un **vêtement** ° [vɛtmɑ̃]

vêtir v. mettre des vêtements à [vetiːr]
vêtant; vêtu; (j'ai vêtu)
je vêts; je vêtis; je vêtirai; que je vête

un **veuf,** homme dont la femme est morte [vœf]

une **veuve,** femme dont le mari est mort [vœːv]

veule, sans énergie [vœːl]

la **viande,**° la chair des animaux que nous mangeons (p. 158) [vjɑ̃ːd]

vibrer v. faire des vibrations [vibre]

un **vicaire,** prêtre qui aide le curé [vikɛːr]

les **victuailles,** ce qu'on mange [viktɥɑːj]

vide, le contraire de **plein** [vid]

vider ° v. rendre vide [vide]

la **vie,** le contraire de la **mort** [vi]

vieil, vieux (vieille) âgé; *old* [vjɛːj—vjø]

un **vieillard,**° homme très âgé [vjejaːr]

la **vieillesse,** l'hiver de la vie [vjɛjɛs]

vieillir v. devenir vieux [vjejiːr]

une **vierge,** jeune fille pure [vjɛrʒ]

la **sainte Vierge,** Marie, mère de Jésus

vif (vive) plein de vie; actif [vif—viːv]

le **vif-argent,** le mercure (métal)

UNE **vigie,**° marin posté dans la mâture (*rigging*) pour surveiller la mer [viʒi]

la **vigne,**° plante qui porte le raisin [viɲ]

un **vigneron** cultive la vigne   [viɲərɔ̃]
un **vignoble**, terrain planté de vignes   [viɲɔbl]
   vilain,• laid, méchant, désagréable   [vilɛ̃]
un **villageois**, habitant d'un village   [vilaʒwa]
une **ville**.   Paris est une grande ville   [vil]
le **vin**,• boisson extraite des raisins   [vɛ̃]
le **vinaigre**,• liqueur acide (p. 106)   [vinɛːgr]
   vingt = 20   Le **vingtième** chat   [vɛ̃—vɛ̃tjɛm]
   violemment, avec violence   [vjɔlamɑ̃]
un **violon**,• instrument de musique (p. 43)   [vjɔlɔ̃]
un **virage** (1) action de virer; (2) courbe de la
     route   [viraːʒ]
   virer v. tourner (en parlant d'une auto)   [vire]
une **virgule**, signe de ponctuation (,)   [virgyl]
une **vis** • Le verbe est **visser**   [vis, -e]
   vis-à-vis, en face l'un de l'autre   [vizavi]
   viser v. diriger son fusil vers une cible •   [vize]
la **visière** • d'une casquette (p. 39)   [vizjɛːr]
   vite, rapidement, promptement   [vit]
la **vitesse**, rapidité   [vitɛs]
un **vitrail** (des **vitraux**) • fenêtre d'église (pl. A)
      [vitraːj—vitro]
une **vitre**,• verre d'une fenêtre (p. 126)   [vitr]
une porte **vitrée** • = garnie de vitres (p. 165) [vitre]
   vitreux, qui ressemble à du verre   [vitrø]
une **vitrine de magasin**, fenêtre derrière laquelle
     on expose les marchandises   [vitrin]
   vivace, qui ne meurt pas facilement   [vivas]
   vivre v. exister.   Le contraire est **mourir**
     vivant; vécu; (j'ai vécu)
     je vis; je vécus; je vivrai; que je vive [viːvr]
les **vivres**, tout ce qu'on mange   [viːvr]
un **vœu** (1) prière; (2) promesse faite à Dieu   [vø]
   voguer v. aller sur l'eau   [vɔge]
   voici (vois ici!) *here is, here are*   [vwasi]
   voilà (vois là!) *there is, there are*   [vwala]
une **voie**, un chemin   [vwa]
   la **voie ferrée**, le chemin de fer
UN **voile**,• pièce d'étoffe pour cacher une personne,
     un objet, un sanctuaire etc. (p. 59)   [vwaːl]
une femme **voilée** •   [vwale]
   voiler v. cacher au moyen d'un voile   [vwale]
une **voilette**,• petit voile léger (p. 211)   [vwalɛt]

il est très laid,
vilain

un
**verre
à vin**

une
**bouteille
de vin**

**quelques
vis**

une femme
voilée

notre
voisine

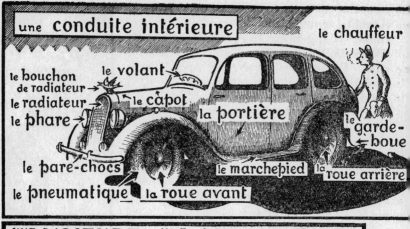

une **conduite intérieure**   le chauffeur

le bouchon de radiateur →   le volant →
le radiateur →   le capot
le phare →   la portière
la garde-boue
le pare-chocs   le marchepied   la roue arrière
le pneumatique   la roue avant

UNE **VOITURE** UNE **AUTOMOBILE**

UNE **voile** • (p. 21)   [vwaːl

un **voilier**,• un bateau à voiles (p. 21)   [vwalje

la **voilure**, toutes les voiles d'un navire   [vwalyːr

   voir v. to see   [vwaːr

     voyant; vu; (j'ai vu); je vois; je vis; je verrai; que je voie

   voir le jour, naître   **voir du pays,** voyager beaucoup

   voisin (voisine) qui est tout près   [vwa-zɛ̃, -zin

un **voisin**, une **voisine**,• personne qui habite la maison d'à côté (p. 213

le **voisinage**, les environs   [vwazinaːʒ

une **voiture**,• toute sorte de véhicule   [vwatyːr

   En voiture ! = Montez dans le train !

une **voiturette**, petite voiture; petite auto   [vwatyrɛt

la **voix**, son qu'on fait lorsqu'on parle ou qu'on chante   [vwa

le **vol**, passage d'un oiseau dans l'air   [vɔl

   volage, inconstant, incertain, changeant   [vɔlaːʒ

la **volaille**, les oiseaux de basse-cour • (p. 146)   [vɔlɑːj

le **volant** • d'une auto   [vɔlɑ̃

une **volée d'oiseaux**, groupe d'oiseaux qui volent ensemble   [vole

une **volée de coups de bâton**, châtiment sévère

   la cloche sonne **à toute volée** (= fort et longtemps)

   voler • v.   L'oiseau vole; l'aéroplane vole   [vole

   voleter v. voler mal, avec difficulté   [vɔlte

une **volière**, très grande cage pour les oiseaux   [vɔljeːr

   voltiger v. voler çà et là comme fait un papillon   [vɔltiʒe

un **vol,** action de voler de l'argent etc. [vɔl]

    voler • *v.* prendre l'argent etc. d'une autre
    personne [vole]

    il ne l'a pas volé, il l'a bien mérité

un **voleur,•** celui qui prend le bien d'autrui (*others*);
    un larron • [volœːr]

un **volcan •** (p. 119) [vɔlkɑ̃]

un **volet •** (voir pl. E) [vɔle]

un **volontaire,** celui qui se fait soldat, sans y être
    obligé [vɔlɔ̃tɛːr]

un enfant **volontaire,** obstiné; entêté

la **volonté,** *will, wish* [vɔlɔ̃te]

    volontiers, avec plaisir [vɔlɔ̃tje]

    faire **volte-face,** tourner subitement le dos à
    quelqu'un [vɔltfas]

la **volupté,** plaisir sensuel [vɔlypte]

un **vomissement,** action de **vomir.** On vomit
    quand on a le mal de mer [vɔ-mismɑ̃, -miːr]

    vorace, qui dévore [vɔras]

    vos, pluriel de **votre,** *your* [vo—vɔtr]

le (la) **vôtre,** les **vôtres,** ce qui est à vous

les **vôtres,** vos amis, votre famille [voːtr]

    vouer *v.* promettre en faisant un vœu; consacrer
    à Dieu [vwe]

    vouloir *v.* désirer, souhaiter, commander
    voulant; voulu; (j'ai voulu)
    je veux; je voulus; je voudrai; que je veuille

    vouloir dire, signifier [vulwaːr]

    en vouloir à, souhaiter du mal à; être fâché
    contre

    veuillez, ayez la bonté de . . . [vøje]

le **vouloir,** la volonté [vulwaːr]

une **voûte,•** plafond d'une église etc. fait en courbe
    (p. 68) [vut]

le **dos voûté,•** le dos courbé [vute]

    voyager *v.* faire un voyage [vwajaʒe]

un **voyageur,** une **voyageuse,** personne qui fait
    un voyage [vwaja-ʒœːr, -ʒøːz]

une **voyelle.** A, E, I, O, U sont des voyelles [vwajɛl]

un **voyou,•** homme grossier; apache • [vwaju]

    vrai, véritable, réel [vrɛ]

    vraiment, assurément, véritablement, réelle-
    ment [vrɛmɑ̃]

le **voleur**
de grand chemin

le **coffre-fort**

le **cambrioleur**
vole des billets

le canard
vole

le dos
voûté

un
voyou

vraisemblable, qui semble vrai; probable [vrɛsɑ̃blaːbl]

la **vraisemblance,** apparence de réalité; probabilité [vrɛsɑ̃blɑ̃ːs]

une **vrille,**• petit outil de menuisier pour percer des trous (p. 149)

les **vrilles** • **de la vigne** (p. 212) petits filaments en forme de tire-bouchon
qui s'attachent au mur etc. [vriːj]

une **vue** (1) ce qu'on voit; (2) action de voir; (3) faculté de voir [vy]

un **wagon-lit,** voiture de chemin de fer où l'on peut dormir [vagɔ̃li]

le **xérès,** vin d'Espagne [kerɛːs]

y (1) là, dans cet endroit; (2) *to it, to him, to them etc.* [i]

y . . . avoir *v.* être

il y a un rat dans la cage = un rat **est** dans la cage

il y avait = était (étaient)

il y aura = sera (seront)

il y aurait = serait (seraient)

il y a eu = a été (ont été)

N.B. **il y a cinq minutes,** cinq minutes plus tôt (*ago*)

une **yeuse,** chêne toujours vert [jøːz]

les **yeux,** pluriel du mot **œil** • (p. 153) [lezjø]

une **yole,** petit bateau léger [jɔl]

zébrer *v.* marquer de raies, comme on en voit sur un **zèbre** • (voir
p. 9) [zebre—zɛːbr]

le **zèle,** ardeur, diligence, dévouement [zɛːl]

zélé, qui montre du zèle [zele]

le **zéphyr,** brise légère et agréable [zefiːr]

un **zéro** = 0 [zero]

zézayer *v.* parler comme les petits enfants en articulant mal les ch
et les j [zezeje]

le **zézayement,** vice d'articulation de quelqu'un qui zézaie [zezɛmɑ̃]

le **zingueur,** ouvrier qui travaille le **zinc** [zɛ̃gœːr—zɛ̃k]

un **zouave,** soldat français d'un corps algérien [zwaːv]

zut! exclamation de colère, de mépris etc. [zyt]

⊛LA⊛FRANCE⊛PAR⊛PROVINCES

ROYAUME
D'ANGLETERRE

N
NE
O
SE
S

Flandre
Artois
Picardie
Île-de-France
Normandie
Champagne
Lorraine
Als
Bretagne
Maine
Orléanais
Anjou
Franche
Touraine
-Comté
Berri
Nivernais
Poitou
Bourbonnais
Bourgogne
Aunis
Marche
Savoi
Saintonge
Lyonnais
Angoumois
Limousin
Auvergne
Guyenne
Dauphiné
Comtat-Venaissin
Gascogne
Provence
Béarn
Languedoc
NAVARRE
Comté de Foix
Roussillon
ESPAGNE
Cors